BARBARA
KOSMOWSKA

niebieski AUTOBUS

Wydanie 1
Warszawa 2011

Mojej kochanej córeczce, Iwie

CZĘŚĆ PIERWSZA

Zapachy

Moje dzieciństwo składało się z dźwięków, smaków, zapachów i z czterech pór roku, z których najlepiej zapamiętałam wiosnę. To wraz z nią nadciągały ponętne wonie wolności przerywanej matczynymi krzykami z okna.

„Do doomuuu!!!" – wrzeszczało w powietrze jednocześnie kilka matek, a do otwartych okien kamienic wpadały z majowym ciepłem pierwsze wieczorne chrabąszcze. Jestem pewna, że to właśnie chrabąszcze uwalniały sygnał Dziennika Telewizyjnego, który niepostrzeżenie opuszczał duszne pokoje i spływał z wysoka dalekim echem. Wraz z nim dolatywał do granicy podwórkowej ciemności brzęk naczyń rozstawianych do kolacji. Wylewały się jak mleko ze spodka niebieskoszare refleksy szklanych ekranów.

Światła pochodziły z innej rzeczywistości aniżeli odgłosy. Odgłosy były oswojone jak leniwe psy drzemiące na wycieraczkach. A światła wędrowały w sobie tylko znaną stronę, niczym polujące koty na łowiskach pierwszego zmierzchu. Najważniejszym światłem, a nawet światłością, był ów mdły blask pochodzący z tajemniczych kineskopów. Mam wrażenie, że to on rozświetlał ponure mroki schyłku lat sześćdziesiątych i sprawił, że nie trzeba było nosić w bańkach mleka z pobliskiego sklepiku. Wraz z kineskopami nadeszły dumne armie butelek zakończonych kapslami z kolorowych sreberek.

Ktoś może twierdzić, że bańki na mleko nie mają nic wspólnego z telewizorem. Ja jednak uważam, że mają. Że i bańki, i telewizory wyznaczają w rozwoju ludzkości kierunek jakichś podskórnych dążeń i tęsknot za zmianą. To taka wewnętrzna rzeka pragnień, która na pewno popłynęłaby wartkim nurtem domysłów w rozważaniach ontologicznych, gdyby jakiś współczesny filozof zechciał zająć się tymi tęsknotami i dogłębnie je zbadać. Nie jestem tylko pewna, czy sprawa baniek dotyczy w równym stopniu całego świata, co Polski. W tamtych czasach traktowałam problem intuicyjnie, gdyż teoria bytu rzeczy ważnych i mniej ważnych rosła razem ze mną. Wówczas była więc jeszcze całkiem małą teorią. W szarym fartuszku z kieszonką na kasztany.

Telewizory zwyciężyły w rewolucji o względy. Tę rewolucję nazwałabym blaszaną. Na cześć przegranych baniek. Dzieci też były przegrane, bo stały się jakby również mniej ważne od telewizorów. Dorośli wysyłali nas w dalszym ciągu po mleko, tyle że w butelkach, a sami, zatopieni w blasku i jasności magicznych szybek, otwierali szeroko oczy na wielkie udawanie.

Nie istnieliśmy. Rzeczywistość za pancerną szybą należała wyłącznie do pełnoletnich właścicieli telewizorów. Była chroniona przed naszym dotykiem i wzrokiem. Pokazywana najczęściej w nagrodę. Odbierana za karę.

Telewizory pachniały. Zwłaszcza te pierwsze. Sąsiedzkim potem, który w ciasnocie pokoju stołowego przygłuszał pozostałe wonie. Do dziś widzę obcych ludzi, jak tłoczą się przed naszym nowiusieńkim aladynem, nieufnie i tępo wgapieni w zygzaki na brzegach ekranu. Wodzą wzrokiem po ustach ładnej pani tłumaczącej cierpliwie nieco przestraszonym widzom, co teraz zobaczą.

Zwykle na środku pokoju siedział tatuś. Nawet ten połamany fotel z przybrudzonym flauszem nabierał dziwnego dostojeństwa w sztucznym świetle telewizyjnej poświaty. Tata też wyglądał inaczej. Powiedziałabym: jakoś tak świątecznie. Może dlatego, że był podłączony do ładnej pani długim białym kablem zakończonym gruszką. Prototypem pilota bardzo podobnego do latawca na uwięzi. Na gruszce były różne pokrętła, a na nich spoczywała ciężka ojcowska ręka. Tata, niczym Bóg, mógł sprawić, że ładna pani milkła albo ryczała miłym głosem na cały dom. Jaśniała i ciemniała. Znikała, aby pod wpływem tatusiowego kciuka powrócić do swej pracy zdumiewania sąsiadów. Goście przyjmowali te eksperymenty z wielką pokorą, a na twarzy ojca znajdowałam radość, którą zrozumiałam dopiero po latach. Nigdy przedtem i potem nie miał tak widocznego wpływu na losy czyjegoś życia, a w szczególności na ładne panic. W żadnej innej sytuacji nie ośmieliłby się im przerwać, a cóż dopiero wyprosić je z naszego stołowego! Zmieść z powierzchni ekranu, wyrzucić, aby w następnym momencie łaskawym kciukiem przywołać je, ustrojone w białe kołnierzyki, i pozwolić im mówić to, co miały do powiedzenia.

Siedząc nonszalancko w przybrudzonym fotelu i manipulując gruszką, tata osiągał zaskakujące efekty, z likwidacją ładnych pań włącznie. Nigdy wcześniej, a także potem, nie zdarzyła mu się taka manifestacja władzy. I nie miało to dla tatusia żadnego znaczenia, że roztacza ją nad zaledwie kilkunastocalowym światem, ponieważ akurat ten fragment był pilnie śledzony przez zdumione oczy sąsiadów. To był najmniejszy świat, jaki widziałam, bo nawet ten oglądany z naszych śmietników, z gołębnika i z szopy na drewno wydawał się dużo większy i nie do opanowania za pomocą małej plastikowej gruszki.

Budowniczym tego świata wcale nie był tatuś. Pamiętam, że karton z ładną panią przyniósł z kolegami wuj Roman. I był to jeden z nielicznych prezentów, z którym nie rozstawaliśmy się przez prawie piętnaście lat.

Dla nas, dzieci, podczas pierwszych seansów brakowało miejsca na tapczanie i na rachitycznych krzesłach. Nie było go też w wąskim przejściu do kuchni. Musieliśmy zadowolić się kucaniem przy ścianie z dykty, skąd niewiele się widziało, ale mocno czuło ten cały dobrosąsiedzki pot buchający z rozgrzanych ciał.

Poza wonią sąsiadów pamiętam zapach wypranej i sztywnej od krochmalu kołdry, pod którą trudno było znaleźć przytulność. Na szczęście kołdry pachniały rzadko. Zwykle na święta, a sporadycznie w jakieś soboty. Mówię tu o naszych kołdrach, bo mama nie miała serca do wiecznego wyżymania tych trzeszczących starością płócien.

Ja w dzieciństwie pachniałam samogonem. Jestem tego pewna. Ilekroć teraz wkładam nos do lampki z koniakiem, widzę nasz pokój stołowy i lekką mgiełkę oparów unoszących się nad stołem. Bardziej smakuje mi zapach płynący z otwartej butelki niż jej zawartość.

Sprawcą mojego zapachu z dzieciństwa była cała rodzina, a w szczególności wuj Roman. Ojciec mawiał, że wuj Roman zawsze był wszystkiemu winien. Podobnie musieli uważać milicjanci z naszego posterunku, bo przychodzili do nas przynajmniej dwa razy w miesiącu i pytali: „No, gdzie jest ten ptaszek?". Wuj Roman parskał w takich razach śmiechem, wychodząc na korytarz. „Jak wam pokażę ptaszka, to się obaj przekręcicie z zazdrości" – mawiał. I sięgał po płaszcz. A potem wychodzili razem i wuja nie było przez tydzień.

– Na długo teraz? – pytała ojca matka z zatroskaną twarzą.

– E! Do wyjaśnienia. A potem wróci.

– Szkoda – kwitowała mama.

Zawsze się zastanawiałam, co ją bardziej martwi: perspektywa powrotu wuja czy jego niechlubna wizyta w areszcie. Potem matka otwierała okna, aby nasze mieszkanie opuściły alkoholowe mgły mojego dzieciństwa. Ojciec w tym czasie demontował chemiczną fabryczkę i starannie mył długie szklane rurki. Wokół tych rurek w zwyczajne dni gromadzili się wszyscy dorośli: mama, tata, oczywiście wuj Roman i kilku sąsiadów. Wtedy jeszcze nie mieliśmy własnego telewizora i rurki jakby go zastępowały. Głowy dorosłych co chwila nachylały się nad pracującym szkłem, które nam, dzieciom, ofiarowywało ten niezapomniany, gryzący w oczy zapach, wtapiający się w nas tak mocno, że szare mydło, którym nacieraliśmy się nad emaliowaną miednicą, nie mogło sobie z nim poradzić.

Wuj Roman miał własny pokój. Nie wolno było tam wchodzić pod żadnym pretekstem. Tak mówiła mama. Zastanawiało mnie wtedy zawsze, co znaczy słowo „pretekst". Było to jedno z pierwszych urzędowych słów, jakie poznałam. Do pokoju wuja pukał nawet tata, zanim chwycił za zwisającą klamkę. „Dalej!" – słyszeliśmy zza drzwi chrapliwy głos wuja i tata znikał w tym zagraconym, pełnym poniewierających się butelek pomieszczeniu.

Siostra, brat i ja spaliśmy w pokoju rodziców, oddzieleni od nich cienką dyktą, o którą nie można się było opierać. Każda taka próba kończyła się zawaleniem tej niby-ściany. Czasami zapominaliśmy o jej chybotliwości i razem z dyktą lądowaliśmy na kancie kredensu. Na szczęście kredens był pusty. Mama specjalnie nie stawiała w nim szkła, ponieważ wytłukliśmy już kiedyś jej najcenniejszy serwis, który wuj Roman przywiózł z jednej ze swoich wypraw.

Pamiętam ten serwis. Był w srebrne różyczki z delikatnymi zielonymi listkami. Kiedy wuj go rozpakował, zrozumiałam, że nareszcie jesteśmy bogaci.

– Skąd wujek miał tyle pieniędzy? – zapytałam mamę, dotykając paluszkami delikatnej porcelany.

– Noo, znalazł – odpowiedziała takim tonem, jakby była zmartwiona tym wujka szczęściem.

– I dał nam te talerze na zawsze? – upewniałam się dalej, szczęśliwa, że głupiej Rytce będę mogła powiedzieć o naszym bogactwie.

– Tak, ale nikomu o tym nie mów.

Zawsze było tak samo. Gdy stawaliśmy się bogaci, mama dbała o to, abyśmy zachowali skromność i pokorę wobec tej odmiany losu. „Innym może być przykro, że mamy takie ładne rzeczy" – mówiła, zmuszając nas do milczenia.

Prezenty od wuja Romana, zwłaszcza te najbardziej niepokojące mamę, nigdy nie zagrzewały u nas miejsca. Poza serwisem, który stłukliśmy sami, inne precjoza znikały po cichu tak, jak się pojawiały. Nawet nie zdążyliśmy czasami nacieszyć oczu jakimś skarbem, a już go w mieszkaniu nie było.

– Dlaczego nie jemy tymi nowymi widelcami? – zastanawiałam się, przechowując w pamięci jeden z darów wuja: lśniące posrebrzane sztućce.

– Musiałam je sprzedać, abyście w ogóle mieli co jeść – odpowiadała nerwowo mama i wkładała nam do rąk blaszane łyżki.

Moja siostra nie znosiła naszego domu. Uparła się, że będzie mieszkać w internacie, w sąsiednim mieście, i szybko spakowała tekturową walizkę, zabierając tylko swoje dwie bluzki: białą i niebieską.

W dniu jej wyjazdu wuj Roman wrócił przesiąknięty zapachem samogonu i położył na stole nowiutką stuzłotówkę. Tata bardzo się ucieszył, mama też. Oboje wyciągnęli po nią ręce, ale wuj zaprotestował. „Łapy won! – krzyknął. – To są pieniądze na edukację". I dał wyprasowany banknot mojej siostrze. Wzięła go bez słowa i żegnając się tylko ze mną, poszła kupić bilet do swojego nowego miasta i nowego życia.

Patrzyliśmy na wuja z podziwem. Nie pierwszy raz wymówił słowo, które zdradzało jego wszechstronną wiedzę. Potem „edukacja" kojarzyła mi się z innymi ulubionymi zwrotami wuja, należącymi do eleganckiego świata, nie takiego jak ten nasz, z dykty. „Edukacja", „koncesja", „odroczenie", „ekwiwalent"...

Taak. To były piękne słowa! Każde z nich mogło ozdobić usta mojej pani od polskiego. Ale pani nie była wujem i nie znała takich trudnych wyrazów. Pani od polskiego, podobnie jak wuj, zasługuje na odrębną historię.

Pani Elwira

Pani od polskiego miała na imię Elwira i często nie było jej w szkole, bo wciąż jeszcze sama się uczyła. Bardzo ją z bratem polubiliśmy za piękne jasne włosy i niebieską kokardę, którą je powstrzymywała przed opadaniem na oczy. Nie umieliśmy jednak zdobyć wzajemności w swych młodzieńczych uczuciach. Czytaliśmy całymi nocami, bo pani powiedziała, że jak ktoś chce znać jej przedmiot, musi dużo czytać. Sama nie miała czasu na czytanie, gdyż, jak wspomniałam, wciąż się uczyła i chyba nie szło jej najlepiej.

Pani Elwira wydawała się nam wtedy najmądrzejszą nauczycielką w szkole. Może dlatego, że chętnie i często mówiła słowo „przypuśćmy", i wówczas cały jej szkolny wywód nabierał naukowego tonu. Już na początku lekcji pytała: „Jaki to dzisiaj mamy dzień?". A następnie udzielała sobie odpowiedzi: „Przypuśćmy, że piątek". Albo: „Kto nam opowie o *Naszej szkapie*? Przypuśćmy, że uczyni to Pietkiewiczówna... A jeśli nie uczyni, otrzyma ocenę całkowicie niedostateczną".

Zawsze byłam ciekawa, jaka ocena jest niecałkowicie niedostateczna. Dopiero gdy dostałam dwóję z plusem, zrozumiałam wyższą logikę języka pani Elwiry, mocno żałując swej wcześniejszej nieufności do jej erudycji.

W lekcjach pani Elwiry zawsze tkwiło ziarno ostatecznej tajemnicy. Kiedy mawiała: „Przypuśćmy, że Sierotka Marysia była sama jak paluszek", rozumiałam, że w ten sposób pani sygnalizuje współistnienie Marysi i krasnoludków. Bardzo to było podstępne i jednocześnie inteligentne ze strony pani. Pamiętam też, jak nas zapytała o człowieka, który się kulom nie kłaniał. „Przypuśćmy, że dzieci go znają – mówiła z lisią miną. – Któż to taki?”

– Wujek Roman! – wykrzyknęłam uszczęśliwiona, ale pani Elwira podważyła zasługi wuja w potyczkach z Milicją Obywatelską, stawiając mi ocenę całkowicie niedostateczną.

– Pani ma zawsze pełną rację – przypominała nam, gdy ktoś zgłaszał pretensje do błędu na tablicy. – Pani specjalnie źle pisze, bo sprawdza czujność dzieci.

Kiedyś widzieliśmy, jak tańczyła w swoim wynajętym pokoju u emerytki Graptur. Na piętrze. Tańczyła na golasa i przy każdym ruchu cienie jej dorodnych piersi podskakiwały jak piłki lekarskie. Ciężko i bez przekonania. Patrzyłam na te cienie z wielkim niesmakiem i postawiłam pani za dorodne melony ocenę całkowicie niedostateczną. Pomijając piersi, trzeba powiedzieć, że pani Elwira była bardzo chuda, co pozwoliło mi sądzić, że piersi, poza podskakiwaniem w tańcu, pełnią dodatkowo funkcję balastu pozwalającego jej stąpać po ziemi. Śmiesznie wyglądałaby pani Elwira goniona wiatrem jak obłok. Krążąca nad naszą szkołą i boiskiem. Nie domyślałam się wówczas, że stoję tuż przed epokowym odkryciem prawa grawitacji. I nie wiedziałam, że ktoś mnie w tym już dawno wyprzedził. Być może był to wujek Roman. Jego potężna wiedza z różnych dziedzin i tajemniczy sposób życia skłaniały mnie do podejrzeń, że to właśnie wuj jest autorem najważniejszych naukowych teorii. I to on, nikt inny, pojawił się pamiętnego wieczoru przy furtce pani Graptur, gdy czekaliśmy, aż pani Elwira skończy swój taniec na golasa. Z powodu zaskakującej wizyty wujka nie udało nam się przełożyć sprawdzianu z przyimków. Czymże jednak była ocena, nawet całkowicie niedostateczna, przy satysfakcji, jaką odczuwałam, śledząc z ukrycia wujka trzymającego naręcze floksów. Z kieszeni jego marynarki wystawała butelka wina. Wyglądał jak Lemoniadowy Joe w cywilu, tylko zamiast kolta miał tę butelkę. Floksy rozpoznałam. Należały do mojej mamy. Przynajmniej do południa. W naszym domu wszystko szybko zmieniało właściciela, więc floksy też podlegały temu zwyczajowi.

Schowaliśmy się za krzaki berberysu. Pani na dźwięk dzwonka włożyła zwiewny szlafrok i zbiegła na dół.

– Przyszłeś jednak, Roman? – zapytała zalotnie. Naszym zdaniem niepotrzebnie, bo wuj stał przed nią jak malowany. Z floksami mamy i gwizdem na ustach.

Gdy zniknął w drzwiach, rozejrzałam się z dumą po twarzach moich koleżanek i kolegów. Pani od polskiego od tej chwili w jakimś bliżej nieokreślonym sensie należała do naszej rodziny, może tylko nie bardzo zdawała sobie z tego sprawę. Nigdy dotąd nie mieliśmy w rodzinie nauczycielki, a w pełni zasługiwaliśmy na kogoś tak ładnego i mądrego. Poczułam do wuja Romana wdzięczność i podzieliłam się swymi spostrzeżeniami z mamą.

– Głupia jesteś – ostudziła moją radość. – Ta wydra należy do większości rodzin w mieście! Powinna pracować nad polszczyzną, a nie łajdaczyć się z każdym, kto się nawinie.

W ten sposób dowiedziałam się, że wuj wyłącznie nawinął się pani od polskiego, co trochę mnie zmartwiło. W czasie jego pozaszkolnych stosunków z panią Elwirą wuj nie przynosił nam prezentów. Raczej zanosił wszystko, co się nadawało do użytku, pani Elwirze. Kiedyś nawet zauważyłam, że miała w szkole chustę mojej mamy.

Tę samą, której mama bez powodzenia od kilku dni szukała w szafie. Powiedziałam, żeby nie szukała, i jeszcze to, że pani Elwira wygląda w niej jak baśniowa księżna. Była z tego powodu wielka granda. Wuj nawet obiecał, że się wyprowadzi, ale następnego dnia kupił mamie nową chustę. Dużo brzydszą. Po tę nową zgłosiła się tydzień później pani Jarmołowska i powiedziała, że jeśli jeszcze raz coś zginie z jej linki z praniem, to wyśle nas wszystkich do kryminału.

Myślałam, że będziemy grać w jakimś kryminale, bo pani Jarmołowska miała brata, który pracował w telewizji. Wprawdzie w biurze, ale wszyscy wiedzieli, że pani Jarmołowska ma w telewizji układy. Mama płakała, przepraszała i uspokoiła się dopiero wieczorem, gdy sobie uświadomiła, że Jarmołowska, choć taka elegantka, chustę ma dużo brzydszą od tej, co ją teraz nosi pani Elwira.

Wuj Roman wciąż budził mój podziw. Nucił coś pod nosem, a awantury nazywał „babskimi głupstwami" i montował rurki w celu nocnego uruchomienia swojej fabryczki szczęścia.

Rosłam za dyktą ciekawa świata pachnącego inaczej niż moje swetry robione przez babkę Bronię. I wyglądającego inaczej niż nasz pokój, gdzie mama i tata gromadzili wszystkie niepotrzebne i brzydkie rzeczy, dla których potem montowali na ścianach prowizoryczne półki.

– Moja mama mówi, że u was jest jak na bazarze – powiedziała kiedyś moja koleżanka, Rytka Poronin.

– A jak jest na bazarze? – zapytałam z pałającymi oczami. Słowo „bazar" kojarzyło mi się z dużym miastem.

– Czy ja wiem? – zamyśliła się Rytka. – Chyba trochę śmierdzi, nie?

Babka Bronia

Babka Bronia była mamą mojej mamy i wuja Romana. Twierdziła, że kiedyś pracowała w teatrze. Siedziała w budce suflera i podpowiadała aktorom. Ale kiedy straciła przednie zęby w wypadku z granatem, który wybuchł na scenie, nikt nie mógł zrozumieć, co mówi. Aktorzy, zdaniem babki kupa beztalencia, sprzeciwili się jej siedzeniu w budce. Usunięcie babki nie było ponoć łatwe, bo babka, choć bezzębna, utrzymywała wtedy bardzo ważne stosunki z dyrektorem. Poza zębami niczego jej nie brakowało. Wreszcie dyrektor przeniósł babkę z budki do szatni, gdzie nie musiała mówić. Mama zdradziła, że wielu widzów brało babkę za aktorkę, taka była ładna. Gdy ją o to pytano, milczała, ale wybranym dżentelmenom – po krótkim namyśle – składała autograf na odwrocie biletu. Panowie patrzyli zachwyceni na zawijasy babki i delikatnie dotykali rond kapeluszy, zanim je zamienili na numerek. Nie lubiła tej pracy, ale do dziś chętnie o niej opowiada, rozpoczynając zdaniem: „Pamiętam, jak któregoś razu u nas, w teatrze...". Babka znała na pamięć całego Szekspira. Kiedyś myślałam, że Szekspir to jakiś poemat. Potem się okazało, że jednak nie. I że babka nie zna całego Szekspira, lecz zaledwie dwa akty z *Romea i Julii*. To właśnie w szatni, w latach gdy ludzie zaczęli chodzić do kina, nauczyła się robić na drutach. Uważała, że żadna praca nie hańbi. Zdaniem taty wuj Roman również wyznawał ten pogląd, choć oficjalnie nie był na „państwowej posadzie", bo twierdził, że porządna robota nie wymaga biurokracji. Wuj znał same ładne słowa. Poza przekleństwami oczywiście.

Państwowa posada kojarzyła mi się z pracą w ministerstwie. Zapytałam któregoś dnia, dlaczego wuj nie chce być ministrem. A tata śmiał się wtedy głośno, mówiąc, że wuj może zostać tylko ministrem sprawiedliwości, bo najlepiej zna się na paragrafach.

Babka nie mieszkała z nami. Do jej pokoju i małej kuchni prowadziło osobne wejście, tuż obok naszych drzwi. Nigdy nie lubiła starej kamienicy, z której większość rodzin pracowała w pobliskim tartaku.

„Doczekałam, że żyję wśród swołoczy", kwękała, plując na widok sąsiadów. Babkę Bronię omijano z daleka. Chyba ze względu na to plucie. No i tak staro wyglądała, że nikomu nie wypadało się z nią kłócić, choć babka uwielbiała to robić. Jedynie tata czasami odważał się trochę z nią podroczyć, ale babka narzekała, że to nie to samo co z obcymi.

Ja lubiłam i babkę, i sąsiedzką swołocz, wuja Romana, i nawet wszystkie zwierzęta, jakie na krótko stawały się naszymi lokatorami. Zwierzęta jakoś nigdy nie mogły się do nas przyzwyczaić. Mama nie miała czasu się nimi zajmować. Poza tym te, które szukały u nas schronienia, były zawsze z jakiejś negatywnej selekcji. Wyjątkowo brzydkie. A jak się odjadły i zaczynały przypominać normalne psy albo koty, natychmiast przenosiły się do sąsiadów.

Było mi przykro, gdy kiedyś pani Barenko, nowa właścicielka naszego kota Feliksa, mówiła do pani Podsiadło, prowadzącej na smyczy naszego Pikusia, że u nas to nawet zwierzęta nie wytrzymują. I że Feliks, jak trafił do pani Barenko, to cuchnął wódką i starą słoniną. Pani Podsiadło też wyznała pani Barenko, że Pikusiem miotały jakieś drgawki związane z podnieceniem ruchowym. Jakby miał delirium. I weterynarz nie mógł się nadziwić, że psy mogą mieć delirium. A to przecież stary i dobry weterynarz, ten sam, który uratował życie panu Podsiadle.

Pomyślałam wtedy, że to jednak niesprawiedliwe. Zarówno Feliks, jak i Pikuś trafiły do nas ze śmietnika. I my pierwsi uratowaliśmy im życie niczym ów weterynarz panu Podsiadle. Dlaczego więc nasze sąsiadki nie znalazły w sobie odrobiny sprawiedliwości, aby powiedzieć: „Dobrzy ludzie, ci Pietkiewicze". Westchnęłam ciężko, bo pisano o nas na płotach ogródków działkowych i mama zawsze przejmowała się tą literaturą. Napisy zdradzały talent literacki i rękę rudego Zbycha, syna woźnego naszej szkoły. Na szczęście Zbycho wypisywał świństwa kredą i tylko do pierwszego deszczu dzielnica mogła cieszyć oko jego zdaniem na nasz temat. Ja zapamiętałam napisy: „Pietkiewicze do domu" i „Oprychy". Mój brat widział coś znacznie gorszego, ale już po deszczu, więc zostało: „ewicze asy i uje". Wcale nie brzmiało to źle. Jak tajemniczy język, którym można było się posługiwać w podwórkowych zabawach.

Zapytałam babkę Bronię, do jakiego domu nas wysyła Zbycho. A babka, że na Litwę, bo dla tych niewykształconych padlin Wilno jest ruskie. Jak, nie przymierzając, pierogi.

Babka nie lubiła zwierząt. Uważała, że znoszą najgorsze choroby. Bała się wszelkich insektów. Niepotrzebnie. W trzcinowych matach, które zastępowały nam dywany, przez cały rok dojrzewały pchły. Wskakiwały na nasze nogi i zostawiały czerwone bąble. Swędzące ślady swoich wizyt. Poza tymi bąblami nic się nie działo. Żadna choroba nie powaliła nas z nóg. Lubiłam, jak w czasie pchlich wylęgów przychodzili do nas goście. Szczególnie państwo Parysiakowie, bo byli zawsze starannie ubrani. Siedzieli przy samogonce i białej kiełbasie. Omawiali z mamą i tatą różne interesy. Mówili o planach na przyszłość, że jak im wyjdzie interes z kioskiem, to wyjadą do Ameryki, a kiosk zostawią rodzicom. Znaczy się nam. W czasie ich wizyty siadałam przy piecu i nie spuszczałam oczu z rąk naszych gości. Co chwila czerwona wielka łapa pana Parysiaka zanurzała się w nogawce jego spodni. Drapał się po nogach z taką siłą, aż na jego czoło wstępował kroplisty pot. Pocierała palcami swą kształtną łydkę również pani Parysiakowa, nieświadomie zaciągając oczka w białych pończoszkach. A nasze pchły szalały. Na nogach pani Parysiak aż się od nich roiło. W tamtych czasach brat nabrał dla Parysiaków szacunku. Powiedział, że mają „dobrą krew". I tak to ładnie, szlachecko zabrzmiało.

Nasze maty, gdy mama odkrywała w nich roje intruzów, trafiały na płot. Mówiliśmy wszystkim, że robimy wiosenne porządki, ale to nie była prawda. Zaczynała się wielka dezynsekcja i w mieszkaniu czuć było coś znacznie mocniejszego od samogonu. My z bratem nazywaliśmy te wonie „pralnią chemiczną". Babka Bronia „szczurzymi perfumami", a wuj Roman niczego nie czuł, bo kiedyś na statku, którym chciał uciec do Szwecji, uderzono go w nos i od tej pory jego wielki czerwony kinol nie wciągał w siebie żadnych zapachów. Nawet tych ulubionych, alkoholowych.

Babka pogardzała samogonem. Jej drugi mąż, ojciec mamy i wuja, pracował na poczcie i nigdy nie skaził ust bimbrem. Wiem o tym od babki. Mówiła o dziadku z wielką dumą. Wstydziłam się, jak szła we wspomnieniach zbyt daleko i z rozrzewnieniem opowiadała o dyrektorze teatru, że musiał czekać siedem lat na śmierć dziadka, bo ona by nigdy nie zdradziła męża. Z czasem sama zaczęła się niepokoić żywotnością dziadka. Bo dziadek bezczynnie leżał, czekając na śmierć, a babce uciekały najlepsze lata. Długo nic nie wskazywało, że „odda ducha, komu należy". Tak jakoś czerstwo i zdrowo wyglądał pod pierzyną. „Na szczęście twój dziadek wreszcie zebrał się w sobie i umarł – ciągnęła ulubioną opowieść babka. – Nie mogę powiedzieć – wzdychała – to był zawsze elegancki mężczyzna i wiedział, jak się zachować. Przedwojenny poczmistrz" – mówiła nie bez dumy, a druty migały w jej rękach jak srebrne szabelki. Podziw babki mógł oznaczać jedno: że przedwojenny poczmistrz przewyższał poczmistrza powojennego. Było mi bardzo przykro, gdy kiedyś się dowiedziałam, że wojna zabrała wszystkich poczmistrzów. Co do jednego. Od tego dnia uważałam, że w naszym mieście powinien stać pomnik nieznanego poczmistrza zamiast nieznanego żołnierza. Nieznanych żołnierzy bowiem wciąż było bez liku. Żywych i martwych.

Babka, choć mogła po śmierci dziadka poczmistrza od razu przeprowadzić się do dyrektorskiej garsoniery, nie zrobiła tego. „Trzeba się szanować – mówiła na zakończenie swych wspomnień. – My, Pietkiewicze, jesteśmy honorni i ty też taka musisz być". Kierowała palec w miejsce, w którym rosły moje małe piersi. Łapałam się za nie przerażona nowym rodzinnym obowiązkiem. Nie bardzo wiedziałam, jak być „honorną", ale czułam, że w odpowiedniej sytuacji potrafię sprostać temu genetycznemu zadaniu.

Nad łóżkiem babki wisiał obrazek Matki Boskiej Ostrobramskiej. Nie mogłam zapamiętać tej długiej nazwy. Babka chyba też nie, bo zazwyczaj zwracała się do obrazka słowami „moja Przenajświętsza Panienka". Przez długi czas myślałam, że to jeszcze jedna nieżyjąca córka babki, bo tych nieżyjących babka miała znacznie więcej niż żywych. Ale panienka z obrazka była ładniejsza od moich ciotek i zupełnie nie pasowała do rodziny.

Właściwie niewiele więcej mogę o babce opowiedzieć. Mama i tata byli dla nicj bardzo mili, jak przyjeżdżał na rowerze nasz listonosz, pan Zygmunt Breś. Z rentą. Taka podróbka przedwojennego poczmistrza. Tego dnia mama starała się ugotować babce rosół z prawdziwej kury. Z domowym makaronem, a tata przynosił jej „Wiśniowe", takie wino w butelce z żółtą wiśnią. Dziwiłam się, że są żółte wiśnie. A jeszcze bardziej byłam zdumiona, że wino z żółtych wiśni jest czerwone.

– Oj, ty głuptas! – Babka się śmiała, wypijając duszkiem pełną szklankę cierpkiego płynu. – Kolor nieważny. Toż wino, nie samochód! A dojedziesz na nim i do samego Wilna. Tyle że we śnie – mamrotała, szukając urzędowej koperty. Potem oddawała ją tacie, a ja zostawałam u babki, słuchając jej zegara z kurantem i głośnego chrapania. Tak chrapała, jakby była zepsutym samochodem, który toczy się nierówną drogą w stronę jakiegoś tajemniczego Wilna.

Kasztan

Był przez długi czas największym drzewem, jakie widziałam. Do tego stopnia dużym i dorodnym, że nie mogłam uwierzyć, jak to możliwe, aby właśnie na moim podwórku, ogołoconym ze wszystkiego, co ładne, Pan Bóg (bo któż by inny) zostawił kasztan. Żeby sobie dalej rósł i zasłaniał zielonym parawanem chylące się do ziemi komórki, stary kurnik i nasz gołębnik.

Rósł nieopodal podwórkowego płotu wyznaczającego umowną granicę między naszym miastem a polem i przylegającymi do niego łąkami. Byli i tacy, którzy próbowali mi wmawiać, że mieszkamy na łąkach, co, oczywiście, zbywałam pogardliwym milczeniem. Mieszkaliśmy obok i każdy z nas wybierał sobie punkt orientacyjny sugerujący obok czego. Tata mawiał, że obok śródmieścia, bo lubił to słowo. Mama, że obok magla, bo istotnie magiel znajdował się centralnie nad nami. Konkretnie – u pani Bałuszkowej, na pierwszym piętrze. Mój brat twierdził, że mieszkamy obok starej rzeźni. Widzieliśmy ją z okna, jak codziennie robi się mniejsza, bo wielu amatorów poniemieckiej cegły przychodziło tu na szaber. Babka Bronia twierdziła uparcie, że mieszkamy obok swołoczy, i nikt tego nie komentował. Ja mieszkałam obok kasztana. Dlatego mogę powiedzieć z całą odpowiedzialnością, że choć wszyscy gnieździliśmy się w ciasnych pokojach starej kamienicy, każdy z nas był uchwytny jakby pod innym adresem i żył w swoim własnym miejscu.

Pod kasztanem ktoś postawił małą ławkę zbitą z dwóch grubych desek. Ławka nadawała się do większości zabaw, zamieniana na chwilę w sklep, samochód lub małą restaurację dla lalek. Nie mogła być tylko huśtawką, dlatego tata powiesił dwa grube sznury na konarze kasztana i umocował na nich niewielką deseczkę. Deseczka, oczywiście, spadała, gdyż żaden był z taty rzemieślnik, ale z czasem nauczyłam się wspinać po linie i siadać na grubej gałęzi drzewa. Stąd roztaczał się widok na wszystko, co mogło mnie interesować. Na okna pobliskiego domu Rytki Poronin i na aleję dębów, prowadzącą do starego tartaku. Na warsztat samochodowy z napisem „Małachowscy", gdzie wuj Roman robił swe tajemnicze interesy, i na gołębnik, który, choć zaniedbany, wciąż był hotelem i jadłodajnią dla skrzydlatych tłumów. Widziałam także murek niedoli. Kawałek skruszonej ściany po stróżówce, przy której codziennie zatrzymywali się wracający z tartaku robotnicy. Niemal jednocześnie stawali przy murku niedoli tyłem i, pośród głośnych męskich rozmów, wylewali pienistą strugą nadmiar piwa, wcześniej spożytego w barze Mój Smak. Gdy ruszali w dalszą drogę, nie przestając gestykulować i kląć, żegnały ich smutne mokre połacie zmurszałego tynku, lśniące w słońcu jak ceglane lusterka.

Na sąsiednie podwórko spoglądałam z ponurą zazdrością. Dziewczynki od Kowalskich, Jurków i Derbów bawiły się tam wyśmienicie i głośno. Nigdy nie zauważyły, że mnie wśród nich nie ma. Ja zauważałam to zawsze. Może lepiej widziałam, siedząc na gałęzi? W dodatku urządziły prawdziwszą od mojej restaurację dla lalek. Taką z niby-kuchnią zastawioną maleńkimi filiżankami i błyszczącymi garnuszkami z opalizującego niklu. Miały też całe zastępy niezwykle grzecznych lal, serwis wózków i podręczny sklepik z gałgankami. Lalki były, ku mojemu zmartwieniu, takie z prawdziwego zdarzenia, a nie pocerowane jak moja, uszyta przez babkę Bronię z kawałków lnianej zasłony w maki. Całą pociechą była myśl, że na tym, zdawałoby się, bardzo bogatym i czystym podwórku, nie ma kasztana. Gdy padał deszcz, dziewczynki pośpiesznie zbierały swe zastawy i plastikowe strojnisie, przenosząc się z całym kramem do klatki schodowej. A ja siedziałam dalej pod zielonym parasolem liści i słyszałam, jak w letnim deszczu dojrzewają kasztanowe owoce. Na wyścigi. Jakby chciały szybko osiągnąć pełnoletność i jak najprędzej dać nura na ziemię. W tym pośpiechu trochę przypominały moje rodzeństwo. Oni też jakoś tak szybko rośli i poważnieli, każdego dnia zbliżając się do własnej podróży w dorosłość. Tylko ja siedziałam na drzewie bez marzeń o uciekaniu. Dobrze mi tam było i bezpiecznie. Majtałam nogami, ciesząc się, że nie muszę stąpać po twardej ziemi pełnej potłuczonego szkła i ostrych kamyków. Gdyby mnie wówczas zapytano, czego najbardziej, ale to najbardziej pragnę, odpowiedziałabym pewnie, że chciałabym zostać na zawsze właśnie taka. W sam raz na wędrówki po ulubionym drzewie, pasująca do moich wygodnych tenisówek i rozpostarta na gałęzi jak wielki kasztan, który nie musi opuszczać swego liściastego cienia. No, chyba że kasztan nagle poczuje głód. Wówczas może ześlizgnąć się po wysuszonej korze i szybciutko zjeść cytrynowy kisiel podprawiany mąką albo chleb posypany kryształkami cukru. Niczego więcej nie potrzebowałam i z tego powodu byłam nieświadomie najszczęśliwszą dziewczynką, jaka urodziła się między miastem a łąkami.

Każdej jesieni nasze podwórko zapełniało się poszukiwaczami kasztanowych owoców, ale nikt mi nie dorównywał w tych wrześniowych zbiorach. Potrafiłam znaleźć kasztany z zamkniętymi oczami, wyczuwając ich zapach na odległość. Teraz wstydzę się tej niezwykłej umiejętności ze względu na nasuwające się skojarzenie ze świńskim ryjem węszącym trufle. Ale w tamtych kasztanowych czasach moje zdolności były powodem do wielkiej rodzinnej dumy.

– Może ona ma węch i na pieniądze? – marzył głośno tatuś, gdy przyznałam się do swego talentu.

– Trzeba by iść z nią do banku i sprawdzić. – Mama była raczej sceptyczna, ale jej wiara w cuda, a także dowód rzeczowy w postaci kilogramów znajdowanych przeze mnie kasztanów robiły swoje.

– To nic nie da. – Tatuś wzdychał. – Pieniądz nie kasztan, pod drzewem nie leży. Nawet jak go wyczuje, to przecież z sejfu nie wyjmie...

– Sejf nie podwórko – zgadzała się mama.

Dzięki rozsądkowi taty nie musiałam krążyć po banku z nosem przy lastrykowej posadzce, ale ilekroć ginęły w domu jakieś grosze, tata lubił mówić: „Idź no, mała, i powąchaj dookoła. Gdzieś tu te dydki leżą i się z nas śmieją".

Niewinność białych płatków

Rosłam na przekór złośliwym sąsiadom, którzy twierdzili, że jemy za mało mięsa. Babka Bronia uważała, że wyglądam jak fasolowa tyczka i że jestem podobna do jej pierwszego męża. Stał się, rzecz jasna, moim ulubionym dziadkiem. Bardzo przeżyłam chwilę, gdy mama któregoś razu mi go zabrała, mówiąc, że poza babką nic tego człowieka nie łączyło z naszą rodziną. Zabolały mnie zwłaszcza słowa „tego człowieka", bo w filmach tak się mówiło zawsze o kimś obcym albo złym.

W maju, gdy miałam pójść do pierwszej komunii, było wyjątkowo zimno. Całą wiosnę padał deszcz, co sprawiło, że na okolicznych łąkach nic chciały kwitnąć dzikie śliwy, które dziewczynki co roku ogołacały z kwiatów zbieranych do koszyczków. Zamartwiałam się, gdyż czekałam głównie na sypanie kwiatków w komunijnej procesji. Inne dzieci mogły liczyć na prezenty. Ja – tylko na siebie i pełen płatków koszyk, z którego wygarniało się zachłanną ręką delikatne kwiatostany, rzucane potem pod nogi w rytm świętych zaklęć.

– Nie martw się – pocieszał mnie wuj Roman. – Skombinujemy odpowiednie kwiatuszki.

– I sukienkę? – pytałam z nikłą nadzieją, bo mama co roku wietrzyła sukienkę mojej siostry, cierpliwie czekającą, aż do niej dorosnę.

– Takiej nikt nie będzie miał – mówiła.

Miała rację. Sukienka po komunii Krysi wyglądała jak panna, która straciła ochotę do życia. Zwisała bezładnie na wieszaku, ze sflaczałymi ramionkami i przybrudzoną falbaną. Nigdy nie widziałam brzydszej sukienki. Krysia też.

– Jak będzie trzeba, kupimy i sukienkę – obiecywał wujek, a we mnie wstępował grzech. Bo ksiądz Gustaw często powtarzał na religii, że jak ktoś za dużo myśli o ubiorach, to grzeszy. Po tym mądrym kazaniu zrozumiałam, dlaczego Adam i Ewa byli nadzy.

Komunia należała do szczególnych wydarzeń w moim życiu, i to nie z tego względu, że miałam po raz pierwszy skontaktować się bezpośrednio z Panem Bogiem. Niepokój, jakim przepełnione było moje dziewięcioletnie serce, wynikał z obawy, że ksiądz nie pozwoli mi przystąpić do świątecznego orszaku przed bramą kościoła. A wszystko przez wujka Romana.

W tym roku kolędową kopertę dla naszego księdza przygotował właśnie wuj. Byliśmy mu wdzięczni, bo ksiądz ucieszył się bardziej niż kiedykolwiek wcześniej. Po kolędzie pozwolił mi nawet w zeszycie do religii namalować to, co sobie chcę. Namalowałam naszą rodzinę na spacerze. Z wyobraźni, bo nigdy nie chodziliśmy na spacery. A potem wszystko się zmieniło. Ksiądz przyszedł do nas bez zapowiedzi i sapał głośno, bardzo gniewając się na wujka. Mówił mu o jakichś bonach PKO. Że były fałszywe. I że wujek naraził jego sutannę na wstyd.

Siedziałam za dyktą, zastanawiając się, jak wygląda zawstydzona sutanna. Pewnie robi się purpurowa. Purpurę widziałam na biskupie, który przyjeżdżał w odpust. Trochę się zezłościłam na księdza. Dzięki wujkowi upodobnił się do samego biskupa, a jeszcze przychodzi obrażony na wszystkich.

– I nie przyjmę waszej córki do komunii, póki ta sprawa się nie wyjaśni – sapnął ksiądz. Chyba coś wypił, bo za ścianą głośno zagulgotało.

– A cóż tu dziecko zawiniło? – pytał wuj Roman, trochę jednak zdenerwowany.

– Milicja mówi, że bony zrobiliście za pomocą zabawki „Mały drukarz". Dziecko też wciągnęliście w ten szatański spisek! Nie czy tak? – zapytał, jak miał to w zwyczaju, w odwrotnej kolejności.

– Tak!

– Nie! – Wujek z tatą gubili się w odpowiedziach. A potem na zmianę zapewniali, że bony w naszej kopercie były prawdziwe i że ktoś inny musiał je księdzu podmienić.

– Bo jak ja bym mógł naszego dobrodzieja skrzywdzić? – mówił wuj Roman płaczliwym głosem.

Nawet babka Bronia stanęła w jego obronie.

– Niech ksiądz wie, że syna łajdakiem nie wychowałam! – grzmiała, wcale nie przejmując się sakralną osobą. – Jak Romek oszuka, to bogatego! A jaki tam ksiądz bogacz! – sprytnie zmieniła temat.

– Żaden – przyznał ksiądz Gustaw.

– No właśnie – zatriumfowała babka i zaczęłam od nowa mieć nadzieję na pierwszą komunię oraz sypanie kwiatków.

– Naszykowałam księdzu trochę naszych wyrobów. – Mama trzymała dużą siatkę, z której wystawały butelki z żółtą wiśnią.

– A ja załatwię prawdziwe bony, żeby ksiądz mógł sobie w tym Peweksie coś dla siebie kupić.

– Dla kościoła – sprostował ksiądz.

– Oczywiście – zgodziła się chórem cała rodzina – że dla kościoła.

Lubiłam chodzić do Peweksu. Nigdzie nie widziałam tylu ślicznych opakowań: torebeczek, paczuszek, puszek z kolorowymi rysunkami. Patrzyłam na nie zachłannie i obiecywałam sobie, że gdy już będę bogata, kupię takie puszki. Szynki i chałwy oddam babce Broni, a puszki postawię na naszym kredensie. Pani Emilia Poronin, mama Rytki, chodziła po tym sklepie jak po własnym mieszkaniu. Miała bardzo wypielęgnowane paznokcie i ładne bluzki, ale mojej mamie nie przypadła do gustu. Mówiła o niej „łeb zadarty gówno warty". Ja lubiłam zapach pani Emilii. Delikatnie pociągałam nosem przy stoisku, gdzie się kręciła. Nigdy nie zauważyła, że jest obwąchiwana. W tym sklepie najlepiej wydawało mi się pieniądze. Te przyszłe, oczywiście, które kiedyś zarobię. W marzeniach kupowałam tu sweterki mamie i babce. Mamie niebieski, a babce żółty. Pani Emilia pozwalała mi ich dotykać, gdy nikogo w sklepie nie było. W Peweksie często grzeszyłam, bo trudno było nie myśleć o ubraniach. Teraz gdy siedziałam za dyktą, zastanawiałam się, jaki sweterek ksiądz mógłby kupić dla kościoła. Doszłam do wniosku, że czarny, bo zdaniem mojej mamy czarny pasuje do wszystkiego.

Na razie nie byliśmy jednak bogaci i pewnie dlatego wtłoczono mnie w sukienkę po siostrze. Źle się w niej czułam. Na spotkanie z Panem Bogiem bardzo chciałam się udać ładnie ubrana. Źle czuł się także Jurek, syn pani Trapik. Zjadł jakieś stare galaretki i zwymiotował obok naszej ławki. Dziewczynki pozatykały nosy, a kilka z nas nawet zbladło. Nie słuchaliśmy w tym czasie księdza, bo wszyscy patrzyli na panią Trapik. Jak sama sprząta te wymiociny Jurka. W dodatku swoim kaszmirowym szalem. Byłoby śmiesznie, gdyby matki przynosiły, tak na wszelki wypadek, szmaty do kościoła, aby mieć je pod ręką, jeśliby dzieciom zachciało się rzygać.

Dużo rzeczy działo się wokół. Ktoś podpalił świecą włosy Jance Pruszyńskiej, a nasza zakonnica pomyliła piosenki i wyrwała się z taką, której nikt nie znał. Musiała sama prześpiewać całą zwrotkę. Zawsze wydawało się nam, że siostra ładnie śpiewa, a w tym uroczystym dniu jej głos brzmiał jak pisk samochodowych opon podczas dramatycznego hamowania. Wznosił się płochliwie, cienko do góry, by fałszywie wylądować na kościelnej kamiennej posadzce. I w tym zamęcie doszło do mojego kontaktu z Panem Bogiem. Szczerze mówiąc, trochę się bałam, że podczas spowiedzi coś uszło mojej uwagi i że padnę przed ołtarzem trupem. Ksiądz opowiadał na którejś katechezie o bliżej nam nieznanym chłopcu, co to zataił grzech podglądania dziewczynek na WF-ie, a potem, przy komunii, umarł. W naszej grupie, na szczęście, nikt jakoś nie umarł. Poza tym mieliśmy WF razem z chłopcami, więc po co mieliby nas podglądać, skoro widzieli. Trochę podejrzewaliśmy Jurka Trapika, że jednak coś zataił, ale przysięgał nam na swój nowy zegarek, że zaszkodziły mu przeterminowane galaretki.

Swoją nowo zdobytą czystość duszy i ciała odczułam dopiero nazajutrz, kiedy sięgałam do koszyka pełnego różanych płatków i rzucałam je przed siebie. Spadały pod nogi naszych bliskich i sąsiadów. Między innymi pod nogi pani Graptur, która skarżyła się mojej mamie, że jakiś cham ogołocił w nocy jej ogród ze wszystkich białych róż. Moje płatki też były białe...

Święty Mikołaj

Chodziłam na dziecięce zabawy karnawałowe tylko do szkoły. Tata, jeśli w ogóle miał jakąś pracę, to ją tak często tracił albo zmieniał, że nigdy nie przysługiwała mi żadna z tych pięknych paczek, które inne dzieci niosły do domu w styczniowe noce. Zawsze byłam ciekawa, jakie prezenty są w kolorowych zawiniątkach, przytulanych do zimowych płaszczyków tych szczęściarzy. Paczki to jedno, ale jeszcze bardziej interesował mnie Święty Mikołaj, który zawsze zaszczycał pracownicze bale choinkowe.

W szkole zamiast Mikołaja paczki rozdzielała pani dyrektor. Wyczytywała nasze nazwiska z listy i wręczała szare torby wypełnione cukierkami. Ja byłam na literę P, więc zanim otrzymałam paczkę, wiedziałam, co dostanę.

Przestałam chodzić po te nieszczęsne cukierki, gdy Rytka powiedziała, że one są dla dzieci z biednych rodzin. Zapytałam mamę, czy to prawda. Mama udawała, że jest bardzo zajęta, i nie odpowiedziała na moje pytanie. Obiecałam sobie wtedy, że nigdy, przenigdy nie wezmę z zimnych rąk pani dyrektor irysków i suchych wafli. Zresztą nie były to moje ulubione słodycze. Ciekawe, dlaczego dorośli dają biednym dzieciom to, co niesmaczne, i czym bogate dzieci pogardzają.

Którejś zimy, gdy mama ubolewała, że nie chcę iść do szkoły po przydzielone przez komitet rodzicielski mordoklejki, wuj Roman zapytał mnie wprost o powody tego buntu. Powiedziałam mu ze łzami w oczach o ogromnym rozczarowaniu, jakie przeżyłam, gdy się okazało, że nasza pani dyrektor jest Mikołajem. Miałam o nim własne wyobrażenia. Widziałam, jak wygląda na trójwymiarowej widokówce z Niemiec, którą Rytka zawsze nosiła w zeszycie do biologii. Pani dyrektor nie nadawała się nawet na mamę Świętego Mikołaja. Poza tym pani dyrektor mówiła przez nos i zwracała się do nas po nazwisku. Byłam pewna, że Święty Mikołaj nigdy by w ten sposób nie postąpił. Pani dyrektor, gdy miała z nami zastępstwo na matematyce, przynosiła długi liniał i waliła nim na oślep, gdy nie potrafiliśmy czegoś policzyć. Ale waląc na oślep, nigdy nie uderzyła Bożeny, do której mówiła „Bożenuś", chociaż wszyscy wiedzieli, że za brak wiedzy Bożenę można by bezkarnie zabić. To wszystko, a także wiele innych spraw, powodowało, że pani dyrektor nie nadawała się na żadnego Mikołaja, a już najmniej na Świętego.

– A ja myślałam, że Mikołaj naprawdę istnieje – szlochałam, zachęcona cierpliwością słuchającego mnie wuja.

– Bo istnieje – odparł wuj poważnie i zakręcił na palcu swego wąsa. – Zaprowadzę cię do niego... w następną sobotę – powiedział, a mama patrzyła na wuja z niedowierzaniem.

Czekałam na tę sobotę z wielką niecierpliwością.

– Ściągnij to futerko – nalegała mama, gdy zapadł wieczór. – Wujek pewnie zapomniał. Może kiedy indziej zobaczysz Mikołaja.

Płakałam, a mamie było przykro. Powiedziała nawet do taty kilka obraźliwych słów pod adresem swojego brata. Nie skończyła przeklinać, gdy w drzwiach pojawił się wuj Roman. Roztoczył mocną woń piwa i uśmiechnął się szeroko. Tak powinien się uśmiechać Mikołaj – uznałam.

Wyruszyliśmy przed siebie. Zapadałam się w śniegu, ale dzielnie brnęłam, próbując dotrzymać wujowi kroku.

– Nie bój się go – mówił, ściskając wielką torbę, w której pewnie targał jakieś prezenty. Wuj przecież zawsze miał przy sobie niezwykle interesujące przedmioty. – Mikołaj na pewno cię zauważy. I kto wie, może będzie miał dla ciebie jakiś drobiazg.

– Chcę go tylko zobaczyć – uspokajałam wuja. Zachwiana wiara w istnienie Mikołaja całkowicie wyleczyła mnie z dziecinnej zachłanności.

I zobaczyłam. Wuj zostawił mnie w przestronnej sali, pięknie ozdobionej serpentynami i łańcuchami z papieru. Otaczały mnie dzieci przebrane za postacie ze wszystkich bajek. Stałam przy Kocie w Butach, obok Kopciuszka, naprzeciwko Sindbada Żeglarza, wgapiona w Królewnę Śnieżkę. Przeraziłam się, że ja jestem ja. Gdybym miała chociaż jakąś małą koronę. Mogłabym udawać księżniczkę na ziarnku grochu. Grochu nie musi być widać. Tymczasem stałam w swoim ciężkim burym futerku, które choć sztuczne, dzielnie przyjmowało na siebie lekceważące spojrzenia zebranych tu królewien, Jasiów i Małgoś oraz całej rzeszy Calineczek.

Na szczęście wszedł Mikołaj i wszystkie spojrzenia pomknęły w jego stronę. Moje też. Zapomniałam o sztucznym futerku i braku korony. Był taki jak na pocztówce. Najprawdziwszy. Mówił ciepłym głosem. Trochę zachrypniętym, ale mnie się podobał, bo w naszej rodzinie wszyscy mężczyźni tak mówili. Przyciągnął też, z pomocą kilku rodziców, wielkie sanie, na których leżały prezenty. Dzieci zaczęły drżeć z emocji, a Kot w Butach nawet posikał się ze strachu, odpadł mu ogon i obok czerwonych butów pojawiła się maleńka kałuża.

Mikołaj otworzył wielką księgę z pozłacaną okładką i sprawdzał w niej nasze grzechy. Do tej księgi zaglądali też bardzo chętnie ojcowie dzieci. Mikołaj szybko ją zamknął. Pewnie nie chciał się dzielić z nikim naszymi grzechami. Księga wydała mi się znajoma. Wuj Roman miał podobną. Były w niej same gołe baby. Wiem, bo obejrzeliśmy ją kiedyś z bratem, gdy wuj podczas lektury niespodziewanie zasnął. Rozpoczęło się wręczanie podarków. Najpierw podchodziły maluchy, często siłą ciągnięte przez rodziców. Potem maszerowały starsze dzieci. Wreszcie została jedna paczka. Uświadomiłam sobie, że mogę jej nie dostać, bo nie mam stosownego stroju.

– Czy kogoś pominąłem? – zapytał Mikołaj, kierując wzrok w moją stronę.

– Mnie – zapiszczałam cichutko i znowu wszyscy z niesmakiem zmierzyli moje nieprawdziwe futerko.

– Ach, widzę, widzę! – ucieszył się Mikołaj. – Został nam jeszcze Miś Uszatek! Zbliż się do mnie, drogi Misiu, coś tu dla ciebie mamy.

Szłam dokładnie tak, jak by to zrobił Miś Uszatek. Szłam dumnie i zadziornie. Moje futerko, choć bez ogonka, było cudownym przebraniem. Szłam i myślałam o ogonkach, które, obsikane, nagle odpadają, i czułam wielką ulgę, że nic takiego mi nie grozi.

Gdy podeszłam do Mikołaja, zupełnie przestałam się go bać. Unoszące się wokół jego siwej głowy opary piwa świadczyły, że oboje, i on, i ja, trochę jesteśmy z tego samego świata. Patrzyły na mnie całkiem znajome roześmiane oczy. Tak, to musiał być Święty Mikołaj. Zwłaszcza że prezent, jaki od niego dostałam, noszę do dziś. Jest zawsze przy mnie. Nie, nie myślę tu o czerwonych rajstopach, których mi zazdrościły wszystkie koleżanki. I nie myślę o czekoladzie, którą zjadłam w drodze powrotnej do domu. Nie myślę też o *Dzieciach z Bullerbyn*, pierwszej książce, jaką dostałam na własność. Myślę o imieniu. Bo na pamiątkę tamtego zdarzenia wszyscy zaczęli do mnie mówić „Misiu". A potem „Miśka". I do dziś tak mówią. Nawet wuj Roman, choć zawsze był przeciwnikiem zmiany imienia czy nazwiska.

– Trzeba z dumą nosić swoje miano – mawiał. Muszę przyznać, że własne nosił z dumą. Była to zresztą jedyna własność, jakiej się kiedykolwiek dorobił.

Ameryka by night

Mama była spracowana i wyciszona, ale nie zawsze. Jak przychodzili do nas państwo Parysiakowie, potrafiła wykrzesać na swych zwykle zaciśniętych ustach cień uśmiechu. Bo Parysiakowie przynosili do naszego domu powiew imperialistycznego szczęścia. Jako że nawet powiew był zakazany, ich wizyty stawały się rodzajem rodzinnej konspiracji. Zanim Parysiakowie zasiedli do stołu z bimbrem i białą kiełbasą, rodzice szczelnie zamykali okna i zasłaniali je ciężkimi lnianymi storami w wielkie maki. W ten sposób zabierali światu zewnętrznemu swych drogich, dewizowych gości, tę jedyną w dzielnicy nadzieję na sukces. Przywłaszczali sobie opowieść o Johnnym Wykidajło i jego żonie Lulu. Johnny był kuzynem pana Parysiaka i ponoć razem się wychowywali.

W Polsce Lulu miała na imię Ludmiła i myła talerze w jakiejś restauracji, a TAM nawet wyśpiewywała piosenki country w małym motelu niedaleko Niagary. Johnny Wykidajło był szoferem i woził turystów nad wodospad, a w soboty pilnował porządku w sali balowej oraz bilardowej. Wszystko to, i Niagara, i motel, i Lulu z mikrofonem, i Johnny z jeepem na bezdrożach Ameryki, stawało się nasze. Niemal tak samo namacalne jak biała kiełbasa, która znikała w delikatnych ustach pani Parysiakowej.

W czasie wizyt Parysiaków właściwie niczego nie mówiło się głośno. Musiałam więc, chcąc poznać dokładnie dzieje Johnny'ego Wykidajło, mocno przykładać ucho do zimnej dykty. Po pewnym czasie, gdy wszyscy już byli bardzo sobą zajęci i rozgrzani poczęstunkiem, siadałam przy piecu, widząc całe towarzystwo urzędujące pod żyrandolem z kryształowymi koralikami. Lubiłam zamykać oczy i wyobrażać sobie, że czuję zimny wiatr unoszący się wraz z drobinami wody nad błękitnomgławą topielą wodospadu. Zazdrościłam rodzicom pochylającym się nad kolorowym zdjęciem, na którym Johnny w zawadiackim kapeluszu ściskał kierownicę terenowego potwora, a Lulu obejmowała go ręką, jakby głowa Johnny'ego była mikrofonem. Lulu miała na sobie sukienkę, jakich nikt u nas nie szył. Tak opowiadała potem mama. A Johnny przypominał nawet trochę prezydenta. Mama nie potrafiła powiedzieć, jak to się stało, że nabrał takich rysów. „Może przez ten kapelusz?" – domyślała się, ale nie była pewna.

– Nalej jeszcze szczeniaczka, Zdzisiu – zwracał się pan Parysiak do taty. – Jak już TAM będziemy, tylko smak mi pod językiem zostanie po twoich kropelkach.

– Mają dla nas na oku takie niewielkie ranczo – zwierzała się mamie pani Parysiakowa. – Mój Boże – mówiła – jak ja sobie poradzę? Przecież to, co u nich niewielkie, u nas większe od miejskiego parku!

– Mógłbym wykonywać prace ziemne. – Tata wzdychał. – Kiedyś przecież pracowałem w parku i drzewa, które sadziłem, najlepiej się przyjęły.

– Tam już są drzewa! – Pani Parysiakowa grzebała w torebce i wyciągała następne zdjęcie. – O, tu, po prawej stronie. Jakie wielkie! – Głaskała dłonią wymiętą fotografię. – Szkoda, że nie ma widoku na dom.

– Przyślą następnym razem – mówił pan Parysiak, delikatnie kopiąc tatę pod stołem.

Dzięki temu subtelnemu kopnięciu butelka w ręce taty natychmiast odnajdywała drogę do Parysiakowego kieliszka.

– Jakbyście nam zostawili kiosk, miałbym w nim zawsze papier toaletowy. Już widzę tę kolejkę. Bez pytania podawałbym rolkę za rolką.

– Z papierem jest trudna sprawa. – Pan Parysiak robił minę wyrażającą istnienie rzeczy niemożliwych. – Bez dojścia ani rusz...

– Mam dojście! To znaczy... mógłbym mieć, w razie gdyby co...

– Eee, to nie jest taki interes, jak myślisz. Ludzie wolą moje gazety niż papier. Taniej i jest co poczytać. – Pan Parysiak nie lubił, jak tata wychodził z własną inicjatywą.

– O to właśnie chodzi, że nie ma co czytać! – Tata się upierał. – Ale przynajmniej są wyniki ligi okręgowej w boksie.

– I horoskop. – Pani Parysiakowa wstawiała się za mężem.

– Stachu by mi ten papier załatwił. Mam nawet gdzieś telefon do niego – powtarzał uparcie tata i zaczynał się obmacywać po kieszeniach.

– Daj spokój, nie szukaj teraz. – Pan Parysiak podnosił kieliszek do ust, ponaglając tatę, by zrobił to samo.

Tata też podnosił kieliszek, ale ze słowami:

– Stachu daleko zaszedł. Kto by pomyślał... Niby taki niekumaty, a kierownik hurtowni. Perfumy też ma na stanie. I mydło. A na papierze to może sobie spać. – Tak kończył, zagryzając wódkę grzybkiem.

– Jakie to niesprawiedliwe – buntowała się mama. – Jeden może na papierze spać, gdy innym brak papieru spędza sen z powiek.

– Jaki kraj, taki sen – odpowiadał dyplomatycznie tata, lekko kopany pod stołem przez pana Parysiaka. – Można na papierze spać, można w papier srać! – sentencjonalnie kończył swą myśl.

– Świerszczyków ci z Ameryki do kiosku naślę, to będziesz miał zbyt, jak się patrzy! – obiecywał Parysiak, głośniej stukając się kieliszkiem z tatusiem.

– Też by szły – zgadzał się tatuś – jakby nasz Roman wszystkich nie wykupił. – Uśmiechał się pod nosem. – Tylko kiedy wam dadzą te wizy? Za parę lat i na kiosk będziemy za starzy...

– Dadzą, dadzą. – Pani Parysiakowa różowiała i wstępował w nią duch wiary. – Ostatnio w ambasadzie już na mnie inaczej patrzyli.

– Znowu tam byłaś? – W oczach mamy potężniał podziw, który toczył bój o pierwszeństwo z kobiecą ciekawością.

– Byłam – odpowiadała i spuszczała oczy. Jakby tym opuszczeniem powiek chciała zachować ostatnią nadzieję na skromność. Bo przecież mogła już trochę z góry patrzeć na mamę. Nie pierwszy raz przechodziła przez bramę strzeżoną bardziej od naszego miejskiego aresztu. – Już nawet rozpoznaję tych pilnujących. Bardzo eleganccy mężczyźni. – Pani Parysiakowa uwielbiała opowiadać o swoich wizytach w ambasadzie. – A jak cię tam traktują... – mówiła z uwielbieniem.

– Jak? – dociekała mama.

– Nooo, całkiem inaczej. Zupełnie. Kiedyś nawet zwrócono się do mnie słowami „Miss Parysiak".

– Miss? – nie dowierzała mama. Miała rację. Pani Parysiakowa należała do uroczych kobiet, ale miała lekkiego zeza. Mimo wszystko taki tytuł jej się nie należał.

– Do ciebie też by tak powiedzieli – zapewniała.

– Do mnie? – Mama odruchowo poprawiała fryzurę. – Nie, to raczej niemożliwe. – Szukała oczami lustra, żeby upewnić się co do swoich szans.

– Ależ powiedzieliby! – Pani Parysiakowa podkreślała tym „ależ" swą wyższość w pewnych kwestiach. – W Ameryce większość kobiet to miss.

– Dziwny kraj. – Mama zamyślała się, ale wiedziałam, że w słowie „dziwny" ukrywa się także jej tęsknota za ranczem, Niagarą i obsługą ambasady. Za starodrzewem przy małym, ale wygodnym domu i za wolnością, o której wspomniał kiedyś pan Parysiak.

– Tam nie będziemy zasłaniać okien – mówił, gdy mama któregoś razu mocowała się ze storami. – To wolny kraj i można nie mieć zasłon.

– Wcale? – pytała mama, ciągnąc bezlitośnie za lniane maki.

– Pewnie, że wcale! Sami zobaczycie, jak do nas przyjedziecie.

– Z tym przyjazdem to już trudniejsza sprawa. – Tata stopował gościnne zapędy państwa Parysiaków. – Ktoś przecież będzie musiał się zajmować kioskiem!

– Ano tak – zgadzała się mama szybko, wstydząc się, że jeszcze przed chwilą była taka skora przemierzać granicę, w ogóle nie myśląc o rodzinnym interesie.

– Ktoś przecież musi sprzedawać papier toaletowy. – Tata, widać, bardzo się uparł na ten artykuł. – Być może, za parę lat, będzie tylko w naszym kiosku – stwierdzał z odcieniem dumy.

– Sądzisz, że może być aż tak źle? – Parysiak wpatrywał się w ojca z wielkim napięciem.

– Niestety – odpowiadał tata po dłuższej chwili.

– Cholera, Zdzichu, ty możesz mieć rację. – Parysiak kręcił głową z wyrazem przerażenia na twarzy, a tata, już bez kopania, nalewał następny kieliszek żółtej wódki.

Tyle świerszczyków jest na naszych łąkach, myślałam sennie za dyktą. Tatuś niepotrzebnie się godzi na amerykańskie. Tylko skąd oni mają pewność, że świerszcze by szły? Amerykańskie są widocznie inne, dochodziłam do wniosku i zasypiałam przy cichej muzyce wygrywanej na naszych starych kieliszkach.

Niedziele i święta

W drodze do szkoły mijałam kiosk państwa Parysiaków i cukiernię, którą zamykał co trzy tygodnie miejski sanepid. Ze względu na szczury. Gdy dostawałam dwa złote na pączka, cukiernia była zawsze zamknięta. W ten sposób doszłam do swych pierwszych większych pieniędzy. Po kilku miesiącach mogłam kupić sobie zeszyt stukartkowy w grubej okładce. Z kartonu. Na tej okładce był stosowny do mojej sytuacji napis, że trzeba oszczędzać w SKO. To zderzenie napisu z dokonanym szczęśliwie faktem uciułania dość przyzwoitej kwoty sprawiło, że bardzo zaufałam słowu drukowanemu. Niemal bezkrytycznie przyjmowałam wszystko, co zostało utwierdzone mądrością małego czarnego druku. Traktowałam kultowo wszystkie napisy, które przyświecały mojej drodze ku dorosłości. Zwłaszcza nakazy, zakazy, regulaminy i obwieszczenia. Te studiowałam z zapartym tchem, chcąc zapamiętać przysługujące, a raczej nieprzysługujące mi prawa.

Szybko odkryłam, że nasze życie rodzinne toczy się

niezależnie od danych nam przywilejów, ale też niezależnie od wszelkich zakazów. Większy wpływ na jego kształt miało to, co rodzicom udało się jakimś cudem zdobyć, niż to, co nam przysługiwało. Na przykład ryby. Zdaje się, że nam nie przysługiwały, bo nigdy ich nie było w pobliskim sklepie. W sklepie z rybami unosił się tylko rybi smrodek, co mnie zdumiewało. Bo jak można czuć rybę, skoro jej nie ma? Tymczasem ryby pojawiały się w naszym domu tak często, że zapachowo mogliśmy uchodzić za zaplecze wspomnianego sklepu. Przynosili je koledzy taty. Pertraktacje na temat ceny nie trwały długo. Niemal każdego dnia znajdowałam nieszczęsne rybie łuski przyklejone do ściany lub do blaszanych kubków. Czasami pływały w herbacie i wyglądały jak zapowiedź przyszłego karpia.

Ryby w naszym domu miewały najczęściej postać mięsną. Robiło się z nich kotlety albo klopsy. Babka Bronia najlepiej radziła sobie z nadawaniem rybie takiej postaci. Wierzyłam, że potrafi zrobić także rybną kiełbasę albo schabowe z okonia. Zadowalałam się klopsem, w którym czyhały na mnie drobne ości.

Tylko wuj Roman nie brał ryby do ust. Kiedyś zadławił się przy swojej narzeczonej. To była ponoć bardzo wrażliwa kobieta. Gdy zobaczyła wuja z szeroko otwartymi ustami, tężejącym językiem i wybałuszonymi gałkami ocznymi, zerwała z nim wszelkie kontakty. Powiedziała na swoje usprawiedliwienie, że nie mogłaby całować się z człowiekiem, który wyrzygał faszerowanego szczupaka na jej dywan. Narzeczona wuja odziedziczyła po rodzicach bar mleczny i otaczała się wyłącznie tym, co jej zdaniem uchodziło za eleganckie. Wuj micścił się w jej oczekiwaniach, dopóki nie pokazał zawartości swojej jamy ustnej.

„Przykro mi – powiedziała mu w chwili rozstania – ale jestem nazbyt wrażliwa i pamięć tego widoku wyklucza moją ewentualną miłość".

Poza rybami mieliśmy zawsze cukier. Chyba nikt nie posiadał takich białych słodkich zapasów jak my. Cukier rodzice trzymali w swoim pokoju pod łóżkiem, a także w pokoju wuja. Nie chcieli go nosić z piwnicy, bo nasi sąsiedzi patrzyli im wiecznie na ręce.

To dziwne patrzeć komuś na ręce. Nie widzi się wtedy całego człowieka.

Wśród nakazów, które rodzinnie łamaliśmy, był nakaz uczestniczenia w świętach państwowych. Łamanie nie wynikało z żadnych powodów politycznych. Po prostu przed Pierwszym Maja rodzice zawsze mieli gości i następnego dnia nie byli w stanie wystroić się we wcześniej przygotowane odświętne ubrania. Na wszelki wypadek już wieczorem umieszczali we framudze okna moją szkolną papierową chorągiewkę. W ten sposób mówili światu, że nie są przeciwni czczeniu uczciwej pracy, tylko zbyt nią zmęczeni, aby to manifestować.

Ja pilnie chodziłam na pochody. Robiłam przed trybuną gwiazdy i salta oraz tańczyłam w stroju gimnastycznym. Nawet gdy padał deszcz. Lubiłam oklaski, które spadały na mnie z tłumu. Starałam się świetnie wypaść, żeby choć trochę przeprosić tych ważnych ludzi za moich chrapiących jeszcze w łóżkach rodziców. A potem czułam radość dobrze spełnionego obowiązku. Kiedyś nawet jeden z tych garniturowych władców powiatu pogłaskał mnie po głowie i powiedział, że będą ze mnie ludzie. Dobrze to było usłyszeć, bo babka Bronia, zastanawiając się, co ze mnie wyrośnie, w ogóle nie brała pod uwagę tej możliwości, że może właśnie ludzie...

Również do kościoła nigdy nie chodziliśmy razem.

– Swoje już wychodziłem – mawiał ojciec, włączając rano radio albo telewizor. – Ksiądz mi nie pomoże utrzymać rodziny – mówił, siedząc w majtkach i podkoszulku przy porannej herbacie.

– Co ma ci pomagać?! – oburzała się mama. – To twoja rodzina, nie jego! – A potem popadała w długie zamyślenie.

– Kiedyś, jak byłam młoda, latał za mną jeden taki kleryk...

– To trzeba go było brać, jak ci się tak podobał. – Ojciec tracił dobry humor. Nie lubił, jak mama zaczynała wspominać tego kleryka.

– Kto ma księdza w rodzie, tego bieda nie ubodzie. – Mama wzdychała, myjąc wczorajsze naczynia.

– Ksiądz nie mąż! – przypominał ojciec.

– Co ty mówisz, że nie! – Mama w tej kwestii była nieustępliwa. – A Marcysia? Zobacz, w jakim futrze chodzi!

– Teraz jest maj i nie chodzi – sprzeciwiał się tata.

– W jakim futrze? – pytałam znad talerza z jajecznicą.

– W żadnym. – Mama szybko wypierała się tematu.

– Gadasz takie bzdury przy dziecku – beształ mamę tata. Niepotrzebnie się tak mną przejmował. Wiedziałam, że pani Marcysia ma wiele wspólnego z księdzem Gustawem, gdyż często bywała w zakrystii, gdy nasza klasa miała wtedy w kościele lekcje religii. Przypuszczalnie właśnie wtedy omawiała z księdzem sprawę futra, o które mama była tak zazdrosna. Jej norki musiały być bardzo ważną sprawą, o czym informował nas sam ksiądz Gustaw.

– Mam do załatwienia bardzo ważną sprawę – mówił na widok twarzy pani Marcysi w drzwiach zakrystii. I wychodził, a nam kazał malować potop.

W moim zeszycie do religii powstawały niezliczone ilości różnych wersji zalania świata wodą. Najlepiej wychodziła mi arka Noego. Ale bez zwierząt. Kiedy ksiądz pytał, gdzie są zwierzęta, odpowiadałam, że śpią. Wystarczyło zamiast słońca narysować księżyc nad wodami.

Któregoś razu ksiądz mnie wyśmiał przy wszystkich. Nie miałam niebieskiej kredki do potopu, więc moje wody miały kolor brudnej żółci, obmywającej kadłub arki.

– Twój potop, Pietkiewiczówna, wygląda jak bimber – powiedział i zaczął się głośno śmiać. Inni też się śmiali, chociaż nikt z nas nie wiedział jeszcze wtedy, co to jest bimber. Nawet ja, a przecież najwięcej czytałam.

Kiedyś na kolędzie, gdy ksiądz zahaczył o nasz dom, tata zapytał go wprost, dlaczego ja w swoim świętym zeszycie mam same rysunki. W dodatku wyłącznie potopy.

– Jestem osobiście zainteresowany, czy nie ma innych przekazów w Biblii – powiedział tata, kładąc tak kopertę z pieniędzmi, żeby ksiądz ją widział.

– Owszem, są – odrzekł ksiądz, odliczając święte obrazki dla naszej rodziny. – Biblia to nieprzebrane źródło wiedzy o nas samych – dodał, dając ojcu największy obrazek ze świętym Krzysztofem, aby się nim opiekował, gdy po pijanemu wraca z miasta na swoim starym rowerze.

Tatę ucieszyła ta odpowiedź. Drążył w związku z tym kwestię dalej, pytając, co będę malowała w bieżącym roku szkolnym. Ksiądz zamyślił się poważnie i odrzekł, że być może scenę z Łazarzem. Albo ukrzyżowanie. Jeszcze nie podjął w tej sprawie decyzji.

Ojciec wręczył księdzu po dłuższej chwili kopertę, mówiąc, że zarówno pierwszy, jak i drugi temat w pełni zasługuje na uwagę plastyczną i jest ciekaw, jak ewentualnie poradzę sobie z Łazarzem, którego, o ile pamięta, można narysować dwojako: w pozycji leżącej i stojącej.

Ksiądz wyraził nadzieję, że sobie poradzę, bo jestem pilna i obowiązkowa. Trochę za rzadko zabieram głos w dyskusjach, to inna sprawa – tu pogroził mi wiclkim palcem.

– Nieśmiałość jest cnotą! – przypomniał sobie szczęśliwie i dodał: – Miejmy nadzieję, że z tego wyrośnie.

Ja w tym czasie z nabożeństwem obracałam w palcach obrazek świętego Floriana, po którym tata sobie wiele obiecywał, gdyż mieliśmy nieszczelny komin, i zastanawiałam się, o jakiej dyskusji ksiądz mówi tacie. Nigdy na religii nie dyskutowaliśmy. Poza ustalaniem dyżurów sprzątania kościoła, oczywiście. Podniosłam na księdza oczy, w których mógł wyczytać obietnicę mojego udziału w każdej dyskusji, a także w sprzątaniu sakralnego przybytku, ale on już był zajęty sprawdzaniem listy lokatorów naszej kamienicy, a na korytarzu zaczynały skrzypieć gościnnie otwierane przed dzwonkiem księdza drzwi.

Dojrzewanie

Pan od WF-u na każdej lekcji spluwał przez uchylone w sali gimnastycznej okienko. Mówił do Bożenki Herman, że ma grubą dupę, i palił sporty, patrząc, jak Bożenka nie może się przecisnąć pod ławeczką do ćwiczeń. Poza tym wchodził do naszej szatni, gdy się przcbicrałyśmy, i zwykle przez niego cała nasza grupa spóźniała się na następną lekcję. Poza Bożenką, bo ona przebierała się przy panu. Miała swój pierwszy stanik już w czwartej klasie. Był w cielistym kolorze i chyba za mały, bo wszystko, co nie mogło się w nim zmieścić, wypływało na boki. Na Bożenkę mówiliśmy Opona, gdyż jej ojciec miał zakład wulkanizacji. Całe miasto łatało u niego gumowe materace, a najbogatsi prowadzili tam swoje samochody.

Opona chciała się ze mną przyjaźnić, bo pisałam za nią wypracowania. Brałam za to skromne stypendium w postaci bułki z szynką. Opona przynosiła pięć takich bułek i potrafiła wszystkie zjeść na dużej przerwie.

O „tych sprawach" wiedziała z nas wszystkich najwięcej. Chłopcy macali Oponę, a ona bardzo to lubiła i śmiała się głośno, gdy udawali, że ją łaskoczą, a tak naprawdę chwytali w ręce jej wielkie piersi.

Kiedyś przyniosła rozebrane karty. Tak je nazwałam. Na kartach były rysunki, za które mogliśmy wylecieć ze szkoły. Nie zgadzałam się z tym, bo przecież to nie my rysowaliśmy owe świństwa. My rysowaliśmy wówczas albo potop, albo Łazarza, albo ukrzyżowanie.

Opona pokazywała nam, jak się wkracza w dorosłe życie. Najpierw ten stanik. Potem, na biwaku, odkryła przed nami strój kąpielowy bikini. Wszystko było widać. Poza strojem, który ginął w fałdach jej pulchnego brzucha. Pan od WF-u nie spuszczał na tym biwaku oczu z Opony i nawet jej powiedział przy ognisku, że ma świetne warunki fizyczne. Opona zaczęła też dostawać piątki z gimnastyki, choć rzadko udawały się jej ćwiczenia. Pewnie pan oceniał stanik albo same warunki.

No i te buty. Buty Opony miały wysoki obcas, ale być

może dlatego, że jej noga nie mieściła się w dziecięcej numeracji. Zrozumiałam, że Opona urodziła się już dojrzałą kobietą. Stroszyła włosy jak wamp i śmiała się trochę z moich warkoczyków. Ale tylko trochę, bo pani Elwira nieustannie zadawała nam prace domowe i pisałam je dla nas obu: dla Opony i dla siebie. Pisałam uczciwie. Oponie trochę gorzej, sobie lepiej, ale miałam inny gust niż pani Elwira. Opona dostawała piątki, ja trójki, czasami z plusem. Częściej jednak bez plusa. Pamiętam, że wtedy po raz pierwszy przyszło mi do głowy, że może pani Elwira nie zawsze ma „pełną" rację...

Potem się okazało, że pani Elwira jadała u rodziców Opony obiady. Jeszcze później, że jada je tam połowa grona pedagogicznego. Dzień Nauczyciela też obchodzono w hali wulkanizacyjnej, specjalnie na to święto udekorowanej prawdziwymi różami, i to z kwiaciarni, bo w ogrodach o tej porze roku nędznie dogorywały ostatnie astry.

Pierwszy chłopak Opony był żołnierzem. Drugi i trzeci też. Dalej to nawet nie liczyłyśmy tych jej chłopców. Ale jak się utopiła w wieku siedemnastu lat, na pogrzebie była prawie cała jednostka wojskowa. Ksiądz Gustaw powiedział w pożegnalnej mowie, że kolejna dziewica przekroczyła bramy raju i jest to pocieszające, jeśli nie szczęśliwe wydarzenie boskie. Że trzeba w tym upatrywać Bożej ręki, która zbiera żniwo dla siebie najlepsze i najczystsze. Mama Opony płakała, a jednostka stała ze spuszczonymi głowami. Och, jak ja wtedy czułam zbiorowy, a przy tym indywidualny grzech tych mężnych chłopców! Każdy z nich na swój sposób przyczynił się do tego, że ksiądz głosił błędną wersję zdarzeń. Każdy z tych młodzieńców w czasie kolejnych przepustek wprowadzał Oponę w świat znany nam tylko z jej późniejszych zwierzeń. Niezależnie od tego, co starał się nam wmówić ksiądz, szeptałam po cichutku, wycierając policzki z łez, prywatną modlitwę do Pana Boga. I prosiłam Go, aby tam, w niebie, ulokował naszą Oponę gdzieś nieopodal jakiejś stacjonującej w bezkresie dzielnej jednostki błękitnych żołnierzy. Tych, co bohatersko zginęli w heroicznych szturmach. Kto wie, czy nie po to, by teraz, w nagrodę, doczekać się tak otwartej na mundur, nowej niebiańskiej mieszkanki. I dziwna rzecz. Myśl, że Opona od kilku dni przebywa w bezcielesnych ramionach swych szeregowców, pozwoliła mi odnieść się do jej śmierci z jakąś nutką radości. Od tego momentu uśmiechałam się podczas ceremonii pogrzebowej szeroko i ufnie. Wprawdzie kwiaciarka Malinowska powiedziała do ciotki Opony, że widać po mnie rodzinne zboczenie, ale ja się wcale tym nie przejęłam. Bo niby skąd taka zwykła kwiaciarka mogła wiedzieć, co teraz robi Opona, kiedy my przysypujemy ją ziemią i kładziemy na kopczyk kwiaty od Malinowskiej, często ściągane do jej kwiaciarni z cmentarza. Pomyślałam też, że życie Opony wyraża pewien porządek. Bo wszystko miała pierwsza. Nawet miesiączkę. I pierwsza odeszła.

Moi rodzice, którzy nie lubili Opony, a zwłaszcza jej „ojca złodzieja", jak mawiali, próbowali po pogrzebie znaleźć dla nieboszczki dobre słowo.

– Szkoda, bo to jeszcze dziecko. – Mama westchnęła.

– Jakie tam dziecko – obruszył się tata. – Kobitka z niej była, jak się patrzy! Szkoda.

– Trochę latawica – przypomniała mama.

– Jakie tam trochę! – sprzeciwił się tata. – Ostra zawodniczka, to ci powiem!

– No, w każdym razie już sobie nie używa – uznała mama, zamykając temat.

– A Wulkan kradł, kradł, kombinował i teraz nawet nie ma komu tego złodziejstwa zostawić – podsumował tata.

Pogrzeb Opony stał się jeszcze jednym tematem zamkniętym. Tym razem również przez wieko białej trumny, która długo śniła mi się po nocach.

Kasztanowa śmierć

Ze mną było całkiem inaczej. Nikt nie chciał mnie macać, a chłopcy z klasy mówili, że cycki to będę miała, jak je sobie ulepię z gipsu na plastyce. Przez jakiś czas codziennie sprawdzałam w lustrze, czy dałoby się je, w razie czego, przykleić. Potem, gdy straciłam dla nich zainteresowanie, same zaczęły rosnąć. Dopiero wtedy pojawił się problem, gdyż stanik po mojej siostrze na mnie nie pasował, a o nowym nie można było nawet marzyć. Nie wiem do dziś, skąd o moich kłopotach wiedziała babka Bronia. Ale to ona, po stoczonej z rodzicami walce o kopertę z rentą, poszła do galanteryjnego, gdzie ubierała się sama doktorowa Sztolc, i kupiła bawełniane cudeńko. Przynajmniej wtedy tak mi się wydawało, bo nikt w naszym domu nie miał nic bielszego.

Mniej więcej w tym samym czasie, w wiosenne popołudnie, gdy czytałam na ławce pod kasztanowcem *Ucho od śledzia*, poczułam, że umieram. Stan agonalny potwierdziła obecność krwi spływającej wolno wzdłuż mojej nogi. Broczyłam jak świeżo zarżnięta kura, które to skojarzenie zawdzięczałam pani Pepeszowej, mordującej w każdą sobotę drób w prowizorycznym kurniku. Tym, co szpecił nasze podwórko bardziej od gołębnika. Przeszywał mnie mdlący ból zapowiadający śmierć ciepłą i powolną. Postanowiłam nie ruszać się z ławki. Instynktownie przywarłam do szorstkich desek i mocno ścisnęłam powieki. Próbowałam zrobić to samo z udami, które rozlatywały się na miliony ud i były od dłuższej chwili zupełnie jak nie moje. Jakby pożyczone od Opony. Całkiem obce i przez to takie niewygodne. Umieranie wydało mi się niezwykle smutne, gdyż uświadomiłam sobie, że to pierwsza śmierć w naszej rodzinie. Na pewno nie obędzie się bez łez. Spekulowałam, kto zapłacze najgłośniej. Uznałam, że mama, bo mama najszybciej reagowała na wszystkie rodzinne zmiany. Tacie też się zaszklą oczy, gdy brat przybiegnie z wieścią, że leżę martwa pod kasztanem. To pewnie właśnie tata zamówi trumnę i kwiaty. Nie. Jeśli chodzi o kwiaty, a w zasadzie o wieniec, to z całą pewnością mogę liczyć na wuja Romana. Skombinuje coś pięknego, jak mawia.

Zamknęłam oczy jeszcze mocniej, gdyż wypełniały je niepożądane łzy. Nie mogłam ich powstrzymać głównie z powodu pani Elwiry. Wyraźnie widziałam jej błękitną sukienkę w gronie moich najbliższych. Elwira wyglądała jak Matka Boska z kościelnego obrazu, tylko bez szramy na policzku, i zalewała się łzami. Pewnie z powodu tej oceny całkiem niedostatecznej, którą wcisnęła między moje trójki bez plusów. Niesprawiedliwie. Tak właśnie wytłumaczyłam sobie jej straszną rozpacz.

A jeśli Elwirze wcale nie chodziło na tym moim pogrzebie o ocenę? Jeśli chodziło jej o moje nieruchome ciało i usta, które już nigdy nie wymówią żadnego słowa, o moje oczy, które nie spojrzą z zachwytem na jej nową garsonkę? Może byłam jedyną osobą kochającą panią Elwirę mimo wszystko, a teraz, złożona w białej trumience, na zawsze przestanę ją adorować i podziwiać? Pani Elwira zaś będzie musiała się starzeć sama, czekając od czasu do czasu na wuja, który jednak nie zauważał całego jej piękna, bo raz nawet powiedział babce Broni, że po garbatym nosie naszej pani można jeździć na nartach.

Kasztan szumiał już nocną wietrzną melodię, a ja wciąż nie mogłam umrzeć. Wreszcie przyszła mama i gdy dotknęła moich zimnych rąk, zrozumiała, że wybiła moja ostatnia godzina. Znałam to zdanie dzięki babce. Jej ostatnia godzina wybijała codziennie kilka razy. Gdy już konającym szeptem wszystko mamie powiedziałam, ściskając resztką sił fałdy krótkiej spódniczki, mocno mnie przytuliła, a moja śmierć nie zrobiła na niej żadnego wrażenia.

– Co miesiąc będziesz tak umierać – uspokoiła mnie mama trochę nieszczęśliwie. – Co miesiąc – westchnęła. – Lepiej o tym nikomu nie mów, bo nie wypada.

Zmartwiła mnie. Otrzymałam obietnicę dwunastu śmierci w roku, bez możliwości poskarżenia się światu na ten dziewczęcy dramat, pełen niewyjaśnionych plam. Krwistych jak rumieńce wstydu.

Poglądy

Babka Bronia zachorowała i zażyczyła sobie pijawek. Tata bezradnie kręcił głową.

– Skąd ci je wezmę? – pytał zmartwiony, bo babka zagroziła, że jeśli nie zdobędzie pijawek, to ona umrze, zabierając z sobą urzędowe koperty. Te z rentą. Tatuś bardzo się przestraszył.

– Kiedyś były w sklepach rybnych – przypomniała sobie mama.

Ojciec spojrzał na nią z lekką pogardą.

– Kobieto – przemówił – mylisz ważne fakty natury historycznej.

Mama zamilkła, bo nie lubiła być przyłapana na niewiedzy.

– Owszem – ciągnął tata – kiedyś w sklepie Bauderków, tym z kaflami i świeżą rybą, był napis „żywe pijawki". I przez ten napis Bauderek odsiedział swoje. Bo pijawek nie miał, a nad napisem wisiały portrety trzech największych pijawek. Żywych, oczywiście! Wisiał tam Stalin, Lenin... – zaczął wymieniać tata – ...a ten trzeci? Kto był trzeci?

Babka zapomniała o chorobie.

– Jak to kto!? – odezwała się dziarskim głosem. – No, przecież ten, oprawca taki! Jakżeż mu...

– Zaraz, zaraz, faktycznie... – mama pocierała palcem czoło – ...był jeszcze jeden. Gorszy od tamtych, bo nasz.

– Jaki on tam nasz! Też sowiecki! – wykrzyknął tata.

– Sowiecki, tak, ale nie ruski. To nie to samo – zauważyła babka, pokasłując.

– Co to za różnica? – Tata wzruszył ramionami.

– A taka, że Rusek Sowietowi nierówny! I u nas, Polaków, tak jest – tłumaczyła babka. – Komunista też niby-Polak, a komunista Polakowi nierówny.

– Niby mama ma rację – zgodził się ojciec. – Pod warunkiem że są Polacy niekomuniści. A takich, jak mamie wiadomo, nie ma.

– A my to niby co?

– Nieoficjalnie, owszem – odparł ojciec – ale oficjalnie, my też. Znaczy się, jak inni. Choćby niech weźmie mama pod uwagę wyniki wyborów.

– Jakich wyborów? – Babka traciła cierpliwość i chyba zaczynała gorączkować.

– No, wie mama, jakich. Co my tu, przy dziecku, o takich sprawach.

– Dziecko powinno wiedzieć. Im prędzej, tym lepiej. Nieoficjalnie jesteśmy... prawdziwymi patriotami!

– A oficjalnie? – Mama się zmartwiła, patrząc na ojca z nadzieją, że wymyśli coś pocieszającego.

– No, niestety. – Tata bezradnie rozłożył ręce. – Nie jesteśmy sami w stanie nic zrobić. Nic zmienić... Takie czasy...

– Oficjalnie, oficjalnie... – Babka się rozsierdziła. – W dupie mam to, co z musu. Całe życie uczciwie żyłam i do tej hołoty nigdy nie przystąpię. Po moim trupie! – krzyknęła.

Przypominała znaną mi ze zdjęcia w książce do historii rewolucjonistkę z płomiennym wzrokiem i włosami w nieładzie. Gdy wspomniała o trupie, mama natychmiast wysłała mnie po lekarstwa. Wróciłam w momencie, w którym tata mówił cichym, pełnym mściwości głosem:

– Tu już mama przesadziła. I to bardzo przesadziła! Chlebek jemy ojczysty i smakuje? Trochę dla tej Polski zrobić trzeba.

– A coś ty takiego dla niej zrobił? – Babka kipiała.

– No, no! – oburzył się tata. – No, no! – powtórzył. – Nowe pokolenie ojczyźnie dałem. I to w czynie, że tak powiem, społecznym! Bez musu.

– A toś się dopiero napracował! – W głosie babki brzmiała drwina. – A toś się narobił! Kiedyś dzieci to była sama przyjemność robić, a teraz, słyszę, obowiązek ojczyźniany!

– W pewnym sensie tak. Zrobiłem to również z myślą o ojczyźnie. Nie jestem, jak mama, obojętny na sprawy narodowe.

– To gdzieś był, jak moi synowie po lasach na zmianę Niemca i Sowieta gonili? Gdzie byłeś, jak puścili zdrajców ze spuszczonymi spodniami? Cała Oszmiana usiana była pogubionymi portkami tych tchórzy! Moje dzieci wrogów pędziły, a ty bimber! W jakiejś chałupie na zadupiu. Ot, cała różnica!

– Przypominam mamie, że wtedy dopiero się urodziłem. A za waleczność moich szwagrów głowy bym nie dał. Roman też na wojnie. Do dziś. Tylko pytam, na jakiej?

– Przyniosłam babci biseptol – odezwałam się głosem Czerwonego Kapturka. – I witaminy.

– Połóż na stole – przemówiła babka głosem wilka. – Bierz swojego ojca komunistę i dajcie mi święty spokój.

– Tylko oficjalnie komunistę – zastrzegł tata, z pewną dumą opuszczając mieszkanie babki – tylko oficjalnie.

Ojcu nie dawały spokoju oskarżenia babki. Następnego dnia odwiedził ją ponownie pod pretekstem naprawienia radia.

– Taka mama waleczna, a z pierwszym sekretarzem ma zdjęcie – powiedział od niechcenia, zaglądając do odbiornika. – Ludzie mówią, że Roman jest podobny do pewnego aktywisty politycznego, co go mama poznała jeszcze na Wileńszczyźnie.

– A choćby i był, nie twoja zasrana sprawa. Ja dzieci z miłości płodziłam, a nie z politycznego klucza! Mężczyzna, szczególnie nagi, obcujący z nagą kobietą nie ma charakteru politycznego! I nie tobie zaglądać mi pod kołdrę.

– Ależ ja nie zaglądam! – ironizował tata. – Mama sama co rusz uchyla rąbka tej kołdrowej tajemnicy, chwaląc się, jakie miała powodzenie. Ale powodzenie to jedno, a patriotyzm to drugie. – Tata cedził słowa.

Tymczasem babka zaczynała znowu pąsowieć. W przeciwieństwie do mnie świetnie rozumiała taty aluzje. Zastanowiła się głęboko i odparowała.

– Z tego, co mówisz od wczoraj, jedno jest pewne: ani ty Polak, ani Rusek, ani ty komunista, ani antykomunista. Ty zwyczajne ideowe barachło!

Radio zatrzeszczało w rękach taty i z małego głośnika wypłynęły pierwsze takty walca, ale tata szybko je wyłączył i usuwając jakiś drucik, powiedział:

– Myślałem, że to prosta usterka, ale nie. Musi mama dać mi jakieś dwieście złotych, to może jeszcze mamie zagra pieśń powstańczą albo hymn. Tylko niech się mama, do cholery, na jeden hymn zdecyduje.

Spojrzał na babkę z niechęcią, a ja wiedziałam, że po okresie względnej stabilizacji na froncie babka–ojciec zaczyna być gorąco. Tatuś wydawał się gotów do nowej fali zamieszek i tego faktu nie zmieniała nawet urzędowa koperta, której róg wychylał się spod wielkiej poduchy, aż ciężkiej od zbitego pierza.

Brat, podobnie jak siostra, spakował swoje osobiste rzeczy do małej torby turystycznej, którą wujek kilka lat temu znalazł na jakimś dworcu, po czym opuścił dom. Jestem pewna, że specjalnie wybrał sobie szkołę, której nie było w naszym mieście. Aby wyjechać. Wuj Roman nie dał mu żadnej wyprawki.

– Mężczyzna musi sam na siebie zarobić – powiedział tonem naszej pani dyrektor. – Ale mam dla ciebie prezent – dodał po chwili namysłu. I wręczył bratu napoczętą paczkę ekstra mocnych.

– Nie palę – powiedział brat, zasuwając zamek błyskawiczny torby.

– A to już, synu, twój problem – stwierdził wuj, zabierając papierosy. – Przed tobą jeszcze wiele nauki – rzekł ze współczuciem.

– Co ty, Roman. – Mama stanęła w obronie brata. – Chłopak rozsądny, a ty go na złą drogę...

– A jaka to zła? Chłop, co nie śmierdzi nikotyną, jest nudny jak polska dobranocka! Trzeba śmierdzieć fajkami, dobrym alkoholem i pachnieć kobietą – doradzał wuj, ale brat nie chciał niczym śmierdzieć ani pachnieć.

Szybko pożegnał się ze mną, z mamą, uścisnął wujowi rękę i z ulgą opuścił nasze mieszkanie. Widziałam, jak wolno przecinał podwórko, i już za nim tęskniłam. A może jeszcze bardziej mu zazdrościłam, że trafi do internatu, w którym jest cicho. Tak przynajmniej pisała siostra.

W naszym domu nigdy nie było cicho. Nawet jak rodzice mówili przytłumionymi głosami, słychać ich było na podwórku.

O każdej porze dnia i nocy dzwonili do naszych drzwi różni ludzie. Jakby wiedzieli, że to, z czym przychodzą, ojciec będzie oglądał i próbował kupić. Długo w noc, przy bimbrze albo winie z żółtą wiśnią, trwały handlowe pertraktacje. Zdarzało się, że tata w rezultacie niczego nie kupił, tylko upłynnił zapasy domowego alkoholu.

– Zdzisiu, Zdzisiu – mawiała mama – jaki ty naiwny jesteś.

– Uczciwy, nie naiwny – odpowiadał tata. – Mnie procentów nie zabraknie, a co się na ludziach poznam, to moje.

Nie sądzę, żeby ta wiedza o ludziach zbierała się w tacie w jakieś trwałe doświadczenie. Przeciwnie. Im częściej go oszukiwano, tym bardziej próbował odbić swoje porażki na kolejnych nocnych gościach. Zamiast satysfakcji, miał jednak same kłopoty. Kiedyś pan Widman, obdarzony wielkim czerwonym nosem i pozbawiony trzech palców u rąk, zostawił tacie w zastaw piłę do drewna. Pewnie sprawczynię jego kalectwa. Sam nie mógł już pracować przy ścinkach, więc zamienił swą piłę na trzy butelki samogonu. Wiem, że trzy, bo sama je przynosiłam z kredensu babki.

Tata z dumą pokazywał piłę mamie. Siedzieli na łóżku. Piła leżała między nimi i planowali, co za nią kupią. Tata proponował zrobić remont. Przynajmniej w kuchni, gdzie z powodu nadmiernej wilgoci zalęgły się pluskwy. Mama przekonywała tatę, że pluskwy mogą jeszcze poczekać, bo ona od dawna marzy o segmencie. Część pieniędzy można zapłacić po sprzedaży piły, a część w ratach. I patrzyła na tatę takim wzrokiem, że on poczuł się człowiekiem, któremu dostatek nie jest obcy.

– W ratach, mówisz. – Brał pod uwagę jej prośbę. – Dlaczego nie? Postawimy ten segment... – Rozglądał się długo po zagraconym pokoju. – Gdzie my go właściwie postawimy?

– Wywali się kredens. – Mama miała gotową odpowiedź na wszystko. – Parysiakowa mówi, że nie może już na niego patrzeć, a przecież tu nie mieszka!

– To go sprzedamy – zdecydował tata. – Może to wartościowe pudło? Jak myślisz?

– Ale gdzie tam, wartościowe! – Mama prychnęła. – Stary grzmot! Porąbiesz i spalimy.

– To może najpierw piłą bym go przejechał, a dopiero potem ją opchniemy. – Tata zapalił się do swego pomysłu.

– Tak! Tak! – przyklasnęła mama.

Siedziałam za dyktą i zbierało mi się na łzy. Najbardziej w naszym domu, z rzeczy, ma się rozumieć, lubiłam ten kredens. Był taki dumny, szykowny i wcale do nas nie pasował. Zawsze czuł się z nami źle. Ale cieszyłam się, że wciąż tu jest, że dodaje naszemu mieszkaniu słonecznego blasku, który zatrzymywał się w bufetowej szybie. Poza tym w gospodarskim brzuchu kredensu oprócz butelek trzymaliśmy konfitury i przysmaki na święta. Miałam wrażenie, że gdy ten dostojny mebel odejdzie na zawsze, wraz z nim skończą się te nieliczne świąteczne dni pachnące pastą do podłogi i piernikami. Miodem i suszem jabłkowym. Tym wszystkim, co sprawiało, że dwa razy w roku lubiłam siedzieć za dyktą i wciągać nosem zapachy niosące obietnicę nowego.

– Oj, Zdzisiu, jestem taka szczęśliwa. – Mama westchnęła i wyłączyła nocną lampkę.

– No to przecież znowuż nic takiego, moja droga – odpowiedział ojciec, mocując się z kołdrą albo z kalesonami, w których na ogół spał, choć nie zawsze. Czasami kalesony leżały na podłodze, a ja miałam wrażenie, że to leży część tatusia. W dodatku intymna, dlatego delikatnie odwracałam wzrok od jego porzuconej bielizny. Obiecywałam sobie w takich sytuacjach, że mój przyszły mąż będzie składał kalesony w kostkę. Bo marzyć o tym, by w ogóle ich nie nosił, nie śmiałam.

Tę rodzicielską szamotaninę, która nieraz dawała mi wiele do myślenia, przerwał dzwonek do drzwi.

– Co za noc! – ucieszył się tata. – Interesy same chwytają za klamkę.

I pobiegł otworzyć. Wrócił z obcym milicjantem i posterunkowym, który na powitanie dotykał swojej milicyjnej czapki.

– Dobry wieczór! – wykrzyknął posterunkowy i zanim mu odpowiedzieliśmy, dorzucił tym samym tonem: – Rewizja, panie Pietkiewicz!

– Że niby co? – Tatuś nie dowierzał. – Romana przecież nie ma.

– Pana rewidujemy, obywatelu.

– Czyś pan zwariował? Porządnych ludzi będziesz pan straszyć?

– Czy porządnych, to się okaże. Mamy poszlaki, że skradziona obywatelowi Liszce piła jest u was. A to co, obywatelu? Z piłą śpicie? – Pokazał palcem na nieszczęsną zdobycz taty.

– Z żoną śpię – warknął tata. – A pan nam przeszkadzasz i odpowiednią skargę wniosę.

Mama biednie wyglądała w swojej spranej koszuli,

która kiedyś była różowa. Pomyślałam, spoglądając na nią zza pieca, że w przyszłości kupię jej najładniejszą nocną koszulę, jaka będzie w naszym sklepie galanteryjnym, gdzie ubiera się pani Sztolc, żona lekarza.

– Numer się zgadza, symbol się zgadza. Wkładaj pan portki, panie Pietkiewicz, idziemy.

– Panie posterunkowy – ojciec wyraźnie stracił rezon – ja tę piłę uczciwie kupiłem od Widmana. Przyniósł mi ją dzisiaj wieczorem. Dostał za nią, co chciał...

– No, tu już żeś pan, panie Pietkiewicz, przesadził. Wiemy, że Widman u pana był. To on zauważył tę piłę i spełnił swój obywatelski obowiązek. Pan Liszka od dwóch dni szuka sprzętu. Dniówek nie ma, boś mu pan ukradł jakby rękę do pracy. Tak się nie robi, panie Pietkiewicz. – Posterunkowy kręcił głową.

Czmychnęłam za piec. Przytuliłam się do jego słabnącego ciepła i poczułam się bardzo nieszczęśliwa. Tata ciężko wlókł się za posterunkowym, mama płakała, a ja zaczynałam rozumieć, że chociaż nie jesteśmy zwykłą rodziną, to jednak nie aż tak złą, żeby nie mieć prawa do marzeń. A my nie mieliśmy ani prawa, ani czasu. Zanim takie marzenie dojrzało w głowie mamy, już trzeba się było z nim rozstać. Znalazłam niewielkie pocieszenie w tym, że ta stalowa, zimna piła nie poćwiartuje mojego kredensu na kawałki. Jednak co z tego, skoro zdążyła poćwiartować mamine nadzieje. I to zanim nastał dzień. Ja też często kładłam się do łóżka z marzeniami. I przynajmniej do rana mogłam się nimi cieszyć. Mojej mamie nawet to nigdy się nie udawało.

Tata wrócił po paru dniach. Przeproszono go, ale widać za słabo, bo wciąż klął na posterunek i był zgorzkniały. Częściej sięgał po kieliszek i w samotności śpiewał swoje ulubione *Wierzby płaczące*. Pan Widman przyszedł po kilku miesiącach przeprosić tatę. Tata poczęstował go bimbrem, lecz coś do niego dorzucił, bo pan Widman miał lekki skręt kiszek. A w naszym kredensie w dalszym ciągu zatrzymywało się słońce. Przystawało na chwilę. Jak sądzę, głównie po to, żeby rozchmurzyć moją mamę.

Egzamin

Egzamin do szkoły średniej zdałam dobrze, ale się okazało, że dla takich jak ja nie ma w naszym ogólniaku miejsca.

– Przykro mi, dziecko – powiedział dyrektor. Nie wyglądał jednak na zmartwionego.

– Ale dlaczego? – Próbowałam ustalić przyczyny porażki.

– Mamy tu pewne... dyrektywy, rozporządzenia. Jest też pula miejsc dyrektorskich, sama rozumiesz, przypadki losowe, młodzież niepełnosprawna...

Dyrektor mówił, a ja się zastanawiałam, dlaczego Opona jest na liście przyjętych, skoro to ja pisałam jej wypracowania. Dyrektor rozkładał bezradnie ręce, a mnie zbierało się na płacz, bo moje wyniki zadań matematycznych były identyczne jak Krzysia Kowiela i Jurka Trapika, a przecież ich wyniki były wynikami absolutnie poprawnymi, jedynymi słusznymi, ze wszech miar oczekiwanymi i zgodnymi z dyrektywami wszelkich egzaminacyjnych komisji. Zatem i moje rozwiązania, myślałam, patrząc na poruszające się w cierpliwym tłumaczeniu wargi dyrektora, muszą być wystarczająco dobre, abym mogła zasiąść w ławce z Jurkiem, Krzysiem, nieszczęsną Oponą, głupią Rytką czy Hanką Sztolc, której matka kupowała tylko jedwabne nocne koszule w naszym sklepie z galanterią.

– Są szczególne sytuacje i należy brać je pod baczną uwagę – ciągnął niestrudzenie dyrektor, patrząc przed siebie. Jakby te sytuacje miał przed oczami.

Spojrzałam za jego wzrokiem, ale na szkolnym trawniku, gdzie utknęły dyrektorskie oczy, był tylko jakiś pies i robił kupę pod krzewem jaśminu. Dyrektor trochę zbladł. Musiał lubić ten krzew.

– A więc młodzież szczególnej troski, przypadki losowe... – ciągnął już pogodniej, bo pies lekkim truchtem opuszczał trawnik. – Taka młodzież musi mieć pewne przywileje, a liczba miejsc w naszym liceum jest ograniczona. Nie mamy na to wpływu... – mówił.

Tymczasem ja, gdy on skupiał się nad grzecznym pożegnaniem niedoszłej uczennicy, ubolewałam, że nie jestem obiektem szczególnej troski. Jak Opona. Że nie mieszczę się w przypadkach losowych. Jak córka Sztolca, która urodziła się jako dziecko ginekologa. A przecież dzieckiem ginekologa zostaje się losowo. Patrzyłam na dyrektora próbującego przekonać samego siebie do podjętej decyzji i wyobrażałam sobie, jak pięknie byłoby stać przed nim na jednej nodze, mieć tylko jedną rękę i jedno, w dodatku niewidzące oko... Jak miło byłoby wjechać do dusznego gabinetu rozklekotanym wózkiem inwalidzkim. Albo stanąć przed nim z zaświadczeniem, że jestem dzieckiem pogorzelców, powodzian, schizofreników... A może dzieckiem niczyim, czyli wspólnym? Całego narodu, więc trochę i lekarza Sztolca, i nawet pana dyrektora... Poczułam przejmujący żal, że rodzice tak zaniedbali moje pochodzenie. Nawet się przyzwoicie nie rozpili na okoliczność szkolnego awansu swej córki. Nie zrobili nic z myślą o mnie. Nie poszli siedzieć, nie podpalili posterunku milicji. Nie wzniecili pożaru w naszej tartacznej kamienicy. Nie oszaleli i nie próbowali przypalać mnie żelazkiem. A na domiar złego – nie umarli...

– No i w związku z tym, mhm, jakby to powiedzieć... – kończył dyrektor – ...niestety, nie mieścisz się.

– W czym się nie mieszczę? – zapytałam idiotycznie, gdyż wiedziałam, że nie mieszczę się w granicach. Przyzwoitości. Wtedy jeszcze nie potrafiłam tego nazwać, ale od zawsze czułam, że w moim mieście są granice szczelnie zamknięte przed takimi jak ja: z obrzeży miasta, z domów tartacznych, z dzielnicy, o której pogardliwie mówiono „Kanada".

– No, w regulaminie – wybrnął dyrektor. – Nie mieścisz się w regulaminie.

Nie musiał niczego dodawać. Miałam taki szacunek dla wszelkich regulaminów, że jeśli nawet odważyłam się dyskutować z dyrektorem, to nie weszłabym w żadną dyskusję z zapisem praw i obowiązków.

– Rozumiem – skapitulowałam. – Regulamin nie pozwala.

Spojrzał na mnie dziwnie i zapisał na kartce adres szkoły zawodowej.

– Potrzebujemy teraz zdolnej młodzieży do pracy. Wciąż potrzebujemy. Rośnie nam ojczyzna, rąk nigdy za wiele – mówił głosem spikera kroniki filmowej.

Lubiłam kronikę. Gdy ją oglądałam, udzielał mi się entuzjazm pokazywanych bohaterów i komentatora. Poczułam nagłą ochotę włączenia się do prac, jakie na mnie czekały po szkole zawodowej. Dyrektor uśmiechnął się i powiedział, że zrobi wszystko, aby tam przyjęto mnie z otwartymi ramionami.

Do domu wracałam niemal radosna. Wciąż miałam wybór. Mogłam zostać sklepową, krawcową, a nawet tokarzem. Mogłam naprawiać samochody lub uczęszczać na kurs gotowania. Dwuletni. Zanim weszłam do domu, zrezygnowałam z gotowania. Jako rodzina specjalizowaliśmy się w bimbrze i rybach. Uznałam, że to za mało.

Mama była zdziwiona, że to już po egzaminach.

– Ależ życie pędzi – powiedziała, kręcąc głową. Cerowała marynarkę taty, więc nawet nie mogła podnieść głowy znad robótki.

Tata zapytał, jak mi poszło. Siedział z butelką piwa przy zepsutym gramofonie i próbował go uruchomić. W naszym domu bez przerwy coś naprawialiśmy. Poza sobą.

Opowiedziałam wszystko, dziwiąc się, że tata wcale nie jest zadowolony.

– Z otwartymi ramionami tam mnie przyjmą! – ratowałam sytuację, gdy nerwowo odstawił butelkę z piwem. Szczerze mówiąc, gruchnął nią o stół.

– Skurwysyny! – zawył, a ja cała się skuliłam. Klął bardzo rzadko. Tylko wtedy, gdy ktoś go oszukał. – Nie daruję! – Grzmotnął pięścią w stół, stół się zachwiał, a następnie wypadł z niego kawałek politurowanego kiedyś drewna. – Idę tam osobiście! – zagroził, a ja zdrętwiałam. Mogłam być tokarzem i krawcową jednocześnie. Mogłam nawet być nikim, żeby tylko ojciec nie próbował niczego naprawiać w szkole. Wystarczy, że wszystko psuł w domu. Nawet dyrektor wydał mi się zbyt miły, by przyjmować w tym dusznym gabinecie tatę.

– Ale ja nie chcę tam chodzić – zapewniałam, wciskając mu do ręki butelkę z resztką piwa.

– Nie dyskutuj z ojcem. – Mama wciąż skupiała się na marynarce. – Ojciec wie, co dla ciebie dobre.

– Szkoła już zamknięta – kłamałam. Dla dobra szkoły i siebie.

– Jutro pójdę. – Butelka na powrót znalazła się w tatusia dłoni, a ja odetchnęłam z ulgą. Jutro było dla taty terminem bardzo odległym. Tak bardzo, że następnego dnia na ogół nie pamiętał, że termin właśnie upłynął.

Gdy wieczorem wpadł wuj Roman, tata wyjął butelkę z napisem „Zdzichu". To oznaczało, że w butelce jest bimber po potrójnej destylacji. Świąteczny, jak mawiała mama. Po raz pierwszy ucieszyłam się, że rodzice odpoczną przy kieliszku. Tata robił wszystko, by zapomnieć o szkole. Mama nie musiała nic robić, gdyż w nadmiarze domowych obowiązków uleciało to jej z głowy. Wuj zdawał się w ogóle nie przejmować moją klęską. Widocznie nie miał nic przeciwko tokarzom.

Głosy moich bliskich przechodziły przez dyktę ściany z coraz większym trudem. Nauczyłam się ich nie słyszeć. Nie było to trudne, gdyż od dłuższego czasu przeżywałam rozterki Anny Kareniny i właśnie doszłam do momentu, gdy o jej miłości dowiedział się Karenin, a że nie była to miłość, ma się rozumieć, do Karenina, szybko przerzucałam kartki, by sprawdzić, jak moja bohaterka wyjdzie z małżeńskiej opresji.

Obudziłam się zakochana w Lewinie. Ależ głupia, ta Kitty Szczerbacka, myślałam, patrząc na kalesony taty, leżące swoim zwyczajem na podłodze. Po raz setny posłałam błaganie mojemu przyszłemu mężowi, aby z kalesonami umiał sobie radzić. I po raz pierwszy uśmiechnęłam się na myśl, że przecież ten mój Lewin, któremu będę cerować marynarki, już jest na świecie. I to dłużej niż ja. Mogłam wstać z łóżka ufna, że mam kogoś bliskiego, i uznać kolejny dzień za początek nowego życia.

Rozpoczęła się codzienna domowa krzątanina. Kolejka do ubikacji na korytarzu, ciche człapanie babki Broni, która przyszła zrobić śniadanie, nucenie mamy szukającej swojego stanika. Wstał nawet tata, który nie usiadł starym zwyczajem w podkoszulku do śniadania, tylko przyszedł do kuchni w garniturze i poprosił o mocną kawę. Babka zakręciła się przy tym zamówieniu, bo tata w garniturze przypominał jej dyrektora teatru. Po dłuższej chwili dołączył do nas wuj Roman. Spojrzał na tatę i ocenił:

– Bardzo dobrze. Przyniosłem to, o co prosiłeś.

Tata podziękował i w spokoju zjedliśmy rybę w occie.

– Idziemy do twojej szkoły – powiedział potem. Zrozumiałam, że nie ma odwrotu. Stąd ten garnitur i świeżo wyszczotkowane włosy. Stąd błyszczące buty, które mama glancowała swoim starym kapeluszem. I stąd mdły zapach przemysławki ulatujący z ogolonej brody ojca. Czekało mnie więcej niespodzianek. Stałam ze spuszczoną głową, gdy wuj Roman przypinał do piersi ojca różne odznaki i krzyże. Po dłuższej chwili tata wyglądał jak generał w cywilu. Miał na sobie więcej odznaczeń niż cały pułk Wrońskiego, z dowódcą włącznie. Gdy tata przed lustrem wykonywał krok do przodu, cały dzwonił.

Spalałam się ze wstydu. Do szkoły wchodziliśmy razem. Mój obciążony metalem ojciec pierwszy, ja ze spuszczoną głową za nim. Dziękowałam Bogu, że szkoła jest pusta.

Dyrektor na nasz widok wstał.

– Widzi pan to? – zagrzmiał ojciec, uderzając się w piersi.

– Tak, naturalnie – wyszeptał drżącym głosem dyrektor.

– Czytaj pan! – Z kieszeni taty powędrowały na stół małe książeczki. Pewnie instrukcje obsługi dotyczące jego medali.

Dyrektor musiał podobnie jak ja mieć szacunek dla słowa drukowanego, bo bezgłośnie poruszał wciąż drżącymi wargami, co chwila podnosząc oczy na tatę. Odważyłam się i ja spojrzeć na niego. Wyglądał jak bohater wszech czasów. Jak heros, który przyszedł się zmierzyć z marnym prochem ludzkim.

– Kombatanckie dziecko złe?! – grzmiał tatuś, a ja przestałam się wstydzić.

– Ależ nie...

– Pisać będę wszędzie! Do Komitetu i do Politbiura. Do AK, bo i tam służyłem. Do wrogów i przyjaciół. A mam ich, towarzyszu! Mam ich... w pizdu! – wyrwało się tatusiowi.

– Jutro dam odpowiedź – skrzywił się dyrektor, ale tata pokazał mu, jak potrafi demolować stoły. Uderzył pięścią i kawałek biurka mocno ucierpiał.

– Przyjmę pana córkę. Nie znoszę awantur. – Dyrektor osunął się na fotel.

– Nie dziękuję – rzekł ojciec stanowczo. – Nie dziękuję, towarzyszu, bo i nie mam za co. To w końcu ja wam wywalczyłem ojczyznę matkę! I ten pieprzony gabinecik. A i o stołeczek szanownego dyrektora niejedną stoczyłem batalię!

Wyszliśmy. Przed domem, dokąd dotarliśmy w całkowitym milczeniu, tatuś zaczął odpinać swoje odznaki.

Z naprzeciwka nadchodził posterunkowy. Na widok tatusia przyśpieszył.

– Co wy tam macie, Pietkiewicz, na tej marynarze? – zapytał, mrużąc podejrzliwie oczy.

– Gówno mam, panie władzo – odparował tatuś. – Jedno wielkie gówno. Ot, trochę komunistycznych blach z czasów, jak mnie docenialiście. A teraz te zdobyte w pocie i krwi honory tyle znaczą co wielka kupa. Ale ja tak raz w tygodniu wkładam je i idę sobie, żeby o własnej godności nie zapomnieć, panie władzo. I panu radzę to samo. Przypnij pan, co dostałeś za węszenie, a zaraz lepiej się pan poczujesz.

– Nic nie dostałem – smętnie burknął posterunkowy. – Parę razy w mordę, panie Pietkiewicz. Tylko tyle...

– Nic? – zdziwił się tatuś. – To weź pan chlebowy, ja mam dwa. – I wręczył naszemu milicjantowi przepięknie błyszczący krzyż. Tak nowiutki, jakby jeszcze przed chwilą leżał sobie w naszym Peweksie obok perełek i srebrnozłotych łańcuszków.

Krzyś

Mój pierwszy Lewin miał na imię Krzyś, spodnie kończące się na wysokości kostek i kalosze, w których przychodził do szkoły nawet zimą. Polubiłam go trochę z litości, bo był takim samym gołodupcem jak ja. Jego mamę nazywano w mieście starą wariatką, ponieważ często mówiła do siebie i nosiła toczek, który inne panie dawno zamieniły na chusteczki, kapelusze lub gustowne czapki z moheru.

Mówienie do siebie nie stanowiło dla mnie żadnej oznaki choroby, ponieważ i ja lubiłam dzielić się z sobą wrażeniami, gdy szłam wolno ulicą w stronę domu. Moi rodzice byli albo wiecznie zajęci, albo wiecznie zmęczeni, więc na wszelki wypadek sama zadawałam sobie pytania i odpowiadałam na nie, narażając się na zdumione spojrzenia przechodniów.

Już w tym czasie doszłam do wniosku, że nie trzeba robić żadnych nadzwyczajnych rzeczy, by zyskać miano osoby niepoczytalnej. Wystarczyło mieć sobie coś do powiedzenia, aby ludzie, którzy zwykle nie mieli nic do powiedzenia, dokonywali błyskawicznej oceny tych, co mówili.

Szkoła, do której chodziłam, nauczyła mnie dobrze rozróżniać normalność od tego, co niekoniecznie normalne. W myśl tych nauk mama Krzysia była zdecydowanie normalniejsza od naszej nauczycielki fizyki, która miała zwyczaj milczeć. Jej milczenie było szczególnie kłopotliwe podczas lekcji. Pani mówiła kilka zdań. Wynikało z nich, że musimy przeczytać temat w podręczniku, streścić go pisemnie i nauczyć się wszystkiego na pamięć. Mama Krzysia była też normalniejsza od Kobyłki, naszej chemicy. Kobyłka bowiem mówiła bez przerwy. Tylko ani słowem nie zdradzała swej chemicznej wiedzy. Jakby chemia była pilnie strzeżoną przez nią bombą nuklearną, która w naszych rękach mogła się stać zarzewiem trzeciej wojny światowej. Kobyłka koncentrowała się w swych szkolnych wypowiedziach na prymulkach, które więdły na szkolnym parapecie. Oskarżała nas o pastwienie się nad jej roślinkami i posyłała do wszystkich diabłów. Wuj Roman nie chciał się przyznać do znajomości z Kobyłką i w zupełności go rozumiałam, gdyż znajomość ta mogłaby rzucić złe światło na wujowe upodobania.

Takich przykładów, świadczących o normie umysłowej mamy Krzysia, nasza szkoła dostarczała bez liku. Wątpliwości mógł budzić jedynie jej toczek, ale to już sprawa modystki, nie psychiatry.

Lubiłam jego mamę. Przypominała naszą szybę w kredensie, bo w jej oczach zawsze zatrzymywało się słońce. Nawet w pochmurne dni. Krzyś często brał ołówek i rysował jej twarz. Potem, kiedy zarobił na swój pierwszy aparat fotograficzny o harcerskiej nazwie Druh, robił jej zdjęcia. Klasa śmiała się z tej Krzysia modelki, aż nie wygrał w ogólnopolskim konkursie pierwszej w naszym mieście wyścigówki. Zamienił ją na lepszy aparat i dalej uwieczniał swoją mamę. Wiedział, co robi, bo przed maturą zdjęcia jego mamie robił już tylko milicyjny fotograf, gdy wpadła pod samochód doktora Sztolca.

Nikomu wtedy nie przyszło do głowy, żeby sfotografować naszego pijanego chirurga. Bardziej podejrzany był toczek zmiażdżony kołami nowego wartburga Sztolców. Gdyby można było oskarżyć ów toczek o krew na karoserii samochodu, posterunek milicji natychmiast skierowałby sprawę do sądu. Ale w ten sposób myślałam dwa dni przed maturą, a długo przedtem zastanawiałam się, czy mogłabym się zakochać w Krzysiu. Mogłabym. Miał oczy rozświetlone jak jego mama i niesforne włosy, które sprawiały wrażenie, że jest rozczochrany. A ja wiedziałam, że celowo je wichrzył, bo lubił wyglądać inaczej niż chłopcy w naszej klasie. I ładnie pachniał, co było rzadkością nawet wśród dziewczyn. Nie chodzi mi o sztuczne zapachy ciężkich radzieckich perfum, które w dobie kryzysu kosmetycznego dumnie rozpierały się w koszmarnych flakonikach na toaletkach przed lustrami, dzięki czemu była ich zawsze podwójna ilość. Babka Bronia z pogardą mówiła o tych „zwierciadlanych duplikatach" „kacapskie duchy" i dostawała zawrotu głowy, gdy ktoś zanadto się wyperfumował. W tej dziedzinie nawet nikt z dorosłych nie przestrzegał miary, a cóż dopiero my! Pamiętam, że gdy w naszym domu kończyły się „duchy", mamie było żal wyrzucać flakonik i dolewała do niego wody. Czasami z herbatą, żeby zatrzymać też kolor, na którym zależało jej potem bardziej niż na zapachu. Ileż to razy polewałam się w tajemnicy przed nią taką herbatą i szłam na szkolną zabawę przekonana, że w moich włosach rozkwita duszny jaśmin.

Krzyś pachniał czystością. To nie była jakaś konkretna woń. Wynikała bardziej z jego lśniących paznokci i gładkiej buzi. Chciałoby się powiedzieć, że pryszcze go omijały, jakby był trędowaty. Inne dziewczyny zauważyły te zalety znacznie później, gdy już zasłynął w szkole jako rysownik i fotograf. Przez pierwsze lata chichotały w złożone na ustach dłonie z jego przykrótkich spodni.

Więc mogłabym się zakochać w Krzysiu, ale tego nie zrobiłam. Pozostaliśmy przyjaciółmi. Razem przychodziliśmy do szkoły i razem z niej wracaliśmy. Wydłużaliśmy drogę powrotną, przystając przy pomniku nieznanego żołnierza. Siadaliśmy na jego zimnych kolanach, wyobrażając sobie, że to krzesła w eleganckiej kawiarni. Przywoływaliśmy śmiałym gestem niewidoczną kelnerkę. Pojawiała się szybko z kartą pełną smakołyków. Zamawialiśmy zawsze to samo. Czerwone wino i pączki. Brałam niewidzialnego pączka do ręki, starannie go nadgryzałam, aby lukier nie przykleił się do moich policzków, a Krzyś wyjmował w tym czasie blok. Sięgał po niewidzialny kieliszek, a potem go odstawiał i zaczynał mnie szkicować.

Po kilku latach odwiedziłam galerię, w której wystawiono jego obrazy. Przyjechały z Francji. I wówczas zobaczyłam go. Ten obraz. Przystanęłam przed nim spłoszona, unosząc oczy do góry. A stamtąd patrzyły na mnie moje oczy. Też trochę przestraszone, wychylające się do świata spod niesfornej grzywki. Może zbyt duże, zajmujące tyle przestrzeni, że można w nich było zmieścić całe zdumienie światem, jakie wtedy zawsze przy sobie nosiłam. Jakby zdumienie było zadaniem domowym. Albo nawet moją teczką z książkami, bez drugiego śniadania. „Dziewczynka z pączkiem" – przeczytałam. Pączka oczywiście nie było. Dziewczynka z płótna trzymała rękę tak, jakby tkwił w niej okrągły smakołyk, z którego zlizywała lukier. Siedziała na kolanach dużego, zimnego mężczyzny. Z trudem rozpoznałam w nim kamiennego żołnierza.

Uciekłam z galerii w momencie, gdy zauważyłam nadchodzącą grupę zwiedzających. Natychmiast rozpoznałam w tym dyskutującym tłumie rozwichrzoną czuprynę Krzysia. Wystarczyła sekunda, abym nabrała przekonania, że ten nieład jest dziełem trochę nerwowych dłoni, zakończonych lśniącymi paznokciami. Z jakimś bolesnym żalem przyśpieszyłam kroku, po raz drugi uciekając przed miłością. A może tylko jej wyobrażeniem? Trudno powiedzieć, dlaczego i przed czym uciekamy. Zwłaszcza gdy robimy to bezładnie i w pośpiechu.

Tak właśnie, bezładnie i w pośpiechu, zaczęłyśmy przemykać ulicami miasta na wieść, że niedaleko szkoły grasuje gwałciciel. To była najbardziej podniecająca wiadomość, jaka dotarła do naszego miasta. Nie wiadomo skąd, gdyż nikogo dotąd nie zgwałcono.

– I pamiętaj, nie bierz cukierków od nikogo obcego – przypominał mi tata, gdy wkładałam buty.

Opuszczałam głowę, by nie widział mojego uśmiechu. Miałam już siedemnaście lat.

– Jak obcy pan zacznie ci się przyglądać, to uciekaj i głośno krzycz – mówiła mama dziwnym szeptem. Szept wyraźnie nie chciał opuścić jej zaciśniętych ust i byłam pewna, że on też jest zawstydzony. Jakby sam gwałcił dziewczynki w krótkich spódniczkach. Po tych słowach mama pąsowiała i zaczynała myć naczynia.

– Łajdaków nie brak – przestrzegała babka Bronia. – Nawet wśród swoich. – Rozglądała się z obawą wokół siebie, gotowa pisnąć na widok sąsiada, który przychodził pożyczyć soli albo cukru. – Pamiętam, jak i na mnie taki zuchwały parobek wileński raz jeden zapolował. Przed wojną. W majątku – podkreśliła, jak zwykle, z dumą.

– Że niby chciał mamę, tego...? – Ojciec spojrzał na babkę z niedowierzaniem.

– A chciał! Jak mi Bóg miły, chciał – warknęła gniewnym tonem. – I mało brakowało – dodała, skromnie spuszczając powieki.

– Pewnie przejrzał na oczy i dalej, przed siebie! – Tata zaśmiał się brzydkim śmiechem, ale babka Bronia potrafiła nie słyszeć rechotu tatusia.

– Jak już miało dojść do najgorszego, jakoś otrzeźwiał, spojrzał na mnie, przeżegnał się i mówi: „O, ja bydlę! Naszą panią chciałem ukrzywdzić! Wisieć mi, a nie chleb dworski jeść!".

– Wytrzeźwiał, mówi mama... I przeżegnał się... – Tatuś lubił jednak babce dokuczać. Zwłaszcza wtedy, gdy już zarekwirował jej kopertę z rentą.

– No to cześć – mówiłam, biorąc torbę z tenisówkami, i maszerowałam do szkoły, rozglądając się z przestrachem na wszystkie strony.

Wuj Roman miał na temat gwałciciela własną teorię.

– Mówię wam, że to ktoś z naszego posterunku. Same tam chamy niewyżyte i bezkarne! Coś o tym wiem. Bywam często.

Przyśpieszałam więc także na widok posterunkowego, który odprowadzał mnie podejrzliwym wzrokiem.

Głupia Rytka opowiadała całej klasie, że widziała mleczarza Rydzewskiego, jak biegł przez pole, ciągnące się tuż za naszą szkołą. Przestałyśmy chodzić do mleczarni. Dopiero gdy wyszło na jaw, że mleczarz ćwiczy biegi, bo go wybrali do okręgowej sztafety, zaczęłyśmy znowu stawać w kolejce w jego schludnym sklepiku z nabiałem.

– To ktoś znany i zakonspirowany. W dodatku zwinny i szybki, bo go jeszcze nie zatrzymali. Ojciec mi mówił – uprzedzała nas na WF-ie Grażka Berłyk. Jej ojciec mógł mieć tajne informacje, ponieważ pracował na poczcie.

– Kto? – pytałyśmy chórem, a oczy Grażki Berłyk wędrowały w stronę naszego wuefisty, który przed lekcją wrzucał dla rozgrzewki piłkę do kosza.

– Coś ty? – szeptałyśmy przerażone i na lekcjach gimnastyki zaczynałyśmy ćwiczyć w dresie, mówiąc magistrowi Golikowi, że jesteśmy niedysponowane.

– Wszystkie? – Stał zdumiony przed naszą grupą.

– Wszystkie – twierdziłyśmy zgodnie, ufając, że grupowa miesiączka zwalnia nas z ewentualnego gwałtu.

Magister Golik niczego się nie domyślał. Pojęcia nie miał, jaki ciężar podejrzeń padł na jego owłosiony tors i silne męskie dłonie. Tych podejrzeń wcale nie osłabiała inna plotka, taka mianowicie, że magister Golik w wolnych chwilach gra na mandolinie rzewne piosenki Mieczysława Fogga.

– Ponoć znowu kogoś zgwałcił – mówiła co jakiś czas Halinka, nasza klasowa zalotnica. – Aż się dziwię, że jeszcze się na mnie nie zaczaił. Chociaż wczoraj, jak wracałam z kina, słyszałam jakiś dziwny chrobot. Szybkie kroki. A może nawet ciężki oddech? – próbowała sobie przypomnieć, malując rzęsy w szkolnej toalecie.

Patrzyłyśmy na nią z zazdrością. Miała własny tusz do rzęs i chodziła na filmy dla dorosłych. Z Oponą i sztabem wojska u boku.

– Ja tam się wcale nie boję – kończyła Halinka. – Mój Mirek zawsze mnie obroni, jakby co...

– Dobrze masz – wzdychała Hania, która mieszkała pod lasem i musiała wracać sama. – Ja teraz przychodzę do domu mokra ze strachu.

– Co ty! – Halinka uśmiechała się z politowaniem. – Na taki gnat to i gwałciciel nie poleci. Już on wie, którą zerżnąć.

– Co zrobić? – Struchlałam.

– Tak się mówi. – Halinka spojrzała na mnie z góry. – Mój Mirek... a zresztą, co ja wam będę mówić. Za młode jesteście – dodała ze znaczącym uśmiechem i schowała tusz do piórnika.

Z powodu Halinki i jej Mirka postanowiłam zostać dziewicą. Doskonale wiedziałam, co ona wyprawia z tym swoim żołnierzykiem, ale nazwanie „tego" rżnięciem było absolutnie niedopuszczalne. Nawet w polowym języku tej pary. Postanowiłam nigdy nie oddać się mężczyźnie, który mógłby mi zrobić podobne świństwo. A jako że nie wiadomo, kto nam może zrobić świństwo, uznałam, iż lepiej będzie całkowicie zrezygnować z tej wątpliwej przyjemności. W dodatku tej wiosny nikt nas nie zgwałcił.

Wiele moich koleżanek postanowiło dobrowolnie oddać się w ręce cierpliwie czekających na tę chwilę miejskich kawalerów. Z ciekawości. Głównie po to, by osobiście dociec choćby namiastki groźnej prawdy, szeptanej po naszych domach. Wiele z nas otworzyło się na świat nowych, wygrywanych przez buzujące hormony melodii cielesnych. Nasze piersi jędrniały, pupy okrąglały jak włoska kapusta, a pod nosami pojawiały się najmniejsze wąsiki świata, które usuwałyśmy pęsetkami do brwi. Zaczęłyśmy też mocniej pachnieć „duchami" i nosić krótsze spódnice. Częściej myć głowy i rozgrzewać włosy kłopotliwymi w użyciu lokówkami. Oglądać filmy, o których rozmawiały starsze siostry przytłumionym głosem, i podczytywać przy latarkach *Niedole cnoty*, płonąc rumieńcami zgorszeń podżeganych wyobraźnią, która dopisywała do wyuzdanych opowieści markiza de Sade'a równie śmiałe sceny erotycznych uniesień. Obsadzałyśmy się w powieściowych dolach i niedolach, zasypiając z niezdrowym rumieńcem wstydu i pożądania.

Tak. Robiłyśmy wszystko, by wskrzesić naszego gwałciciela. Wyrwać go z popiołu niepamięci. Skłonić do powrotu i ataku.

Niech wyprowadza nas z sennych uliczek i mieszkań. Niech zachęca do dalszych ucieczek i przyśpieszania kroku o zmierzchu. Chciałyśmy przed nim w nieskończoność umykać, chronić się w ramionach Ryśka Paszki. Chciałyśmy być tulone i pocieszane przez Ryśka Paszkę. Bronione przez Ryśka Paszkę. Wszystkie tego pragnęłyśmy. Ale bez gwałciciela nasze marzenia bladły i traciły istotny element spełnienia. Przed kim bowiem miał nas bronić Rysiek? Kilka dziewczyn napisało nawet wiersz o potworze. Pamiętam, że jeden z nich nosił tytuł *Czekanie na wampira*. Tak. Zrobiłybyśmy wiele, aby przeżyć jeszcze raz ten rodzaj strachu, za którym stała dorosłość naszych matek.

Opowieść o gwałcicielu rozeszła się po wszystkich domach jak każda inna opowieść. O śmierci niemowlaka pani Głuszek, o epilepsji Anki Miluch, o zdradzie Wulkana, ojca Opony, którego ktoś nakrył na starym cmentarzu z panią Elwirą. I Wulkan ponoć nie miał na sobie nawet majtek. Te wszystkie prawdy i bujdy przypominały dym z naszych poszczerbionych kominów. Trochę gryzł w oczy, raz unosił się wąską, raz szeroką smugą, ale tak naprawdę należał tylko do kawałka nieba, gdzie rzadko sięgaliśmy wzrokiem.

Miłosne manewry i druh Rysiek

Rysiek był najstarszy w szkole, bo zimował niemal w każdej klasie. Nosił najprawdziwsze wąsy, których nie golił, od kiedy się zorientował, że dziewczyny lecą na nie jak gęsi na kluski. Miał tubalny głos i operował nim bardzo oszczędnie, co też dodawało mu męskości.

Rysiek Paszka, moja największa pomyłka matrymonialna, stał się sprawcą konfliktu, jaki zaistniał pomiędzy moimi wyobrażeniami o mężczyźnie życia a nagą prawdą, która się objawiła bolesnym odkryciem, że druh Paszka z całą pewnością mężczyzną życia być nie może.

Rysiek Paszka był harcerzem. Przychodził do szkoły zaplątany w sznury i obciążony odznakami jak mój ojciec podczas pamiętnej wizyty u dyrektora. Jego drużyna powiększała się niczym wileńska AK, jeśli wierzyć opowieściom babki Broni. Rozwijała panieńskie szeregi z dnia na dzień. Zapisywałyśmy się do Obrońców Wału Pomorskiego na wyścigi. Szyłyśmy mundurki u pani Trapikowej, bo zabrakło ich w sklepie harcerskim. Zdobywałyśmy płótno na chusty, krojąc i farbując prześcieradła w tajemnicy przed matkami. I przed każdą zbiórką skracałyśmy swoje spódniczki. Przynajmniej o centymetr.

Rysiek Paszka zdawał się nie dostrzegać naszych starań. Interesowała go głównie musztra i rzucanie komend. Gdyby ryknął „rozbierać się!", jestem pewna, że nasze mundurki, spódnice, rajstopy i chusty trzepotałyby w powietrzu niczym stado dzikich gęsi. Ale Rysiek nie żądał od nas aż takich poświęceń w służbie ojczyźnie. Wymagał, abyśmy stały w równym rzędzie i odwracały głowy raz na prawo, raz na lewo. Im więcej uwagi poświęcał drylowi, tym bardziej go kochałyśmy. W nagrodę za cierpliwe wykonywanie poleceń i czczenie rocznic historycznych na wieczornicach czekał nas biwak z ukochanym druhem.

Na biwak trzeba było zasłużyć. W czasie roku szkolnego wzięłyśmy na siebie trud odrabiania zadań domowych i sporządzania pomysłowych ściąg. Była to jedna z form służby krajowi, ponieważ Rysiek miał ważniejsze niż nauka sprawy na głowie. Jednym z najbardziej palących zadań było szpiegowanie profesora Wiedermeiera, magistra historii. Węszenie wokół Wiedermeiera było tajne, a nawet, jak mawiał Rysiek, „odgórne", co rozumiałam jako konieczność obserwowania profesora od góry ku dołowi. Okazało się jednak, że nie. Że nauczyciel powinien być śledzony w całości, gdyż po wojnie bronił niesłusznych interesów.

Początkowo nie posiadałam się ze szczęścia, gdy na zbiórce Rysiek wskazał palcem również mnie.

– Ty też! – zakomenderował, wpisując moje nazwisko do grupy operacyjnej.

Jako że dobrze pisałam, miałam notować każde słowo z wykładu profesora wymierzone w nasz ustrój. W razie gdyby takie słowa nie padały, druh zalecił mi uzupełnianie notatki odpowiednimi zwrotami, które ewentualnie mogłyby, choć nie musiały, opuszczać usta profesora. Na przykład: „Wasz podręcznik do historii kłamie" albo „Sprawa katyńska wymaga wyjaśnienia"... Przykładów druh podał znacznie więcej i powiedział, że w razie czego mogę się nimi posłużyć.

Kłopot polegał na tym, że ja bardzo lubiłam Wiedermeiera, ponieważ był jedynym wiarygodnym magistrem w naszej szkole. Już na następnej lekcji historii, gdy mój długopis zastygał nad białą kartką, poczułam, że nie kocham Ryśka. Nie tak, jak zapewne na to zasługiwał. Zapisałam wprawdzie jedno zdanie z wykładu i przekazałam je Ryśkowi, ale już pisząc, wiedziałam, że druh drużynowy nie nagrodzi mnie za nie małym, a tak przez nas oczekiwanym klapsikiem w pupę.

„Profesor Wiedermeier stwierdził w poczynionej podczas wykładu aluzji, że bardziej przerażająca od źle rozumianego patriotyzmu jest ludzka głupota" – zanotowałam.

– Już my się z nim policzymy – syknął Rysiek, przeczytawszy moją notatkę. Często używał formy „my", jakby ich, Ryśków, było kilku.

– Nie będę więcej notować – oświadczyłam Ryśkowi, bo nagle zrozumiałam, że uwaga profesora raczej odnosi się do jednego z Ryśków i nie ma charakteru politycznego. – Poza tym wypisuję się z harcerstwa – oświadczyłam odważnie.

– Nie wyrażam zgody – sprzeciwił się druh. – Poniesiesz konsekwencje i... te, no... – wpadł w rzadkie u niego skupienie – restrykcje. Tak, restrykcje. – Pokazał mi zadowoloną twarz. Nigdy nie widziałam bardziej tępego uśmiechu.

Jak mogłam się czołgać przed takim głupkiem na harcerskich podchodach i rzeźbić totemy z gliny, zastanawiałam się w popłochu. Jak mogłam marzyć o wspólnym śpiworze na biwaku i o długiej wędrówce przez las ze śpiewem na ustach... (W doborze repertuaru nie byłam oryginalna i w mojej wizji śpiewaliśmy w miłosnym duecie *Czerwona róża, biały kwiat*). I w dodatku chciałam złożyć swą prywatną, nie harcerską lilijkę takiemu palantowi!

Zrozumiałam nagle, że druh Paszka, nawet gdyby połączył się ze mną jakimkolwiek uściskiem, zrobiłby to w ramach służby dla ojczyzny.

– Niech się druhna jeszcze dobrze zastanowi. – Zabębnił na daszku swej mundurowej czapki. – My nie lubimy tych, co się wyłamywują.

– Wyłamują – poprawiłam.

– Ja tu jestem drużynowym – powiedział głosem Brunnera i uśmiechnął się jak Brunner do Klossa. Nieszczerze.

– Wyłamują – powtórzyłam z dziwnym uporem i nieśmiałą łzą pożegnałam tak pięknie zapowiadającą się miłość.

– To był przedni idiota – śmiał się po latach profesor Wiedermeier, z którym przez okres studiów utrzymywałam bliskie kontakty herbaciane. – Czy ty wiesz, do jakiej drużyny należałaś w tej swojej służbie dla ojczyzny?

– Oczywiście – odpowiedziałam z powagą. – Byłam w Obrońcach Wału Pomorskiego.

– I dalej uważasz, że wszystko z tą nazwą jest w porządku?

– Nie rozumiem.

– A ja ci, Pietkiewiczówna, mimo to postawiłem piątkę z historii.

– Mimo co?

– No właśnie. Mimo że nie rozumiesz. W świetle lokalnej historii powinnaś być raczej zdobywcą tego wału – wyjaśnił i uśmiechnął się tak jak w dawnych czasach, gdy bezlitośnie zapowiadał klasówkę.

Kobyłka oblała kwasem siarkowym Magdalenę Borys. Po krótkiej sprzeczce z uczennicą ręce pani profesor z największą starannością wymierzyły pocisk z probówki w naszą koleżankę pochyloną nad aparaturą do elektrolizy. Krzyk Magdaleny Borys będę pamiętała do śmierci.

Potem przyjechały do szkoły pogotowie i milicja. Kobyłka opuściła gabinet chemiczny z drwiącym uśmiechem. Gdyby była autentyczną kobyłką, pewnie by nawet zarżała. Uśmiech zdradzał, że pani profesor przekroczyła jakąś wewnętrzną granicę wytrzymałości. Opuściła gabinet, ma się rozumieć, na zawsze. Nie zdążyła zabrać prymulek. Nie było zresztą czego zabierać, bo zostały przez nas bezlitośnie i po raz ostatni podlane również kwasem siarkowym.

Sprawa Kobyłki i Magdy Borys, jak każda inna historia, która wyrosła na miałkiej glebie domysłów, trafiła wkrótce na miejskie wysypisko zapomnienia. Magdalena Borys, ze swoją zeszpeconą twarzą i niewidzącymi oczami, wyprowadziła się na drugi koniec Polski, a może nawet za granicę. Kobyłka osiadła na stałe w pobliskim zakładzie psychiatrycznym, gdzie nikt jej nie odwiedzał. Jeden z pracujących tam sanitariuszy opowiadał wujowi Romanowi, że całymi dniami tkwi nad rozłożoną tablicą pierwiastków Mendelejewa i recytuje na głos symbole. O bohaterkach tej tragedii można byłoby spokojnie zapomnieć. Pozostało tylko pytanie, dlaczego w tamto upalne południe, w zwykły dzień, po którym nadeszły następne zwykłe dni, Magdalena Borys przestała widzieć rówieśników, gabinet chemiczny i zieleń za oknem, zapowiadającą kolejną, siedemnastą wiosnę jej życia. „Jak w *Granicy*, jak w *Granicy*" – powtarzała przez kilka miesięcy nasza polonistka. Ale nasza polonistka chciała, aby wszystko, co się zdarza w życiu, przylegało do listy lektur. W ten sposób potwierdzała swój pogląd, że literatura jest obrazem życia, nie odwrotnie.

Mało znałam Magdę Borys, ale po tej całej sprawie często powracałam do niej myślami. Zanim Kobyłka zrobiła rzecz najokrutniejszą, pastwiąc się nad swoją uczennicą, Magda Borys przemykała przez moje myśli jak większość obrazów, które są pod powieką, ale wymazują się same i po kilku latach pozostaje tylko nazwisko na tableau szkolnej pamięci.

– A ja myślę, że tu chodziło o... miłość – powiedział kiedyś Krzyś, gdy przysiedliśmy na kolanach nieznanego żołnierza.

Zamówiłam u niewidzialnej kelnerki pączki i patrzyłam na niego ze zdumieniem.

– Jaką miłość? Kobyłka zawsze była sama. Jak to stara panna. A Magda... Ona nawet nie miała przyjaciółki!

– No właśnie. – Krzyś na niby pił wino i patrzył na dwie brzozy, splątane gałęziami. Jedna wtulała się w drugą. Były tak z sobą połączone, jakby wyrastały z jednego pnia. – Przecież wszyscy wiedzieli, że Magda do niej chodzi wieczorami. – Krzyś dalej patrzył na brzozy.

– Sprzątała u Kobyłki... Słuchaj, a może ją okradła? – Szybko znalazłam logiczny wątek, jak mój ulubiony kapitan Sowa.

– Też tak myślę, że ją okradła, ale z miłości.

Nie rozumiałam Krzysia. Z uporem mówił o miłości, kiedy ja widziałam dramat dwóch samotnych kobiet. Nienawiść dwóch samotnych kobiet i ich klęskę. Jedna odeszła w ciemność. Druga do nowego, tylko sobie znanego wymiaru, gdzie jej koński ogon mógł rozśmieszać jedynie kilku sanitariuszy, a nie cały rocznik wesołych licealistów.

Prawda o Magdalenie Borys i chemiczce docierała do mnie przez wiele następnych lat. Dawkowana małymi cząsteczkami zdumienia, jakie towarzyszą naszemu dojrzewaniu do skomplikowanego modelu istnienia. Bardziej złożonego od budowy atomu na tablicy w gabinecie chemicznym. Z upływem czasu ta właśnie prawda kazała mi porzucić wiarę w porządek świata, o którym mówił ksiądz. Albo panowie z komitetu. A także mama i tata. I nawet babka Bronia, uzbrojona w starą czasami zawodną strzelbę pamięci. Wszyscy oni dysponowali dość dużą liczbą różnych światów, w których jednak pewne elementy były niezmienne. Każdy próbował brać świat w swoje ręce i kręcić nim, modelować, manipulować, poprawiać.

Sam świat zdawał się tego nie odczuwać. Był, jaki był. Wciąż tkwił w tym samym miejscu, zaskakując nas od wielkiego dzwonu swą przewrotnością. To zdążył się poszerzyć o Księżyc, to zmniejszyć o zniszczone i wypalone kataklizmami przyczółki. Ale jego fasady, określane z ambony, podtrzymywane przemówieniami towarzyszy i podpierane rozmowami w naszym domu, zawsze „trzymały się kupy", jak by powiedział tata.

Magdalena Borys i Kobyłka, niestety, nie chciały się trzymać kupy. To, co je połączyło, nie powinno istnieć według budowniczych modelu świata. Jakby obie nie nadawały się ani do podróży na Księżyc, ani do arki Noego na moim rysunku sprzed lat. Takiej pary nikt nie brał pod uwagę.

Wiedziałam, że to niesprawiedliwe. We własnym świecie, na wszelki wypadek, zaprowadziłam pozorny porządek. Żeby świat nadawał się dla wszystkich. Umieściłam w nim wspomnienie nieszczęsnej nauczycielki, a także zdjęcie blondyneczki ze szkolnej fotografii. Nie było to zdjęcie świętej, ale Magdaleny Borys. Czy tego chciałam, czy nie, stała się moją pierwszą patronką spraw zagmatwanych, które też należą do porządku życia.

Ogród pana Sybiduszki

Krzyś nigdy się nie śmiał z mojego zauroczenia Ryśkiem Paszką. Byłam mu za to wdzięczna, wiedząc, jak pogardza wszelkimi mundurami. Bo zdaniem Krzysia mundury wymyślono po to, żeby skrywały słabości swych właścicieli. Jedynym mundurem, jaki Krzyś darzył sympatią i o którym wypowiadał się zawsze dobrze, był mundur strażaka, pana Sybiduszki.

Pan Sybiduszka, oprócz imponujących pagonów i kasku, miał piękny ogród, w którym mogliśmy bezkarnie jeść papierówki i leżeć w wysokiej trawie. Pozwalał swoim roślinom rosnąć na wysokość, na jaką miały ochotę. Pozwalał też dziczeć starej gruszy i rozrastać się rozchodnikowi. Twierdził, że jego ogród jest namiastką raju i jako dzieło Boga nie powinien podlegać żadnemu strzyżeniu, kopaniu i nawożeniu.

Czuliśmy się tam trochę jak Adam i Ewa, dbając jednak o to, by wagary spędzane w ogrodzie pana Sybiduszki nie miały nic wspólnego z grzechem. Chodziliśmy tam również zimą. Krzyś nosił zawsze przy sobie klucz do trzeszczących drzwi starej altany. Otwierał je, a ja rzucałam się na poszukiwanie zardzewiałego czajnika i zabierałam do robienia herbaty. Pod warunkiem że mróz nie zagnieździł się w prowizorycznych rurach ogrodowego kranu. Gdy zima zakręcała nam kurek, topiliśmy śnieg, zalewając nim potem herbaciane listki.

Pan Sybiduszka często stawał na koślawym daszku swego domu i podglądał nas przez swoją strażacką lornetę. Może traktował naszą obecność jak zarzewie wielkiego pożaru? Jak dwie niebezpieczne race rzucone przez huragan dziejów na wysuszony ląd jego samotności? Bo do pana Sybiduszki nikt poza nami nie przychodził.

Najbardziej lubiłam ten ogród jesienią. Siadaliśmy na ławce pod próchniejącą gruszą. Zdarzało się, że przy mocniejszym powiewie wiatru atakowała nas swymi robaczywymi owocami, mniejszymi od rajskich jabłek. Ale nawet podstępnie przez nią zaczepiani, nie opuszczaliśmy swych miejsc. A potem pan Sybiduszka rozpoczynał opowieść o pożarze swego życia, Krzyś szkicował jego twarz, raz zaognioną, a raz spopielałą od wspomnień, a ja przymykałam oczy i zamieniałam się w słuch.

Widziałam każdą scenę, jaka na nowo rozgrywała się w umyśle staruszka. Wyobrażałam sobie kobietę, którą wyniósł na rękach. Zarzekał się, że była lżejsza i bardziej delikatna niż płatek margerytki. Kiedy o niej mówił, uśmiech znikał, a na jego twarzy pojawiało się cierpienie. Wówczas ołówek Krzysia zaczynał szybciej pracować, kreślić smugi i cienie. Nie odrywał się od kartki z makulaturowego bloku, snując z nerwem swą grafitową opowieść.

– A gdybym tak długo się nad nią nie pochylał, nie wpatrywał w ten omdlały cud, to kto wie? – kończył pan

Sybiduszka i w jego ukrytym za zmarszczkami oku zaczynało pęcznieć wilgotne ziarno. – Kto wie, może i tego maleńkiego aniołka, co tam został w płomieniach, też bym wyciągnął?

– Zrobił pan, co mógł – przerywałam, wiedząc, że jego stare serce pod znoszoną marynarką zaczyna stukać rozpaczą.

– I ona tak mówiła, kiedy przywiozłem ją tu, do mojego domu i ogrodu. Przez wiele lat powtarzała: „Nie przejmuj się, jemu już tam dobrze. W raju wszystkim dobrze"... Ale sama w to za bardzo nie wierzyła. Co jadę do pożaru, to ona tu, między drzewa i kwiaty. Źdźbło po źdźble sprawdza, gałąź po gałęzi. Szuka swego synka...

– W ogrodzie?

– W ogrodzie. – Stary milkł, ponownie zapalając papierosa.

– To był jedyny raj, jaki mieliśmy. Bo poza nim to już samo piekło. – Niebieskie oczy pana Sybiduszki wędrowały w górę. Jakby właśnie tam wypatrywały piekielnych terytoriów. – Chudła z roku na rok – wzdychał. – Tak ją jadła ta tęsknota matczyna. Tak mi ją zabierała... A szaleństwa w oczach wciąż przybywało i przybywało.

Zamyślał się. Jego twarz szarzała jak strzęp spalonego pergaminu. Spoglądałam bezradnie na te zgliszcza smutku, na tę ruinę, po której bezlitośnie przeszedł ogień bólu, i szukałam w sobie wielkiej siły, która zdołałaby ugasić ten ból. Szukałam odpowiedniego słowa, ale znajdowałam tylko ciepły dotyk. Natychmiast dzieliłam się nim z panem Sybiduszką. Uśmiechał się wtedy półsennie.

– No a co było potem, już wiecie. – Wstawał, powoli prostując przećwiczone reumatyzmem kości.

Odchodził, a my śledziliśmy każdy jego krok. Podpierał się dumą niczym laską. Jakby duma była służbowym przydziałem, który strażak dostaje wraz z lornetą i mundurem. Gdy znikał w drzwiach domu, Krzyś wyciągał nową kartkę z bloku i w ciszy szkicował, co było dalej.

Najpierw pojawiała się mglista kobieta owinięta w zwiewne zwoje atłasów. Biegła z uniesionymi rękami ku drzwiom, identycznym jak te, które przed chwilą skrzypnęły za panem Sybiduszką. Tę scenę nazwałam „Opuszczeniem raju". Robiła to na własną prośbę i zmierzała prosto do piekła. A potem koślawy domek pod ołówkiem Krzysia zmieniał się w płonący stos, nad którym krążą ptaki w rozpaczliwym tańcu. Ptaki Krzysia milczały na kartce, ale ja słyszałam ich nawoływania. Rwetes i alarm. Na kolejnym rysunku pan Sybiduszka siedzi na wieży kontrolnej, na krańcach miasteczka, i patrzy przez swoją lornetę. Widzi tylko ptaki, ale już wie, co się stało. I pędzi starym wozem strażackim, który co chwila się psuje, do swego domu, zamieniającego się w zgliszcza. Dom płonie powoli. Jakby czekał na Sybiduszkę. Jakby miał nadzieję, że strażak zdąży po raz drugi wykraść żywiołowi swą miłość. A na ostatnim rysunku nie ma połowy domu i nie ma miłości. Puste ręce pana Sybiduszki zastygają w bezruchu. A w jego oczach... Tego nie było na rysunku Krzysia, ale jestem pewna, że w oczach pana Sybiduszki, gdyby móc spojrzeć na nie przez lornetę, zobaczyłoby się atłasową kobietę trzymającą na rękach odnalezione dziecko. Ruszającą z nim we wspólną podróż. Dość przecież nasiedziała się pod gruszą, wyczekując powrotu synka. Odnalazła go tam, gdzie zostawiła. W płomieniach.

– Czy nie jest tak, że czasami piekło okazuje się rajem? – pytałam Krzysia, gdy składał blok.

– Nie. Piekło pozostaje piekłem – odpowiadał. – Ale chyba są takie podróże, gdy nie idzie się do jakiegoś miejsca, tylko do drugiego człowieka.

– A ty, wolisz piekło czy niebo? – Zauważyłam wtedy, że Krzyś ma błękitne oczy.

– Wolę ogród – odpowiedział. – Stąd wszędzie jest blisko.

Drzewa z ludzką duszą

O piekle i niebie wciąż najlepiej myślało mi się pod kasztanem. Pogarbił się i zgubił młodzieńczą gibkość od czasu, gdy po grubej linie docierałam do rozłożystego konaru i lokowałam się obok braci kasztanów. Lubiłam wtulać policzek w jego chropowatą korę i udawać, że mój świat wcale nie wyolbrzymiał. Wciąż się mieścił w ciasnych objęciach widnokręgu. Dalej, za różowymi chmurami, zbierającymi się w ciepły zmierzch, nie było już nic. Tylko echo. Hasało po łąkach psim szczekaniem i ptasimi kłótniami. Moim zdaniem echo było podobne do wesołego pastuszka z bajek dla dzieci.

Trudno zliczyć, ile razy umierałam pod ulubionym drzewem i ile razy powracałam tam do życia. Wcale nie łatwego. Nie tego z perkalu pachnącego maminymi tanimi perfumami i zupą cebulową gotowaną na oszczędnym ogniu. Ale mojego. Wczepionego boleśnie w wyobraźnię jak złośliwy kleszcz. Hodowałam więc w sobie tego kleszcza, nie ruszając się tak naprawdę z ławeczki pod kasztanem. Bo też dokąd miałabym pójść? Coraz częściej z zazdrością przyglądałam się Krzysiowi. Jak wolniutko, na razie tylko w śmiałych planach, zmierza w nieznane. Nieznane ukrywało się gdzieś poza naszymi ogrodzeniami i płotami, poza ogrodem pana Sybiduszki, a nawet poza dworcem PKS, który jest ostatnim kawałkiem ziemi należącym do miasta. Do twarzy mu było z tym odchodzeniem.

Krzyś musiał odejść. Tu, w mieście, gdzie się wszyscy śmiali z jego dziurawych butów, nigdy nie byłby szczęśliwy. No i powinien pokazać światu swój ostatni obraz, *Śmierć starej gruszy*, tej z ogrodu pana Sybiduszki. Pani od plastyki nie uwierzyła, że Krzyś namalował go sam, i postawiła mu dwóję.

Ja pasowałam tylko do kasztana. Najchętniej zwiędłabym pod nim, aby rok później objawić się jakiejś innej małej dziewczynce jako piękne białe kwiecie. Poszumieć jej do ucha i spaść jesienią do kraciastego fartuszka. Niechby zrobiła ze mnie ludzika, mamę albo tatę. Konika, osiołka albo nawet schowała do kieszonki i nosiła przy sobie na szczęście.

– Uważaj, żebyś tam nie została, pod tym drzewem – ostrzegała mnie babka Bronia. – U nas, na Wileńszczyźnie, była taka głupia Jadzia. Tak długo drzewa dotykała, aż się w nim zakochała. Wreszcie stryczek sobie zrobiła i po dziewczynie!

Usta babki trzęsły się przy tej opowieści jak kasztanowe liście delikatnie owiewane wiatrem. Palce też drżały, znajdując oparcie w drutach, cierpliwie przekładających wełniane oczka. Widać, że historia głupiej Jadzi wciąż miała władzę nad babciną pamięcią.

– Można się zakochać w drzewie na śmierć? – Otwierałam oczy ze zdumienia.

– A dlaczegóż by nie? – Babka wzruszała ramionami. – Drzewa bywają piękniejsze od ludzi. I często mają ludzką duszę – ciągnęła, gubiąc cały rządek wcześniej nanizanej włóczki.

– Drzewa z ludzką duszą... – powtórzyłam półgłosem, czując, że babka może mieć rację. Zawsze podejrzewałam kasztan o jakieś tajemne pokrewieństwo, choć wstyd było o tym głośno mówić.

– Mają, mają... – Babka podniosła głowę znad robótki. – Biorą tę duszę od straceńców. Tych, co najpierw długo dojrzewają do leśnej śmierci, a potem, gdy już są gotowi, przychodzą do drzewa z własnym sznurem. Ciało z gałęzi zdejmą inni. Duszę bierze drzewo. I potem już niczego duszy nie trzeba. Do Pana Boga nie pójdzie, bo grzeszna. A w lesie, gdziekolwiek spojrzy, wszędzie inne wrażliwe duszyczki śpią sobie w konarach. Jakby nigdy nic. I wtedy taka dusza wie, że jest u siebie. Gałązkę sobie umości, od życia odpocznie...

Wyobraziłam sobie, że każda kwitnąca gałąź kasztana jest duszą, o której mówiła babka, i pomyślałam, że bardziej uduchowionego drzewa nie ma na całym świecie. Moje pojęcie całego świata trochę się zmieniło od czasu, gdy go obserwowałam z najwyższych gałęzi, ale wciąż był to świat mocno oddzielony od horyzontu moich oczekiwań linią wschodów i zachodów słońca. Słońce lubiło zawieszać się na kasztanie, ilekroć przepływało nad jego koroną. Odkryłam, że i ja jestem takim trochę podwórzowym słońcem. Zwłaszcza gdy wdrapuję się na przyjazne konary i obserwuję słoneczny trakt. Bardzo się boję tej drogi. Znacznie bardziej od otaczających mnie dusz przepełniających drżeniem świeże kasztanowe liście.

Rodzinna historia

Ależ nam te dzieciaki szybko wyrosły – zauważył tata, gdy fastrygowałam dodatkową kieszeń do maturalnej spódnicy.

– I to cała trójka! – ucieszyła się mama. Radość mamusi była trochę spóźniona. Moja siostra skończyła już studia i pracowała w banku, w dużym, błyszczącym mieście, a bratu został do napisania ostatni rozdział pracy magisterskiej z historii. Z tego, co wiem, zajmował się życiem codziennym nizin społecznych.

– O nas napisz – zaproponował tatuś, gdy brat mu zdradził, że pisze o rodzinie.

– Jak sobie życzysz – odpowiedział brat z przebiegłym uśmiechem.

– Tylko ładnie opisz mamusię, bo sobie na to zasłużyła.

– Wszystkich ładnie opiszę – obiecał brat, a tata z radości poklepał go kumplowsko po plecach.

– A bimberek z ojcem wypijesz? – zapytał.

– Nie. Nie lubię – wykręcił się brat i z obawą spojrzał na mnie. Wiedziałam, że ojciec zacznie swoim zwyczajem kpić z męskości brata. Tata określał męskość liczbą wypitych kieliszków. Sam był dość męski. Ale tym razem nas zaskoczył.

– Dobrze, synu, że nie pijesz. Kurier nie powinien pić... Ale żeśmy chłopca przyzwoicie wychowali! – Klasnął z zadowoleniem i spojrzał na mamę. – To także twoja zasługa – powiedział do niej. – Sowa orła nie urodzi!

– Jaki kurier? – Brat się zaniepokoił.

– Aaa, kurier? No, ktoś musi, synu, zająć się zbytem naszych zapasów. W tym roku mamy nadwyżkę bimberku i trzeba ją sprzedać.

– Gdzie sprzedać?

– No, jak to gdzie? W dużym mieście. Dajmy na to, w tym twoim akademiku. Przygotowałem pierwszą partię.

Ojciec podniósł róg kołdry. Pod łóżkiem leżała bateria butelek z żółtą wiśnią, związana gumką do weków.

– Po dziesięć sztuk – mówił zadowolony ojciec. – Bierz zwyczajową cenę, a parę groszy możesz odpalić sobie.

– Jest zakaz handlu w akademiku. – Brat stał blady i drżał mu głos. Przypominał trochę tatusia po imprezie z Parysiakami.

– A po co są zakazy, synu? Uczyłem cię całe życie, po co one są. Ale ty myślisz, że jak będziesz magistratem, to ojca wiedza niepotrzebna?

Brat skrzywił się na magistrata. Spojrzał błagalnie na tatę.

– Mogę stracić akademik. W każdym pokoju mieszka kapuś...

Brat usiadł ciężko, a mama z uśmiechem poczochrała mu czupryne, jakby wciąż był małym, niesfornym synkiem.

– To gdzie ty mieszkasz? W KC? – Tatuś zaczynał się denerwować.

– Wszędzie jest ich pełno.

– Kapuś też człowiek. Wypić lubi. Dajmy na to nasz Lipski. Niby kanalia, a na nikogo nie doniesie, bo do komendy o własnych siłach dojść nie może. Ile razy trafił u nas na produkcję. I nic.

Mama znowu uśmiechnęła się promiennie.

– Tatuś z kłopotem cię nie zostawi. No, Zdzisiu, powiedz dziecku, co wymyśliłeś! – Spojrzała na tatę, jakby był twórcą potęgi polskiego monopolu.

– A wymyśliłem – powiedział nie bez dumy – że jak ty nie będziesz chciał, to sami z Romanem sprzedamy. Przynajmniej będzie okazja odwiedzić dziecko w akademiku. – Tata się wzruszył tą myślą i spojrzał na brata z ojcowską czułością.

– Sprzedam sam – odpowiedział brat martwym głosem.

– Co wychowanie, to wychowanie. – Ojciec klasnął w dłonie. – Skarbie, słyszałaś? Nasz zuch sprzeda sam!

– I bardzo pięknie! – Mama też była zachwycona. – Przyda ci się parę groszy. Gdybyśmy już mieli ten kiosk – zwróciła się do taty – dzieciom bym pomogła. A tak?

– Będzie i kiosk. – Tata potrafił tak mówić, że nawet ja zobaczyłam kiosk i dwie głowy w maleńkim okienku. Dużą głowę taty i mniejszą mamy. – Z pierwszych utargów kupimy sobie motor. Będziemy jeździć jak kiedyś, na wszystkie majówki. – Tata lubił wspominać czasy, gdy się poznali. Był wtedy dobrą partią, z własnym poniemieckim jednośladem, na który mama lekko wskakiwała, a potem przytulała się do swego mężczyzny piersiami.

– Ale najpierw segment! – Mama spoważniała. – Obiecałeś, że jak będą pieniądze...

– Oczywiście, że najpierw segment. Ma się rozumieć. – Tata cieszył się ze szczęśliwego obrotu rzeczy.

– A ta twoja kieszeń to po co? – Nagle zainteresował się moją spódnicą.

– Na maturę. Zawsze się tak robi – bąknęłam.

Ojciec wlepił oczy w moją misterną robotę.

– Całkiem spora. W sam raz na flaszeczkę. A może i ty weźmiesz jedną? Dla szanownego ciała? Pedagogom się należy – ciągnął tatuś. – Nie myślcie sobie, że wasz ojciec nie docenia nauki. Nauka jest potrzebna jak... jak...

– Jak rozum – podpowiedziała mama.

– No właśnie, jak rozum. Człowiek go miał, a uczyć się nie mógł. Wojna – szepnął i posmutniał.

– A babce tata mówi, że urodził się po wojnie – przypomniałam. Bardziej z uczciwości, niż żeby się z tatą kłócić.

– Zależy, po której. – Tata zakręcił się na krześle. – O wszystkich wojnach to nawet w szkole nie uczą.

– Wasz ojciec zawsze był w konspiracji. – Mama powiedziała to szeptem, chociaż nikogo, poza nami, w pokoju nie było. – Ukrywał się.

– Przed kim? – zapytaliśmy z bratem równocześnie.

– Przed wrogami! – Mama pokręciła głową. Tym ruchem dała nam do zrozumienia, że chodzimy do szkoły, a takie z nas głuptasy.

Ojciec milczał. Trochę przypominał starego Jamesa Bonda, zmęczonego misjami, który odkrył radość spędzania życia u boku ukochanej kobiety. W podkoszulku. Jedynym mundurem ojca, jaki od zawsze pamiętaliśmy, był ten właśnie podkoszulek. Lekko zażółcony i ze śladami herbacianych plam. Podkoszulek taty mógł być strojem bojowym, ale wyłącznie w jego zmaganiach z teraźniejszością. Miał bitewne rany nadpruć i dziur. Blizny pęknięć na szwach i swoją własną historię zmęczonego wieczną służbą kombatanta.

– Taaak, niejedno się przeżyło – westchnął tata, a jego słowa odnosiły się również do podkoszulka. – A po to walczyłem, żebyście mogli się dzisiaj uczyć. Teraz, kiedy najgorsze za nami, jestem pewien, że głównie po to. – Powiódł po nas wzrokiem dobrodzieja.

Mama spojrzała na tatę z wdzięcznością.

– Dobrego macie ojca – szepnęła.

Pożegnania

Przed maturą czas zaczął płynąć wolno jak nasza śmierdząca Popławka, rzeczka, która z roku na rok zaczynała coraz bardziej dokuczać mieszkańcom swoim odorem. Popławka była swoistym kalendarzem mojej młodości. Pamiętam, jak kiedyś przychodziliśmy tu z tatą na ryby. Tata zarzucał pożyczoną od wuja Romana wędkę i po chwili wyciągał ją szybkim ruchem, aby uwolnić rybie ciałko szamocące się w przedśmiertnych drgawkach. Lubiłam wrzucać te przerażone maleństwa z powrotem do rzeki. Odpływały, uderzając ogonem w zmąconą wodę. Dzisiaj jedynym dla nich wybawieniem byłoby czyste akwarium.

Piszę o tej nieszczęsnej Popławce, bo dzięki niej wiem, jak wiele się zmieniło. Uczyłam się w niej pływać. Leżałam przy podmiejskich brzegach rzeczki, szukając czterolistnych koniczyn. Raz nawet w olchach na drugim brzegu całowałam się z Jurkiem Trapikiem, który wyrósł na przystojniaka i nikt już od dawna nie pamiętał jego kościelnych sensacji żołądkowych. To była Popławka minionego czasu. Czysta rzeka.

Dzisiaj dzieci, przechodząc obok niej, siarczyście spluwają na brunatną powierzchnię wody i brzydzą się dotknąć zmurszałych, oplecionych cuchnącymi glonami kamieni. Inne pokolenie.

Czułam, że wyrosłam nie tylko z Popławki. Wszędzie robiło się za ciasno. Zaczynała doskwierać znajomość wszystkiego i wszystkich. Miasto też malało i kurczyło się niczym źle prany sweter. Mechaciło się od starości tych samych melanżowych splotów zdarzeń, które składały się na bure barwy naszego życia.

Krzyś myślał podobnie. Znacznie wcześniej uciekł z miasta, wciąż jeszcze w nim mieszkając. Byliśmy dla niego trampoliną, z której planował akrobatyczny skok w obłoki. Inni skakali z deski na główkę. Krzyś mierzył wysoko, zatrzymując w obiektywie swojego aparatu obrazki niedostępne dla oczu innych. Potem sam stał się niedostępny dla nas. Całe miasteczko zamierało, gdy pojawiał się na ekranach naszych kolorowych telewizorów. Wprawdzie Krzyś najczęściej skromnie milczał, ale za to jego rozmówcy mieli pełne usta pochwał i komplementów. Tata był zawsze zdziwiony, że landszafciki – jak mawiał – naszego Krzysia tak się mądrym ludziom podobają. A gdy kiedyś dowiedział się, ile landszafcik naszego Krzysia kosztuje w dolarach, sam wziął się do roboty i namalował widok z okna babki Broni. Na ogród i gołębnik.

Zanim powstał dolarowy obraz taty, którym babka zatkała dziurę w podłodze, i zanim Krzyś trafił do gazet oraz telewizorów, zanim w ogóle kolorowe telewizory pojawiły się w naszych domach, coraz częściej rozmawialiśmy o czekającej nas podróży.

Najchętniej przesiadywaliśmy nad brzegiem Popławki. Od czasu gdy chuligani domalowali nieznanemu żołnierzowi genitalia w kształcie młota i sierpa, bezpieczniej było omijać pomnik. Dopiero po latach uświadomiłam sobie, że ten akt nie miał nic wspólnego z sabotażem i wrogim imperialistycznym żywiołem, jak ogłaszał w gazecie komendant milicji. Był to, moim zdaniem, debiut w dziedzinie techniki graffiti, zastosowanej prekursorsko w okolicy tak dobrze mi znanych kamiennych kolan.

Krzyś postanowił zdawać na ASP do Warszawy. Cała klasa się śmiała, że w takich dziurawych butach tak daleko nie zajdzie. Ale Krzyś miał często więcej pieniędzy niż nasi rodzice. Robił ślubne zdjęcia i portrety rodzinne, na których panie wychodziły bardzo ładnie. A nosił dziurawe buty tylko dlatego, że je bardzo lubił.

Ze mną był większy kłopot. Miałam dobre oceny. Mogłam zdawać wszędzie. Ale przez te minione w pogoni za piątkami lata nie przystanęłam, aby się zastanowić, kim chcę być.

– Nie mam pojęcia – mówiłam, szukając podpowiedzi w mętnej wodzie Popławki.

– A rodzice – pytał Krzyś – co ci radzą?

– Iść do pracy. Gdybym się zgodziła na posadę w domu kultury, moglibyśmy wziąć na raty segment.

– Musimy stąd uciec – szeptał Krzyś. – Po co ci segment?

– Czy ja wiem? – odpowiadałam ze źdźbłem trawy w zębach. – Właściwie wolę nasz kredens...

– Sama widzisz! Trzeba stąd uciekać. Mówię ci.

I kładł się na rozgrzanej łące twarzą do słońca. Mrużył oczy, które zaczynały błądzić po bezkresie. Zazdrościłam mu, że potrafi odnaleźć swą drogę nawet w chmurach, kiedy ja nie widzę ścieżki na oswojonej ziemi. Takiej, co mnie zaprowadzi do własnego domu. Bez pluskiew, dziur w podłodze i widoku na zmurszały gołębnik.

A potem pamiętam tylko bal maturalny. Szanowne ciało, jak mówił o moich nauczycielach tata, nagle upodobniło się do moich bliskich. Zaróżowione twarze i wilgotne usta belfrów całkiem dobrze wyglądałyby przy naszym stole, między tatusiem, mamą i Parysiakami. Wytworne kroki chybotliwie zmierzające do brudnej toalety mogły z powodzeniem należeć do wuja Romana. Zespół wojskowy, który, że się niełładnie wyrażę, zdrowo rżnął w restauracji Maryneczka, zachwyciłby babkę Bronię. I mamę. W naszym domu, wśród starych płyt, które nigdy nie doczekały się adaptera, też były orkiestry wojskowe. Babka i mama przecierały te płyty suchą szmatką z nadzieją, że krążki kiedyś ożyją na wreszcie zreperowanym gramofonie i w naszym stołowym dziarsko zabrzmi batalion wojskowych chórzystów.

Najbardziej podobał mi się śpiewający sierżant, zajęty łowami abiturientek, które warte były piosenki z dedykacją za cenę późniejszych zmagań w koszarach parkowej miłości.

– Saaamba dla pani Joli i Beatki! – zapowiadał ochrypłym głosem solista z fryzurą Johna Lennona, ale na tym podobieństwo się kończyło. – *One, two, three*... iiii rąąączki do góry!

Sala zaczynała razem z nami wirować, kręcić się w rytmie samby, twista czy przebojów Abby. Ogarniać nas żelaznym uściskiem partnerów sztywno wbitych w swe pierwsze, maturalne garnitury. Drżały od gitarowych basów ściany Maryneczki i dziewczęce piersi. Trzęsły się i lepiły nasze dłonie, w które niewidzialna kelnerka subtelnie wkładała kieliszek z cierpkim winem. Namiętniały usta szukające coraz zachłanniej okazji do pocałunku. Głupki z naszej klasy w olimpijskim tempie rośli na idoli z plakatów oklejających dziewczęce sypialnie. A my otwierałyśmy się na nowe uściski i przymykałyśmy oczy, by czar tego balu nie prysł pod wpływem zbyt dobrze znajomych pryszczy na twarzach naszych bohaterów.

Piłam gronowe wino, siedząc w najbardziej kawiarnianej pozie. Z nogą na nodze. Obie były doskonale widoczne dzięki szybkiemu operacyjnemu cięciu dokonanemu na maturalnej spódnicy. Moje nogi, które miały najmniejszy udział w świadectwie z lampasem, teraz przeżywały prawdziwe oblężenie spojrzeń i dotyków. Zaczynałam rozumieć tęsknotę babki Broni za teatralnymi szaleństwami w przestronnych garderobach. Wino przeobrażało się w mojej głowie w rozszalałe Morze Czerwone, a ja coraz wolniej wodziłam oczami po satynowych sukniach koleżanek.

Nie wiem, kto zaprowadził mnie do mikrofonu, z którym po wykonaniu ulubionej pieśni tatusia *Rozszumiały się wierzby płaczące* runęłam w czarną czeluść sceny. Sierżant Lennon cucił mnie jakimś nieświeżym świństwem, które mogło być jego ustami. Świat zrobił wielkie pijane koło, jak tata szukający klucza do wychodka, i padł martwy u moich zwycięskich tej nocy nóg.

Jeszcze przed podróżą w nieznane podziurawiłam pierwsze rajstopy, zgubiłam obcas maminych wyjściowych szpilek i straciłam poczucie przynależności do własnej planety. Następnego dnia znajdowałam w bolesnych wspomnieniach pracowitej nocy fragmenty mało ekscytujących scenek erotycznych, z których najbardziej interesująca wydała mi się ta z ręką magistra Golika na moich piersiach. Babka Bronia zrobiła mi potężny kompres z dziurawego ręcznika, a ojciec spojrzał na mnie przekrwionymi ze szczęścia oczami i powiedział:

– Zuch dziewczynka. Moja krew!

Niebieski autobus

Wsiadając do niebieskiego autobusu, doskonale wiedziałam, że nawet gdy nim odjadę, to i tak zanadto nie oddalę się od rodzinnego domu.

Wzięłam w tę pierwszą dorosłą podróż skromną torbę, w której oprócz maturalnej spódnicy wiozłam obrazek Najświętszej Panienki, butelkę bimbru i słoik ze smalcem. Dostałam też od mamy najporządniejszy ręcznik, przechowywany w szafie na wypadek, gdyby ktoś z nas musiał pójść do szpitala.

Najtrudniejsze było rozstanie. Poświęciłam sporo wakacyjnego czasu, aby przekonać rodziców, że wybrałam właściwe studia.

– Źle mi się to kojarzy. Z psycholem – martwił się tata. – A poza tym, jak świat światem, a Kościół Kościołem, to od leczenia duszy jest ksiądz. – Złościł się trochę, bo był tradycjonalistą.

– A zakonnica? – zapytała tatusia mama. – Może trzeba było wybrać taką szkołę? „Kto ma zakonnicę w rodzie, tego bieda nie ubodzie" – próbowała się wesprzeć sentencją.

– Chyba kleryka, nie zakonnicę – przypomniałam, a tata, na samo wspomnienie kleryka, natychmiast się zdenerwował.

– Psycholog, psycholog... – mamrotała babka Bronia. – Czy ja kogoś takiego spotkałam? Zdaje się, że tak. U nas, na Wileńszczyźnie, był doktor... doktor... Jak mu tam... I on nikogo nie leczył, tylko podglądał dziewczyny nad jeziorem, jak się kąpały. A sam też pływał bez majtek. Zdaje się, że psycholog...

Wuj Roman zahaczył o inny aspekt.

– Głupiaś – stwierdził krótko. – Stracisz oczy nad książkami, a potem żaden chłop na ciebie nie spojrzy. Ja, na ten przykład, wybitnie nie znoszę kobiet w okularach...

Odprowadzały mnie pełne żalu spojrzenia najbliższych. Zawiodłam ich. Segment mamy dalej będzie tkwił w oknie wystawowym naszego sklepu meblowego, a dni oczekiwania na kiosk Parysiaków staną się jeszcze dłuższe i smutniejsze. Nie będzie też tyle domowej pracy, dzięki której mama czuła się potrzebna i niezastąpiona.

Jechałam niebieskim, rozklekotanym autobusem i nie mogłam się uwolnić od myśli, że wyrządziłam im wielką krzywdę. Nagle wydali mi się tacy mali i opuszczeni, jakbym to ja była ich babką, ojcem i matką. Dawno minęliśmy opłotki miasteczka, a ja wciąż siedziałam przy ścianie z dykty, ukryta przed ich wzrokiem, wciąż widziałam to rodzinne nieporadne kółko graniaste. Jak kręcą się wokół niepotrzebnych rzeczy. To je przekładają na inne miejsce, to ocierają z nieistniejącego kurzu. To rozbierają na elementy, aby zajrzeć do środka, coś naprawić. Coś zepsuć.

I tak codziennie. Od porannej herbaty i nowej plamy na podkoszulku do kolacji, gdy zmęczone bezowocną pracą ręce mamy biorą na kolana wyjściową marynarkę taty i doprowadzają ją do porządku. Bo przecież nigdy nie wiadomo, czy jutro gdzieś nie wyjdą. Na spacer, bal albo do Parysiaków.

Nie wyjdą, ma się rozumieć, ale to niczego w ich życiu nie zmienia. Zawsze byli kolekcjonerami swoich małych marzeń. Może to przez łatwość obcowania ze złudzeniem nigdy nie zbliżyli się do celu swoich mrzonek. A może ich jedynym marzeniem były marzenia. Pewnie tak, bo wydawali się przecież na swój sposób szczęśliwi.

Przez ostatnie lata dużo myślałam o chwili, gdy zamkną się za mną drzwi autobusu, a konduktor jednym ruchem skasuje i mój bilet, i moją pamięć. Skasowany bilet schowałam do kieszeni, ale z pamięcią nie udało się tego zrobić. Czujna i uczciwa, podskakiwała razem ze mną na kocich łbach, które były ostatnim szlakiem łączącym nas z miastem. Potem, gdy autobus z rykiem silnika przyśpieszył na gładkim asfalcie, zrozumiałam, że poza ręcznikiem i smalcem, poza skróconą spódnicą, Najświętszą Panienką i butelką samogonki „na wszelki wypadek" wiozę w swej skromnej torbie pamięć wszystkiego, co było. I niczego nie zaczynam od nowa, bo wszystko we mnie trwa. Przymknęłam oczy. Zanim zasnęłam, zobaczyłam babkę Bronię, jak kuśtyka po swoim pokoju, próbując powiesić na wyblakłej od obrazka ścianie inną Świętą Panienkę. Dostrzegłam tatusia, który przychodzi z młotkiem i chwilę potem leci ze ściany deszcz starego tynku. Mamę. Jak pojawia się z miotełką, żeby posprzątać. I chociaż są tak bardzo zajęci, wystarcza im czasu na smutek, który razem z nimi przykleja się do szyby. I w tej szybie wyglądają dokładnie tak, jakby siedzieli w małym kiosku, do którego nikt nie przychodzi po gazety i papier toaletowy.

CZĘŚĆ DRUGA

Rodzinna hagiografia

Na studiach najpierw nauczyłam się kłamać. Pamiętam pierwszy pokój w akademiku, do którego wniosłam swą lekką torbę. Torba nie mogła zrobić dobrego wrażenia, bo nawet nie była turystyczna. W naszym domu służyła do przechowywania weków z prawdziwkami, więc pewnie dlatego jeszcze trochę cuchnęła octem.

Dziewczyny były miłe. Pierwsze wyciągały ręce na powitanie i uśmiechały się sympatycznie. Dopóki mogłam milczeć, krzątając się wokół mojego skromnego tobołka, czułam się niemal szczęśliwa. Ale wreszcie nadeszła nieubłagana godzina szczerości.

– Opowiedz nam o sobie – poprosiły.

Mogłam to uczynić na dwa sposoby. Wybrałam drugi. Moim zdaniem ładniejszy. Panny w niczym nie przypominały księdza Gustawa, a i jemu nie mówiłam przed maturą wszystkiego. Były z dobrych domów, jak określiłaby je babka Bronia. Nie mogłam ich rozczarować. Pomyślałam, że po maturze mam jeszcze większe prawo milczeć, a nawet nadać rodzinnej historii bardziej beztroski bieg.

Zdawałam bardzo ważny egzamin. Z prawa do nowego rodzaju członkostwa. Bo – uświadomiłam to sobie natychmiast – moja śmierdząca octem torba stanęła nie tylko na podłodze akademika. Ona znalazła się na imponująco wysokim poziomie. Wyższym niż kiosk Parysiaków, a nawet niż nasz gołębnik, który, choć trochę przygarbiony, stanowił widoczny z daleka punkt odniesienia rodzinnej przynależności.

Niespodziewany awans lokujący mnie i torbę w doborowym towarzystwie, kusił. Kłamstwo, niczym babka suflerka, podpowiadało odpowiedzi na pytania nowego koleżeństwa. Snuło wątki niewyobrażalnie interesujące. Kazało dążyć ku wyżynom fantazji w tworzeniu arcydzieła z gatunku science fiction z babką, ojcem i mamą w roli bohaterów. Epicki rozmach, z jakim kreśliłam familijne dzieje, przeraził mnie samą. Musiałam bardzo się pilnować, by w wirze opowieści oszczędnie obdarzać krewnych heroicznymi cechami, odzierać ich z nadmiaru bohaterstwa i czynić bardziej przylegającymi do rzeczywistości, tak dobrze przecież znanej zasłuchanym współlokatorkom.

Słuchały, prezentując się pięknie. Jeśli nie wszystkie były ładne, to wszystkie były zadbane i pewne siebie. Zupełnie inne niż ja.

Babkę Bronię nazwałam „Maleńką Babcią" i uczyniłam patronką ruchu powstańczego AK na Wileńszczyźnie. Dziewczyny zapytały, czy całej. Odpowiedziałam, że tak. Że Wileńszczyzna, jakkolwiek by patrzeć, była pewną całością i tę właśnie całość mam na myśli. Osadziłam babkę w resursie wojskowej, którą uczyniłam sztabem, jadłodajnią dla „chłopców z lasu" i miejscem narodowego kultu. Ojca z wujem Romanem co rusz wysyłałam do zwycięskich walk o Murowaną Oszmiankę. Jedna z moich ciotek szyła w tym czasie biało-czerwone opaski na mundury, co, jak wiadomo, groziło śmiercią. Zwłaszcza gdy ciotkę przyłapała na tym krawiectwie córka Jankowskich, kolaborujących z Niemcami. Ale ciotka, nie w ciemię bita, powiedziała jej, że chciała uszyć sobie taką sukienkę. I już nie chce, ponieważ doszła do wniosku, że barwy są daleko nieodpowiednie na tak gniewny czas.

– A teraz – mówiłam, zręcznie przechodząc do współczesności – moja rodzina spokojnie bytuje na ziemiach do niedawna obcych, ale zapewne słusznie odzyskanych, pracując ciągle dla kraju. Bo w naszym domu – z trudem przechodziło mi to przez gardło – zawsze ideały zwyciężały z gnuśnością. Mama kultywuje pamięć swej siostry. Jest pielęgniarką oddaną chorym. Tata felczerem, Maleńka Babcia spisuje swoje wspomnienia i pewnie wyda wkrótce książkę. Ma już nawet tytuł, *Nad krwawym Niemnem i martwą Oszmianką*, a wuj Roman... on jest... podróżnikiem. Badaczem, ichtiologiem... – W ten sposób spłaciłam wujowi dług wdzięczności za kotlety i klopsy z ryb. Bo choć sam ryb nie jadał, dbał, by zawsze były.

Słuchaczki wydawały się zadowolone, a nawet poruszone moją opowieścią. Tak mnie tym wzruszyły, że dorzuciłam im jeszcze krótki rys szlaku bitewnego dziadka, tego samego, na którego śmierć babka Bronia tak długo musiała czekać. Wyjaśniłam, że był adiutantem, ale zabrakło mi odwagi, by sadzać go przy jednym stole z Piłsudskim. Są w końcu jakieś granice przyzwoitości.

Zadały mi jeszcze kilka pytań dotyczących wuja, gdyż przypisałam mu jedynie zgodne z prawdą powodzenie u kobiet. Wuj otrzymał ode mnie w prezencie kilka świetnych partii i pięknych romansów: ze śpiewaczką operetkową, baletnicą i autorką książek dla dzieci. Niech ma.

Dziewczyny, wzruszone zwłaszcza ostatnim dramatem wuja (uśmierciłam pisarkę, trudno), przestały podejrzliwie patrzeć na torbę, z której tak niewiele wyjęłam. Moja półka we wspólnej szafie wciąż straszyła pustką. Nawet nie bardzo mogłam ukryć butelkę bimbru. Ostatecznie zostawiłam ją na dnie torby, przyzwyczajonej do domowych zapasów.

Przez pół roku nie działo się nic szczególnego. Zapełniałam półkę drobiazgami kupowanymi ze stypendialnych oszczędności. Siedziałam całymi wieczorami nad skryptem, patrząc z zazdrością, jak moje współlokatorki przygotowują się do wyjścia w młodość. Gdy opuszczały akademik, lubiłam sobie wyobrażać, dokąd idą i z kim się całują pod stołówką studencką. Jak kręcą się w tanecznych kroczkach na parkietach klubów. Zastanawiałam się, w jakie rejony wciąż obcego mi miasta zmierzają ich flauszowe płaszczyki i zgrabne botki. Ich bluzeczki kupowane w komisach i wesołe wisiorki o wyszukanych kształtach. Zdarzało się nawet, że czasem sięgałam do ich kosmetyczek i bardzo delikatnie puszczałam na własne piersi maleńką mgiełkę perfum, jakie nigdy nie stały na naszej toaletce.

Lubiłyśmy się. Mówiły do mnie „Miśka" i chętnie częstowały winem albo kupowanymi na wagę herbatnikami. Czasami przychodziły ze swoimi chłopcami. Wstydziłam się podczas tych wizyt. Ogarniał mnie irracjonalny strach, że ci ujmujący, dobrze wychowani młodzieńcy dostrzegą we mnie to, co ukryłam przed ich dziewczynami. I nastąpi wielka klęska mistyfikacji. Opadnie ze mnie strój córki kombatantów i ofiarnych pracowników służby zdrowia, opadną szaty siostrzenicy ichtiologa-amanta, wciąż przebywającego na łowiskach ikry uczuć. I wszyscy ci młodzi ludzie zobaczą mnie, w świetle naszej akademickiej żarówki, nagą, wystawioną na chłostę i śmiech.

Nie wiem, czy ciąg tragicznych wydarzeń, które wkrótce nastąpiły, powinnam przypisywać uśpionej czujności, czy brakowi zaufania do rodzinnych więzów miłości, które w lutym, podczas pierwszej sesji, dały o sobie znać.

Kiedy w drzwiach mojego pokoju pojawili się rodzice, dziewczęta właśnie przygotowywały kolację. Oblana rumieńcem piekącego wstydu usilnie próbowałam zaprowadzić ich do pokoju nauki, ale i koleżanki, i tata mocno się temu sprzeciwili.

– Tu sobie posiedzimy, z pięknymi paniami – ostatecznie zdecydował tatuś i postawił obok wykwintnych kanapek butelkę z bimbrem.

Biedna, zagubiona mama lękliwie rozglądała się wokół, szukając w moich oczach wsparcia. Nigdy nie zapomnę tego momentu, gdy nie mogłam dodać jej odwagi, ponieważ nagle sama zgubiłam całą starannie wciąż budowaną pewność siebie.

Tata był niepomiernie zmartwiony, że nie mamy kieliszków. W związku z tym poprosił o szklanki. Poczuł się trochę niezręcznie, gdy wszystkie odmówiłyśmy poczęstunku.

– Ale mamusi szklankę chyba dasz? – zapytał ze zmarszczonym czołem.

Ta sama żarówka, która zgodnie z wcześniejszymi obawami obnażyła moją społeczną małość, teraz pracowicie kompromitowała rodziców. Dopiero w jej świetle wszystko stawało się jasne i oczywiste. Marzyłam, aby moje współlokatorki nagle oślepły. Aby nie było im dane widzieć tych niedoskonałych, ale jakże mi bliskich ludzi, zabierających się z apetytem do naszej kolacji. W jej świetle widziałam też ukrywane z trudem uśmiechy dziewczyn, ich grę, którą rodzice ufnie przyjmowali jako zaproszenie do wspólnej rozmowy.

W popłochu i stresie zapomniałam, że sama zaaranżowałam całą sytuację. Że oto, na miarę Monty Pythona i innych głosicieli uroków życia, spełnia się groteskowa wizja moich opowieści w sposób tak niesamowity, że postanowiłam natychmiast umrzeć. Okazuje się, że to nie takie proste, że gdy ze wszech sił pragniemy śmierci, ona nas nie dostrzega. Ba! Ignoruje, jakbyśmy na nią nie zasłużyli. Żyłam więc i ostatkiem sił odpowiadałam na pytania mamy i taty, udając, że wszystko jest w porządku.

– A ciepła woda tu jest? – zapytał tata, dolewając mamie solidną porcję z butelki z żółtą wiśnią. – Taka prosto z rury? Bo u nas po staremu – wyjaśnił. – Nagrzewa się w czajniku i... w miskę.

– Ładnie tu. – Mama rozejrzała się po pokoju. – Ładniej niż w naszym stołowym – dodała niepotrzebnie. – Nawet segment macie. – Westchnęła zazdrośnie, zatrzymując wzrok na naszych pawlaczach i półkach.

– A nasz, znaczy się ten z wystawy, kupiła Parysiakowa – zwróciła się do mnie z żalem. – Takie świństwo nam zrobić... Pomyśl tylko.

Segment musiał mamie leżeć na sercu, bo wypiła duszkiem sporo bimbru i otarła usta w serwetę przykrywającą stół. Chyba nareszcie poczuła się jak w domu.

– Przyjechaliśmy odwiedzić wuja Romana. – Tata zawsze lubił podkreślać silne związki rodzinne.

– Nie wiedziałam, że wuj jest tutaj – odezwałam się cicho.

– Tego to on też nie wiedział, że się tutaj znajdzie! Nawet komendant nie wiedział! Ale, okazuje się, wreszcie zasłużył na miasto wojewódzkie. – Ojciec potoczył wzrokiem po dziewczynach. – Bądź co bądź przyzwoity areszt – dodał. – Nie taki jak u nas, że spinką do włosów można drzwi otworzyć...

– Pisał, że ma nowe widoki na przyszłość – wtrąciła mama, która poczuła się trochę odsunięta od więziennego sukcesu brata.

– Ja zrozumiałem z tego listu – tata kręcił palcami młynka na brzuchu – że on kogoś ważnego poznał. No bo przecież nie o widoki Romanowi chodzi. W szczególności w kratkę. Jak to z celi. – Zaśmiał się, ubawiony własnym konceptem. – Taki głupi, żeby przez okno wyglądać, to on nie jest.

– A panienki nie jedzą? – W mamie odezwał się instynkt stadny i odłożyła ostatnią kanapkę. – Jedzcie, dziewczynki – zachęcała – dobre są. Z mięsem.

– Z mięsem? – Tatuś udawał mile zdziwionego, choć jadł przez cały czas. – No, jak z mięsem, to nie wolno wybrzydzać – rozgrzeszył się. Przechylił szklaneczkę z bimbrem i zakąsił ostatnią kanapką.

Przez następne tygodnie czułam się bardziej samotna od wuja przesiadującego w jednoosobowej celi za przemyt żyletek. Moje niedoszłe przyjaciółki przystępowały do ataku, gdy tylko otwierałam usta.

– Uważaj, co mówisz – ostrzegały mnie.

– Hrabianka mitomanka.

– Baronówna Pietkiewiczówna.

– Królewna herbu Zadupie...

Godziłam się nawet na herb, ale nie mogłam przeboleć sarkazmu, który zaczął się lać w moją stronę zamiast wina.

Zaczęłam pomieszkiwać w pokoju nauki, z którego wracałam nad ranem. Kładłam się spać ostatnia. Wstawałam pierwsza. Moje oceny zdumiewały wszystkich wykładowców. Niby pierwsi w kraju specjaliści od psychologii, a nawet się nie domyślali, co w tym czasie, gdy szkolną mądrością przekraczałam wszelkie progi przeciętności, działo się w mojej duszy. A działo się w niej to, co dziać się musiało w duszy Judasza, którego wprawdzie nigdy na religii nie rysowałam, ale poświęcałam jego zdradzie sporo uwagi. Więcej niż moja mama zdradom doktora Sztolca.

Kiedy już sądziłam, że nigdy nie wymażę grzechu stworzenia rodzinnej mitologii na własny użytek, że przyjdzie mi codziennie wstawać i kłaść się spać z poczuciem winy, poznałam Tadzia. Właśnie w tym czasie, w zwykły listopadowy dzień, gdy kupowałam w kiosku komplet do golenia dla wuja Romana, który jeszcze do niedawna sam zaopatrywał w żyletki wszystkich swoich znajomych.

Debiut

Tadzio też kupował komplet do golenia. I też najtańszy. Doradził mi nawet, jaki krem powinnam wybrać. Niepotrzebnie, bo akurat wtedy we wszystkich drogeriach proponowano jeden krem. Ten sam co w kioskach.

Potem przyglądał się mojej twarzy, jakby chciał sprawdzić stan mojego zarostu, a ja, zamiast zachować się po wielkomiejsku i po prostu odejść, czekałam, aż skończy tę obdukcję.

– Może być – stwierdził bez specjalnych emocji.

– Co „może być"? – zapytałam grzecznie.

– No, wszystko.

Tadzio nie bawił się w szczegóły. Jak się potem okazało, nie miał na to czasu. Pracował, studiował, kolportował prasę drugiego obiegu, uprawiał żeglarstwo i uczył się angielskiego.

– Zamierzam kiedyś czmychnąć z tego bajzlu – odniósł się jednoznacznie do ostatnio szeroko dyskutowanej sytuacji w kraju.

Od razu wiedziałam, że spodobałby się wujowi Romanowi. Ale nie mogłam ocenić, czy mnie również. Należało to po prostu sprawdzić.

– Uprzedzam cię, że jestem patriotą – wyznał Tadzio na trzeciej randce.

I tak o tym patriotyzmie powiedział, jakby był on czymś w rodzaju bigamii, homoseksualizmu albo rzeżączki. Czymś bardzo w tamtych latach wstydliwym.

– Czynnym patriotą – dodał ostrzegawczo.

– Patriotyzm to nie sklep mięsny – odparowałam wtedy – który bywa czynny lub nieczynny, z towarem lub bez.

– W każdym razie – nie chciał podejmować dyskusji o sklepie – od mojej dziewczyny też tego wymagam.

– Masz dziewczynę? – Poczułam się zawiedziona.

– No, ciebie – wyjaśnił, soląc frytki.

Po raz pierwszy zostałam czyjąś dziewczyną. Przy frytkach, w barze Najtańszy Frykasik.

Miałam wtedy na sobie granatową spódnicę i golf. Tego samego dnia granatowa spódnica i golf przestały być na mnie.

Opuściły mnie również moje rajstopy, z zaledwie jednym oczkiem na udach, oraz majtki, które, na szczęście, debiutowały na mojej pupie. Wszystko, co mnie spotkało w ramionach Tadzia, też było debiutem. Debiutowałam na jego trochę niewygodnej kanapie w podnajmowanym pokoju ze świadomością, że w każdej chwili mogą tu wejść dwaj inni rewolucjoniści, z którymi Tadzio mieszkał. Jako kochanka na stażu i dziewczyna z porządnego domu, co zawsze podkreślał tatuś, nie bardzo miałam ochotę swój pierwszy kanapowy wyczyn wykonywać przed zarośniętym i spiskującym przeciwko komunie towarzystwem. Nawiasem mówiąc, zawsze mnie zastanawiało, jak to jest: żyć w komunie i jednocześnie walczyć z komuną. Uważałam, że należy uporządkować pojęcia, żeby w Polsce nie było takiego językowego galimatiasu, jaki panował w mojej rodzinie. Ale wówczas wszyscy walczyli. Ci od pojęć też, i nikt nie miał czasu zajmować się głupstwami.

Tadzio nie bardzo radził sobie z moim ciałem, zapewne zdumionym tak nagłą obecnością czynników obcych. Ja nie radziłam sobie z duszą całkowicie ignorującą wagę dokonującej się na oczach Lecha Wałęsy defloracji (zdjęcie Wałęsy wisiało tuż nad naszymi głowami). Mój rozum zawzięcie milczał, od czasu do czasu tylko sygnalizując swą obecność wspomnieniem Bożenki, która miała w zwyczaju „rżnąć się" z żołnierzami. Zastanawiałam się, czy przypadkowo też tego nie robię, ale przecież Tadzio nie był żołnierzem, tylko działaczem. Fakt ten nie usuwał wszystkich obaw, które sprawiały, że drżałam nieprzytomnie.

Moje drżenie inaczej interpretował Tadzio, inaczej ja. Do dzisiaj nie wiem, czy bardziej bałam się powrotu towarzyszy Tadzia, czy konsekwencji, o której przeczytałam w artykule zatytułowanym *Twój pierwszy raz a prawdopodobieństwo niechcianej ciąży*.

Gdy już ubrani leżeliśmy z Tadziem obok siebie, namiętnie milcząc, zanurzyłam się we wspomnieniach szmerów dobiegających zza ukrytego za dyktą świata rodziców. Rozszyfrowywałam je teraz z całą nową wiedzą o szelestach, odgłosach i szamotaninach, które, być może, towarzyszyły także momentowi mojego poczęcia. Jeśli tak, to musiałam się rozstać z dotąd wygodnym przeświadczeniem, że poczęto mnie bez tych świństw, o których opowiadały sobie na podwórku dzieciaki. Owszem, brałam pod uwagę ewentualność, że podczas powoływania mnie do życia mama z tatusiem przechylili kieliszeczek z samogonem, ale nigdy nie dopuszczałam myśli, że byli w tamtym momencie bez majtek i kalesonów.

Tadzio dopiero po wielu latach wyznał mi w jednym z listów pisanych z Lazurowego Wybrzeża, że bardzo się wówczas bał. Bo widział tylko w kinie, jak to się robi, a ja, za cholerę, nie przypominałam żadnej z dobrze mu znanych aktorek. Również potem, gdy opanował tajniki kanapowego miłowania, ja w dalszym ciągu nie zbliżyłam się do ideału, choć, co delikatnie zaznaczył, wcale nie miał dużych wymagań, bo nawet aktorki drugiej kategorii budziły jego pożądanie. Na końcu wyznał, że nie potrafię się poddać fali uczuć, a seks odklepuję jak babka pacierz.

Skurwysyn, pomyślałam mściwie, wczytując się w jego nudny list. A to sapanie i jęczenie bez powodu? Te omdlewające odgłosy wzbierającej miłości? Te nagłe westchnienia nieznajdujące uzasadnienia w nadmiernym gnieceniu moich piersi? Idiota! Za tamtą grę, nie tylko wstępną, za odwagę debiutantki i wyrafinowane wyczucie roli należała mi się co najmniej jakaś palma. Jeśli nie złota, to pierwszeństwa.

Zanim przeniosłam do Tadzia swój skromny stan posiadania, który poza moim ciałem składał się z niewielkiej ilości rzeczy i wciąż zakorkowanej butelki bimbru, kupiłam herbatniki na wagę oraz czerwone wino. Dziewczyny były zdziwione, gdy zarzuciłam stół smakołykami.

– To na przeprosiny – oświadczyłam, patrząc im prosto w oczy. – Głupia byłam. – Wychyliłam pół szklanki wina od razu. – Mam najśmieszniejszą rodzinę pod słońcem, a zrobiłam z nich bandę dupków. Głupia byłam – powtórzyłam i spakowałam swoje rzeczy.

A potem wolno popijałyśmy wino i przegryzałyśmy herbatnikami. Nic już nie było do dodania i niczego nie dałoby się ująć. Miałam wrażenie, że nad kieliszkami z winem unoszą się opary dobrych słów, w których mój wrażliwy nos wywąchał bukiet tajemnego wybaczenia. Do dziś nie mogę zrozumieć, jak taki piękny bukiet mógł przetrwać w butelce z najtańszym na Pomorzu bełtem.

Z dumą pomyślałam, że na bełtach najlepiej znają się moi bliscy. To też ważna wiedza. Zresztą, jak mawia babka Bronia, nigdy nie wiadomo, co się w życiu może przydać. Bo bywa i tak, o czym również informowała mnie babka, że trzeba mądrym dyplomem podetrzeć sobie tyłek, jak nie ma pod ręką innego papieru, albo pieniędzmi napalić w piecu, żeby nie zamarznąć na śmierć.

Bohaterstwo i pozy

Gdyby w tamtym czasie ktoś śmiał mi powiedzieć, że w przyszłości nie będę panią Tadziową, to tak jakby zadał śmiertelny cios naszej cicho i grupowo przygotowywanej wojnie prowadzonej pod czujnym okiem Lecha Wałęsy i kilku pomniejszych orędowników nowej Polski wiszących na ścianach pokoju. Pomniejszych zresztą co chwila przybywało. Armia sprzymierzeńców wycinanych z gazetek, a nawet fotografowanych *en face* na zebraniach ruchu, zwierała tynkowe szeregi. Coraz liczniej przykrywała odchodzącą ze ścian farbę i zaprzeczała, zgodnie z nazwą „Solidarność", naszej politycznej samotności. Chętnie zerkałam na tę ścianę i każdego dnia byłam bardziej pewna nadchodzącego zwycięstwa.

Gdyby więc znalazł się śmiałek twierdzący, że wojnę to może wygramy, ale Tadziową żoną nie będę, roześmiałabym mu się prosto w nos. Tę pewność siebie zdobyłam nie tylko na ciasnej kanapie Tadzia. Ona dojrzewała we mnie każdego dnia, który pracowicie poświęcałam „sprawie". „Sprawa" wymagała przede wszystkim czasu. Nic więc dziwnego, że wykładowcy zaczynali przyglądać mi się z pewnym niepokojem.

– Myślę o wytypowaniu pani na stypendialny wyjazd. Do Londynu – kusił mnie doktor Cezary Żyrak. – Proszę mi w tym pomóc i wziąć się do roboty.

Jak miałam wytłumaczyć doktorowi Żyrakowi, że roboty to ja mam pełne ręce? Pełne naręcze bibuł. Popołudnia wypełnione bywaniem w „pewnych" miejscach, czas podzielony na spotkania z „pewnymi" ludźmi... Gdybym mogła przed doktorem uwolnić się od choćby grama narodowej tajemnicy, zasugerować delikatnie, jak ważną rolę odgrywam dla zbliżającego się jutra naszego smutnego kraju, myślę, że doktor Żyrak spojrzałby na mnie inaczej. Ze zrozumieniem.

Żyrak był bardzo smutnym doktorem. Aż korci, by go nazwać programowo smutnym doktorem. Wyjątkowo dobrze ze swoją powagą wpisywał się w duszną atmosferę otaczającej nas zewsząd tajemnicy. Nie zdziwiłabym się, gdyby dobierał szare garnitury inspirowany widokami z okna hotelu asystenckiego. Niewątpliwie istniały powody pozwalające uznać doktora za jednego z nas, ale delikatność w doborze personalnym, jak mówił Tadzio, zakładała najdalej posuniętą ostrożność.

Zamiast więc zasugerować doktorowi naszą światopoglądową jedność, oświadczyłam tylko, że zrobię wszystko, aby zasłużyć na Londyn. Mam wprawdzie problemy rodzinne, jednak zrobię wszystko.

Prawdą były kłopoty rodzinne. Zawsze je miałam, nawet gdy uczestnicy wojny domowej powiewali w swoją stronę białymi chusteczkami do nosa. Natomiast nie było prawdą, że zrobię wszystko dla nauki. W tym bowiem czasie robiłam wszystko dla Tadzia, niezależnie od tego, jaką powiewałby flagą i w czyją stronę. I po tym poznawałam, że jestem szczęśliwie zakochana.

Tadzio miłość do mnie też jakby trzymał w ścisłej konspirze. Cenzurował każdy pocałunek, a nasze zbliżenia planował tak starannie, jakbyśmy mieli zamiast uprawiania seksu wysadzać w powietrze budynek KC.

– Bądź cierpliwa – przypominał, zaledwie dotykając mojej dłoni. – Miłość i polityka wymagają czasu.

Z ówczesnej cierpliwości, w jaką się uzbroiłam, dałoby się zbudować wyższy płot aniżeli ten, który patriotycznie i symbolicznie przesadził nasz ideowy przywódca. Moja cierpliwość początkowo zasługiwała na order, ale z czasem wygasła jak ostatnia raca wystrzelona przez ZOMO i poza gryzącym dymem nic z niej nie zostało.

Na wyjazd do Londynu załapała się głupia Joanna. Jedynym pocieszeniem było to, że głupia. Politycznie. Jej głowa-skaner, potrafiąca wczytać największą liczbę podręczników, zawodziła, gdy chodziło o myślenie społeczne. Jednak Joannie ta mózgowa usterka wcale nie przeszkadzała cieszyć się z nagrody. Wzięła moje papiery, wsiadła na mój prom i pojechała do mojego Londynu. Doktor Żyrak przyjął ten fakt z charakterystycznym dla siebie smutkiem. Ja z wściekłością.

Był to czas wielkich zmian, które rozpoznawałam po drobnych faktach natury prywatnej.

Tadzio przestał używać najtańszego zestawu do golenia i powoli upodabniał się do reszty studenckich buntowników. Poza tym przestał być Tadziem. Od dnia, gdy „pewien" ważny kolega z górnych szczebli ruchu zwrócił się do niego per Tadeusz, potraktował to w kategoriach nominacji i słusznie zaczął od nas wymagać zmiany w swym statusie opozycjonisty. Nikt nie śmiał potem tykać Tadzika pieszczotliwymi zdrobnieniami. A gdy w pewnej sytuacji moje usta opuściło westchnienie „Tadziu", połączone z lubieżnym przeciągnięciem się na kanapie, zostałam ukarana zmniejszeniem dawki chwil intymnych do jednej w tygodniu.

Im bardziej zapalonym politykiem stawał się Tadeusz, tym gorszym był kochankiem. Zaczynałam się gniewać na siebie, że nie potrafię sprostać czasom, w jakich przyszło mi żyć. Oczami przyszłego psychologa testowałam inne pary. Jednak ani polityka, ani trudny okres przemian wcale nie zmieniały archetypicznych oznak miłości w obserwowanych przeze mnie obiektach. Inni chłopcy chodzili ze swoimi dziewczynami czule objęci. Wyjmowali im rzęsy z oczu, sadzali je sobie w nocnych tramwajach na kolanach, choć wokół było dużo pustych miejsc. Inni chłopcy bywali ze swoimi dziewczynami w kinie i na dyskotece. I na strajkach też, co dowodziło, że wcale nie byliśmy z Tadeuszem takimi odmieńcami.

– To nie są prawdziwi dysydenci – pogardliwie mówił Tadeusz, plasując naszą parę na wyższym poziomie świadomości historycznej. Moją tęsknotę za czułością zrozumiał trochę opacznie. Któregoś dnia przyniósł gitarę i zaczął się uczyć śpiewu.

– Dziewczyny to lubią – wyjaśnił takim tonem, że nie ośmieliłam się napomknąć, co dziewczyny jeszcze lubią.

Śpiewaliśmy we dwoje. O murach i wilczkach. Nieważne zresztą, co śpiewaliśmy, Tadeusz zawsze stosował trzy zapamiętane chwyty gitarowe. Tyle że w różnej kolejności przy różnych pieśniach.

Podczas tych koncertów obawiał się sąsiada z dołu, ponieważ podejrzewał go o inne poglądy. Okazało się wkrótce, że Tadeusz ma rację. Którejś nocy sąsiad wpadł do nas w szlafroku i bez pukania. Z furią zagroził, że jeśli Tadeusz się nie uspokoi, to mu wsadzi na kark milicję.

– Widzisz – triumfował Tadeusz – jakiego mam nosa? A potem wyszło na jaw, że nos Tadeusza był omylny. Sąsiad, niestety, miał identyczne poglądy jak my. I nawet brał udział w strajku okupacyjnym filharmonii. Ale jako muzyk w żaden sposób nie mógł znieść pitolenia opartego na trzech gitarowych chwytach.

– Do państwa zajęć uprawianych szeptem odnoszę się z całym szacunkiem – zapewniał mnie któregoś dnia na klatce schodowej, mocno się sumitując.

Tadeusz nie mógł darować muzykowi, że w końcu zrezygnował ze swej groźby. Zaczynał bowiem cierpieć na syndrom internowania. Podświadomie o tym marzył i zaczynał wątpić w swoją szczęśliwą gwiazdę. Kiedyś nawet śnił, że zomowska suka wypełniona po brzegi przeciwnikami ustroju zamyka mu przed nosem żelazną klatkę i odjeżdża bez niego. Po tym śnie był chmurny i milczący. Siedział przed ścianą z opozycją i wpatrywał się ponuro w szczęściarzy, którzy byli poszukiwani lub już znalezieni. Myślał zapewne o własnym zdjęciu, że ładnie by wyglądało w górnym rogu, na prawo od Wałęsy.

– Coraz trudniej, coraz ciężej – wzdychał głosem, który zawsze kojarzył mi się ze strofami *Elegii o śmierci Ludwika Waryńskiego*. Wszystko wskazywało na to, że w chwili desperacji sam odda się w ręce sprawiedliwości.

Jeśli chodzi o sprawiedliwość, to wcale jej nie było! Zupełnie przypadkowo dowiedziałam się od Rytki Poronin o zatrzymaniu druha Paszki, studenta nauk politycznych, który w jednym z ulicznych incydentów nieopatrznie został sprany pałą. I to podczas próby zaprowadzenia publicznego ładu. Rysiek stał na jakimś kamieniu i dramatycznie nawoływał o spokój. Zrozumiano, że chodzi mu o pokój, i tym sposobem pomknął chyżą suką do politycznego aresztu. Po wyjaśnieniu sromotnej pomyłki Rysiek, już harcmistrz, zrzucił raz na zawsze swój harcerski mundurek.

Rzucanie wszystkim, co się wcześniej posiadało, zaczęło być sportem narodowym. I ja się przyłączyłam, dorzucając do stosu porzuconych legitymacji i mundurków – Tadeusza. Wkrótce zagarnęła go wraz z fajką, gitarą i śpiewnikiem pierwsza fala wolności. Wyrzuciła na obcy brzeg. Jak egzotyczną muszelkę.

Ja zostałam na ojczyźnianych gruzach zwątpień i nadziei. Przystawałam już tylko przy cichych bohaterach, o których mówiło się mało, szeptem albo nie mówiło się wcale. W zasadzie stoję przy nich do dziś, szczęśliwa, że umiem omijać broszurowe istnienia, spreparowane męczeńskie biografie i afisze czynów. Tym razem wolność potraktowałam jako czas spełniania marzeń. Mogłam wreszcie przejechać się tramwajem na kolanach jakiegoś wesołego chłopca, któremu do poglądów wystarczał własny podpis, śpiwór i rozsądek.

Teczka z kartą E 46

Rodziców odwiedzałam rzadko. Od czasu gdy zlikwidowali ścianę z dykty, nasze mieszkanie zaczęło niebezpiecznie przypominać barak dla bezdomnych. Moje łóżko już na stałe powędrowało do mieszkania babki Broni, gdzie zwykle nocowałam. Dopiero teraz zaczynałam widzieć w całej bolesnej jaskrawości ubóstwo rodzinnego gospodarstwa. Próbowałam je upiększyć przywożonymi drobiazgami, ale wuj Roman szybko się ich pozbywał. Wszystko wokół nieubłaganie szarzało: dom, rodzice i przedmioty, z których można byłoby stworzyć potężną galerię materialnego absurdu.

Kręciłam się po mieszkaniu w poszukiwaniu minionego czasu. Zaglądałam do spiżarni, złakniona dawno zwietrzałych zapachów, przysiadałam na kuchennym taborecie, na którym kiwając się we wszystkie strony, opanowywałam sztukę wyciągania ości z ryb i wyrzucania pod stół makaronu z mlecznej zupy, który nasze kolejne psy i koty łapczywie pochłaniały, gdyż podobnie jak my były jaroszami. Na pewno myślały, że to kości.

Od mojego wyjazdu też niewiele się zmieniło. Tylko czas działał tu pod moją nieobecność, ze zdwojoną energią próbując zaprowadzić swoje bezlitosne zmiany. Zajął się głową mamy, fundując jej biały balejaż. Na twarz taty zarzucił sieć drobnych zmarszczek. Pokrzyżował kroki babce Broni i wszystkich ich jakoś dziwnie spowolnił. Ale czas nie miał wpływu na wszystko. Mój dom nadal był na niby, co odkryłam już w szkole podstawowej. Ta teoria, jako że trochę ryzykowna, stanowiła tajemnicę. Uznałam, że na niby bywają u nas ludzie i rzeczy: herbata udająca perfumy, dykta udająca ścianę, wuj udający dżentelmena, ojciec udający fachowca, mama udająca osobę niezwykle zajętą... Tylko pluskwy zawsze były prawdziwe. Jednak któregoś razu, gdy spacerowały nad łóżkiem rodziców i pięły się po ścianie w poszukiwaniu ofiary, doszłam do wniosku, że i one udają. Całkiem gustowną tapetę w czarne cętki.

Wuj niespodziewanie szybko opuścił areszt. Pojawił się w naszym domu w sobotę wieczorem, już od drzwi śpiewając: *Tylko mi ciebie brak, w tym więźniu...*

– Romuś! – Mama klasnęła w dłonie i pobiegła do kuchni po dodatkowe nakrycie.

Tatuś też się ucieszył. Zauważyłam, że nasza rodzinność najpełniej rozkwitała podczas powitań.

– Widzę, że w domu po staremu – zagaił wuj, patrząc z sympatią na butelkę. Gdy babka Bronia wypuściła go z trzęsących się objęć, usiadł ciężko przy stole, a ja pomyślałam, że i on bardzo się postarzał. Sczerniał i pokurczył.

– Zdziadziałeś. – Babka postawiła sprawę jasno.

– Samogonki mu nie podawali, to się i sponiewierał – przytaknął tatuś. – Bóg jeden wie, jak my byśmy wyglądali po takiej absencji.

– Abstynencji – poprawiłam i natychmiast pożałowałam. Cała radość tatusia wzięła w łeb.

– Tyle tych słówek człowiek zna, że już się pieprzą – bąknął na swoje usprawiedliwienie. – No, Romeczku, za szczęśliwy powrót!

Kieliszki powędrowały w górę, ale twarz wujka wcale nie wyrażała szczęścia, o którym wszyscy mówili.

– Skurwiłem się i podpisałem – oświadczył wujek, odstawiając kieliszek i przecierając brodę rękawem.

Tatuś spojrzał na wujka z troską.

– Że niby co podpisałeś? – Ton jego głosu zdradzał napięcie.

– Szpiclistę podpisałem. Jak ostatnia dziwka. – Wuj szybko wypił następny kieliszek i dopiero teraz śmielej na nas spojrzał.

– Romuś, jak ja twemu ojcu w oczy spojrzę? – Babka się przeżegnała.

– Mama da spokój. Przecież ojciec Romka już dawno nie żyje – uspokoił ją tata. – Ciężka sprawa. – Pokręcił głową i zaczął się przyglądać trochę podejrzliwie wujowi, jakby nagle szwagier wydał mu się obcym człowiekiem. – Niedobrze, Romuś. Bardzo niedobrze.

– Musiałem. – Wujek pocierał czoło palcami i trochę przypominał mi Tadeusza, gdy ten zastanawiał się nad sprawami wagi państwowej. – Ze względu na chłopaków i parę innych spraw musiałem.

– Ma się rozumieć, że musiałeś! – Ojciec szybko napełnił kieliszki. – Ostatecznie podpisać to jedno, a duszę sprzedać to drugie. – Ojciec szukał pocieszenia, ale nic mu nie przychodziło do głowy. – Chyba że... – powiedział nagle z błyskiem w oku.

– Że co? – podchwycił wuj.

Ojciec stał się całą jego nadzieją na odzyskanie zszarganej godności.

– Że będziesz... no, jakże to... pozorował.

– Znaczy się, jak pozorował? – Wuj poruszył się niespokojnie.

– Zwyczajnie. Podwójny agent! – Tata zauważył, że mama patrzy na niego z dumą, co dodało mu werwy. – Rozumiesz już? Tamtym mówisz to, co ci każą nasi. A potem mówisz naszym, co mówiłeś tamtym!

– Po co? – zdziwił się wuj. – Jeśli mam mówić tamtym, co każą nasi, to po co mam powtarzać naszym, co tamtym mówiłem?

– Oj, nie znasz ty się, szwagier, nic na polityce! – Tata aż się wziął pod boki. – Taki z ciebie agent jak z pani Barenko trąba.

– Chyba z koziej dupy? – wtrąciła mama.

– No właśnie. O tym mówię. Od czasu jak Barenkowa kradnie nam koty, inaczej się o niej nie wypowiem.

– To wytłumacz, Zdzisiu, jeszcze raz. – Wuj Roman znowu patrzył na tatę z szacunkiem jak w chwilach, gdy razem destylowali.

– Najpierw ustalisz z naszymi, że jesteś u tamtych, rozumiesz?

– Ale żadnych naszych nie znam...

– To poznasz. Więc najpierw poznasz naszych, potem im powiesz, że jesteś u tamtych...

– Tamci mają moją teczkę – powiedział wujek z lekką satysfakcją.

– Tym lepiej. Powiesz, że mają twoją teczkę, że gwałtem cię wzięli. Ale ty nie dziwka, żeby z własnej woli dupy dawać. Rozumiesz?

– Jakżeż nie! – obruszył się wuj. Chyba zaczynał żałować, że oddał się w ręce tatki.

– I poczekasz elegancko – kontynuował tata – aż nasi dadzą ci zadanie. Że, na ten przykład, ty doniesiesz na kogoś od tamtych. I tamci zajmą się tamtym, a nie naszym.

– Ale jak oni wszyscy mną się, kurwa, zajmą, to ja z pierdla do śmierci nie wyjdę! – Wuj był przybity. Podwójna gra zaczynała go przerażać, choć jej jeszcze nie podjął.

– Zdzisiu dobrze mówi – poparła zięcia babka. – Kłamiesz jak z nut. Ileż to roboty kłamać dla dobra własnego kraju! Twój ojciec...

– Ojciec to co innego. Przynajmniej wiedział, kto jest kto. A dzisiaj? Rano rozmawiasz z komuchem, a po południu garnituru nie zdąży zmienić, a prawiczek, jak się patrzy! U nas w kiciu taki jeden klawisz sam się w celi politycznej osadził. Powiedział, że wolność wybiera, i do celi!

Tatuś zakrztusił się ze śmiechu.
– A to dopiero! – Nie mógł wyjść z podziwu. – Popatrzcie – przemówił trochę filozoficznie – jak nam się czasy zmieniły. Wolność jest w więzieniu, a skurwysyństwo na wolności... W tym kraju tylko złodziej uczciwy.
– Dlatego Romuś cierpi. – Babka westchnęła współczująco. – Jakby nie był porządnym człowiekiem, toby pieniędzmi srał.
– Na wszelki wypadek zapisz się do rodzin katolickich – wtrąciła się mama. – Nie na darmo mówią, że jak masz księdza w rodzie...
– Pierdu, pierdu – przerwał jej tata. Nie lubił tego wątku ze względu na kleryka. – Zapisać to już go sami zapisali – przypomniał. – I też nie tam, gdzie trzeba.
– W tej sytuacji pozostaje tylko walczyć – podjęła decyzję babka Bronia.
– Otóż to! – zgodził się tata.
– Skoro tak, to trudno. Walcz, Romek. – Mama skapitulowała. – Od tego jeszcze nikt nie umarł – dodała, a wszyscy spojrzeli na nią ze zdziwieniem.

Jesień w ogrodzie pana Sybiduszki

Ilekroć przyjeżdżałam do domu, czekałam na odpowiedni moment, aby czmychnąć do ogrodu pana Sybiduszki. Szłam cienistą aleją starych buków, a potem polną drogą, sprawdzając z niepokojem, czy ostatnich podmiejskich łąk i starych pastwisk nie objęły w swe zachłanne posiadanie nowe osiedla. Peryferie, na których stał wciąż samotnie dom pana Sybiduszki, były na szczęście zbyt podmokłe i bagienne. Cieszyłam się jak dziecko, widząc, że nasz raj wciąż pozostaje poza urbanistyczną zachłannością. Jak to raj.

Najpierw wkradałam się do altany. Przed wyjazdem na studia żegnaliśmy się z ogrodem i wówczas Krzyś włożył klucz do dziupli starej wierzby.

– Gdy będziesz sama otwierała drzwi, pomyśl, że jesteśmy tu razem – mówił, delikatnie wyścielając dziuplę liśćmi. Spojrzał na mnie, a ja bardzo się wtedy zdziwiłam, że jego oczy wcale nie są niebieskie. Raczej granatowe. Jak ciężkie chmury, które przygoniły deszcz i na długo nad nami zawisły. Do altany wpadliśmy mokrzy i roześmiani. Pachnieliśmy wtedy oboje tym samym deszczem. Mieliśmy go pełne kieszenie i ręce. Był na włosach, przenikał nasze ubrania. Jak intruz, który jednak okazuje się kimś długo oczekiwanym.

Krzyś wydał mi się tamtego popołudnia też takim intruzem.

Gdy stary czajnik zabrał się do żmudnej pracy i zaczął podskakiwać na gazowej kuchence, poczułam, że nie miałabym nic przeciwko temu, aby usiadł bliżej niż zwykle na spróchniałej ławeczce przykrytej starą derką. Całkiem blisko. Mógłby też dotknąć mnie przemoczonym ramieniem. Nie wiem, jak miałby to zrobić. Czy przypadkowo, czy też wcale nie przypadkiem. Tak normalnie, jak się dotyka kogoś dobrze znanego. Zapamiętanego od początku do końca. Od spojrzenia po milczenie. Ale on siedział na końcu ławeczki i wpatrywał się w liszkę szukającą schronienia przed jego spojrzeniem. I nie podniósł wzroku. Bo gdyby to zrobił, musiałby zauważyć, że moje milczenie jest inne niż wszystkie wcześniejsze milczenia. Że jest w nim bardzo dużo słów. Takich, które długo czekały na swoją kolej. Miały jednak pecha. W tamtej minucie, należącej do liszki, zostały pominięte i niewysłuchane. Mniej ważne od pracowicie chowającego się stworzenia.

A potem przemówił czajnik obietnicą gorącej herbaty i z mojego milczenia nic już nie zostało. Poza żalem.

Podczas wizyt w altanie lubiłam czyścić czajnik. Zarastał jak ogród chwastem czasu. Polerowałam go rękawem kurtki i zastanawiałam się, co bym powiedziała, gdyby nagle wszedł tu Krzyś. Z żalem dochodziłam do wniosku, że nic. I wówczas zaczynałam się cieszyć, że Krzyś nie wejdzie. Że jest to absolutnie niemożliwe. A kiedy delikatnie skrzypiały drzwi, podnosiłam z uśmiechem wzrok znad czajnika, aby przywitać pana Sybiduszkę.

Był coraz niższy, jakby coś złego działo się z dumą, która od lat, niczym implant wewnętrznej mocy, prostowała jego przygarbioną sylwetkę.

– Jesteś – mówił cicho.

– Tak – odpowiadałam.

Siadał na derce. Obok. Przestawałam doprowadzać czajnik do porządku. Stawiałam na stoliku dwie z trudem domyte szklanki i w ciszy czekaliśmy na herbatę. Potem, gdy już dymiła przed nami i broniła wrzątkiem dostępu do siebie, pan Sybiduszka wyciągał zza pazuchy dużą kopertę. Był w niej zawsze ostatni list od Krzysia. Z rysunkami lub kolorowymi zdjęciami.

Pan Sybiduszka podawał mi list, a ja go głośno czytałam. Krzyś nie potrafił pisać o sobie. Pisał o nas. O panu Sybiduszce i o mnie. Chciał wiedzieć, czy pan Sybiduszka nosi szalik, który mu przysłał na święta, czy bierze leki, te na reumatyzm, bo sposób użycia jest po francusku, ale ja mogę to przetłumaczyć. Albo zastanawiał się, czy pamiętam o brzózce, którą przeszczepił w dniu moich urodzin. Był ciekawy, jak rośnie i czy nie przeszkadza jej krzak bzu słynący z bezczelności. A na końcu... na końcu pytał, czy w raju już jesień.

Potem oglądaliśmy rysunki. Były na nich różne małe pejzaże. Trochę smutne. Smutniejsze od altany i od naszych drzew przygotowujących się do zimy. Piliśmy z panem Sybiduszką wystygłą herbatę. A kiedy robiło się nieznośnie zimno, sięgałam po klucz i zamykałam altanę. Wracaliśmy w stronę domu wolno. Lubiłam brać pana Sybiduszkę pod rękę. Początkowo bardzo go to krępowało, ale im częściej wracaliśmy razem z ogrodu, tym łatwiej przystawał na ten gest. Szliśmy wolniutko, zanurzając oczy w barwnym przekwitaniu raju. Jakbyśmy pragnęli w feerii jesiennych kolorów napotkać cień Krzysia.

On tu wróci, moja panno – zdawały się mówić spojrzenia staruszka wędrujące ponad moją głowę. W kierunku spokojnego dymu wysyłającego w niebo magiczne znaki.

On tu wróci.

Erka

Kolejny rok studiów rozpoczęłam od wyprowadzki ze sztabu rewolucyjnego. Spakowałam swój skromny dobytek. Zostawiłam tylko pustą butelkę z żółtą wiśnią udającą w tej ponurej garsonierze pusty wazon. Ów wazon uświadomił mi dobitniej niż wspólne miesiące, że Tadeusz nie przyniósł nawet złamanego floksa na dowód łączących nas uczuć. Wuj Roman też był cynikiem, ale przynajmniej szanował swoje kobiety, pomyślałam ponuro, wtykając do butelki solidarnościową chorągiewkę. Na pożegnanie.

Pokój dwuosobowy, jaki przypadł mi w udziale, okazał się w zasadzie jedynką, gdyż zamieszkała ze mną Erka.

Erka nazywała się naprawdę Violetta Trzmiel i trochę przypominała panią Elwirę. Miała równie imponujące melony. Miała też kłopoty z nauką. Do jej niepospolitych zalet należała dobroć, a konkretnie ten rodzaj dobroci, z jakim przychodzi się na świat. Nieprzefiltrowany przez systemy, doświadczenia. Niezmieniony wskutek procesu dojrzewania i dorastania. Dobroć Violetty pozostawała pięknym pierwotnym tworem istoty czystej duchowo i zdolnej do największych poświęceń, na jakie stać kobietę.

Poza naszymi kolegami z akademików nikt w zasadzie nie odwoływał się do jej dobroci. Z tego powodu swą zdolnością miłowania bliźniego Violetta Trzmiel objęła początkowo tylko najbliższe otoczenie. Trzy piętra akademika, w którym mieszkałyśmy. Jednak z czasem, gdy jej sława wyszła poza nasz dom studenta, Erka zmuszona była działać w obrębie całego miasteczka studenckiego. Patrzyłam z niepokojem, jak spełniając swą trudną misję, pogrąża się w zmęczeniu. Z drugiej jednak strony mogłam się do woli cieszyć samotnością, tak mi potrzebną po trudnym czasie konspiracji.

– O Jezu, jak ja lubię się pieprzyć – wyznała Erka, gdy pierwszego dnia stanęła na progu naszego pokoju z walizeczką w ręce. – A ty? – Zatopiła we mnie niebieskie oczy.

– Umiarkowanie – odpowiedziałam na wszelki wypadek.

– O Jezu! Musiałaś mieć złe doświadczenia! – Załamała ręce.

Na szczęście nie interesowało jej moje życie erotyczne. Miała własne. Niezwykle bujne i stanowiące temat nieprzerwanych opowieści. Swoimi przygodami Erka mogłaby obdzielić parę żeńskich szkół. Zdumiewała mnie. Jeszcze nie zdążyła wyjąć z torby swych fikuśnych majtek, a już łomot do drzwi wzywał ją do telefonu.

– O Jezu, wszędzie mnie znajdą – szepnęła, wstydliwie opuszczając rzęsy na swe różowe policzki. – Taki Bartek z politologii przeżywa zawód miłosny. Muszę się nim zająć. Gdyby dzwonił Jarek, powiedz mu... albo nie! Tylko zapisz, kto dzwonił, dobra?

Violetta ćwierkała jak wróbelek cieniutkim głosikiem i bez przerwy manipulowała przy okazałym dekolcie. Polała się jakąś wodą. Zrobiła łapką słodkie pa, pa i tyle ją widziałam.

– Mieszkasz z Erką? – zdziwiła się Hanka, która wpadła po książkę do niemieckiego i o mały włos nie została staranowana przez opuszczające pokój melony. – Już popędziła! – Hanka uśmiechnęła się pod nosem.

– Dlaczego Erką?

– Nie wiesz?

– Skąd mogę wiedzieć?

Wzruszyła ramionami.

– Wszyscy wiedzą.

Zabrała z sobą książkę i tajemnicę poliszynela dotyczącą Violetty Trzmiel. Trudno. Ostatecznie różnie mówi się o ludziach. O moim wuju mówiono w mieście Fantomas i nic z tego nie wynikało.

Szybko jednak się przekonałam, że Erka słusznie zapracowała na swój medyczny pseudonim. Zanotowałam siedem telefonów w ciągu kilku godzin. Na kartce zebrałam imponujący kalendarz męskich imion i wręczyłam te notatki Violetcie. Przyszła wygnieciona, spracowana, ale szczęśliwa.

– O Jezu! Nie! – Zatrzepotała rzęsami. – Czy oni myślą, że ja jestem erka i wszędzie dojadę? Mogę pomóc jednemu, dwóm, góra trzem dziennie, ale przecież nie jestem jakaś kurwa, żeby pół miasta obsługiwać!

Nauczyłam się żyć z Erką wygodnie i bezstresowo. Pod jej pracowitą nieobecność wywieszałam kartkę z oświadczeniem „Nie ma", co położyło kres łomotom do drzwi. Erka szanowała nasze wspólne terytorium i nigdy nie przychodziła do akademika ze swoimi „nieszczęśnikami", jak czule o nich mówiła.

Któregoś razu zapytała mnie, czy nie zechciałabym jej pomóc, bo ma od cholery zleceń, a dupę, jak się wyraziła, tylko jedną.

– O Jezu, jak by fajnie było nam razem – westchnęła zmartwiona moją odmową.

– Może kiedy indziej – rzuciłam pocieszająco. – Do tego trzeba mieć jakieś... predylekcje – starałam się Erki nie urazić, gdyż jej wrażliwość na to wcale nie zasługiwała.

– Coś ty! – Machnęła lekceważąco ręką. – Nic nie trzeba mieć. Jak lubisz się pieprzyć, to wystarczy... O Jezu, wcale nie! – wykrzyknęła nagle odkrywczo. – Bo wiesz, ja tak sobie myślę, że mam orgazm tylko wtedy, jak czuję, że komuś pomogłam.

– No widzisz. – Westchnęłam z udawaną rozpaczą. – Trzeba się do tego urodzić.

– O Jezu! To prawda! – Klasnęła ucieszona w dłonie. – Taki dostałam dar! Jak pomyślę, że biedna prostytutka pracuje bez przyjemności, bierze kasę za to, co mogłoby być czystą sztuką, to tak mi tych upadłych kobiet szkoda... Co jak co, ale prostytutką nie mogłabym nigdy zostać – dodała z głębokim przekonaniem, chowając szminkę do kieszeni i pudrując nosek.

Mieszkania z Erką zazdrościli mi tylko faceci, a zwłaszcza Józik podglądacz. Erka była jedyną dziewczyną, od której nie obrywał drzwiami, gdy jego oczy zabłądziły pod damski prysznic.

Któregoś razu powiedziała mi w tajemnicy, że na widok tego jąkały, klęczącego w upokarzającej pozie pod prysznicowymi drzwiami, celowo staje tak, aby mógł do woli napatrzeć się na jej piersi. W końcu dostała je od Boga po to, by radować bliźniego swego.

– Wszystko dostajemy w jakimś celu – tłumaczyła mi przy kolacji. – Ja dostałam ciało, żeby się nim dzielić.

– Z każdym? – To jedno nie dawało mi spokoju.

– Z każdym, kto nie jest kanibalem! – Uśmiechnęła się radośnie. – Boby dla innych mnie nie starczyło!

– Jak ty to wytrzymujesz? – zapytała mnie Hanka w kolejce po obiad.

– Zapytaj raczej Erkę, jak ona to wytrzymuje! – Nie kryłam podziwu dla naszej koleżanki. – Pamiętasz szkolne wykopki? To najcięższa praca, jaką wykonywałam, a przy harówie Erki wydaje się prawdziwym relaksem.

Wykopki... Wracałam z nich wycieńczona i mokra, targając w siatce ziemniaki, z których babka Bronia robiła pyszne placki. Te przymusowe roboty w polu trwały tydzień. Tyrałam, żeby dostać jak najwięcej ziemniaków, które były jedyną zapłatą. A gdy obierałam je na kolację, aby przeobraziły się w zapiekane talarki, cieniutko oddzielałam brudną skórkę od żółtego kartofla. I z żalem wyrzucałam ją do wiadra na odpadki. Nawet to, że skórkę zjedzą podwórzowe kury, nie było pocieszeniem. Bo ta skórka też należała do mnie. Zapracowałam na nią zdrętwiałymi ze zmęczenia palcami, więc była nie mniej ważna od głównego dania, apetycznie rumieniącego się na patelni. I ten głos wychowawczyni, uderzający w moje pochylone plecy.

– Staraj się, Pietkiewiczówna, staraj! Masz rodzinę na utrzymaniu...

Wieczorem zrobiłam placki ziemniaczane i opowiedziałam Erce o wykopkach. Posypywała placki cukrem, patrząc na mnie ze szczerym podziwem.

– O Jezu! – Tańczyły jej rzęsy. – Ja tobym od takiej pracy chyba umarła! Ja nawet się nie nadaję do robienia placków. Ale cóż – podniosła na mnie błękitne oczy – mam inny talent. – I wbiła białe ząbki w chrupiący przysmak.

Patrzyłam, jak delikatnieje. Pomyślałam, że Erka jest pierwszą spotkaną przeze mnie dziewczyną, która nigdy nie zaznała uczucia głodu. W jej zmysłowych oczach zawsze polegiwał przesyt życia. Ona sama też poruszała się z jakimś leniwym, kocim wdziękiem, z którego emanowało spełnienie.

Kobiety w mojej rodzinie były inne. Babka Bronia zaprzeczała swym wyglądem niegdysiejszej urodzie. Mama próbowała się wdzięczyć, ale te jej zabiegi przypominały tylko, że w kokietowaniu też jest nieporadna. A ja, gdyby uwierzyć Tadeuszowi, schowałam swoją płciowość na jakąś czarną godzinę.

Chyba pozazdrościłam Erce niecierpliwie spoglądającej na zegarek. Jeszcze przeżuwała ostatni kęs, a już myślami była w swym erotycznym sanatorium.

– O Jezu! On jest fajny! – chwaliła piegowatego napastnika z naszej piłkarskiej drużyny, dla którego porzucała mnie i nasz pokój przesiąknięty zapachem oleju. – I wszędzie ma rude włosy. Mówię ci! Bomba! – Roześmiała się, wycierając ręką przyklejony do policzków cukier.

Sylwester

Bruce Lee zaprosił mnie na sylwestra. Był najbardziej umięśnionym studentem pedagogiki, ponieważ ćwiczył boks. Bardzo się wzruszał na filmach animowanych i uwielbiał komiksy. Nazwano go tak, bo pobił wszelkie rekordy oglądalności filmu ze swoim ulubionym bohaterem.

Bruce namiętnie szukał żony z grupą krwi Rh minus. Kiedyś Cyganka wywróżyła mu szczęście tylko z taką grupą w małżeńskim łożu. W czasie gdy wróżyła, inna Cyganka okradła willę jego rodziców. W sądzie okazało się, że Cyganki były fałszywe, w przeciwieństwie do dolarów, które jego ojciec przywoził z rejsów. Ale to nie zmieniło stosunku Bruce'a do wróżby.

– Wróżba jest wróżba – powtarzał uparcie i od tego czasu przestał kobietom zaglądać w oczy czy pod spódnice. Interesowały go wyłącznie książeczki zdrowia albo zaświadczenia ze stacji krwiodawstwa.

– Szkoda, że masz plusa – wzdychał rozwalony na moim łóżku. Był już zmęczony poszukiwaniami i bliski pójścia na kompromis z jakąś pośledniejszą krwią. Obawiałam się jego wampirycznych uczuć i doradzałam, by jednak kierował się przeznaczeniem.

Na karate wcale się nie znał, ale skrycie marzył, by uprawiać żużel. Tak często chodził na zawody, że przesiąkł zapachem wypalonego toru i rozgrzanej gumy.

– To dlaczego nie wstąpisz do klubu? – pytałam, gdy podziwialiśmy treningi motorowe.

– Jestem za duży na siodełko – skarżył się basem, nie tracąc przy tym chłopięcego uroku.

– Do sylwestra nic nie znajdę – westchnął niedawno. „Nic" odnosiło się do wspomnianego minusa, któremu Bruce stawiał jeden warunek: miał być miły. – Może pobawimy się razem? – zapytał z wątpliwą nadzieją.

Był przyzwyczajony do kategorycznej odmowy. Dziewczyny tak naprawdę nie wiedziały, czy Bruce w ogóle tańczy. Wrodzona nieśmiałość przetrzymywała go przy piwach, po których pierwszy taniec stawał się ostatnim. W dodatku partnerki wymykały mu się z rąk. Nie to, że trafiały w inne ramiona. Lądowały na parkiecie, gdy Bruce w ferworze tańca tracił je z oczu po swoim śmiałym akrobatycznym zawijasie.

Obiecałam Bruce'owi, że się pobawimy. Jego taneczny pech wcale mnie nie przerażał. Rzucał przecież kobietami nie inaczej niż żołnierze z naszego garnizonu, a był sympatyczniejszy od całego pułku.

Spojrzał na mnie z czułością.

– Gdybyś ty się jeszcze zgodziła na transfuzję – szepnął zachwycony.

Zima skutecznie mroziła akademicki zapał do pracy i miłości. Trwaliśmy w wygodnym lenistwie, rozsmakowując się tym, na co starczało pieniędzy i energii. Jeśli starczało energii na pracę, to mieliśmy pieniądze ułatwiające integrację w zadymionych pokojach.

Poza Erką, która integrowała się charytatywnie na własną rękę, mieszkańcy naszego piętra we wszystkie soboty niepokojąco ocierali się o nałóg alkoholowy lub jego skutki. My, kobiety z akademika, wykazywałyśmy większą wstrzemięźliwość, gdy na stół trafiała tania wódka z meliny. Ale już jej mała ilość doprowadzała nas do miłosnych euforii, które następnego dnia, wygrzebane z pijanej jeszcze pamięci, zmuszały do żmudnej pokuty w pobliskim kościele.

– Rozzzpusta i grzech! – wrzeszczał z ambony nasz duszpasterz.

Kiwałyśmy zgodnie tlenionymi głowami.

– Szatan jest tam, gdzie się o niego dba!

Bez wątpienia mieszkał w naszych ciasnych pokojach. I pod prysznicami. A nawet w ciemni fotograficznej, do której klucz miała Zośka ze studia radiowego i chętnie go pożyczała potrzebującym. Ja po cichu uważałam, że szatan wciela się najchętniej w Józika podglądacza.

– A te, co są bez winy, niech spojrzą mi w twarz! – rozkazywał kapelan, a my opuszczałyśmy głowy najniżej, jak się dało.

Na szczęście ojciec Bernard tylko domyślał się rozlicznych przewinień. Podpowiadała mu je kapłańska intuicja węsząca grzech, zanim ten nastąpił. Bo gdyby ojciec wiedział o wszystkich radościach płynących mocną strugą erotycznych rozkoszy i ekstatycznych wzlotów i o haniebnych upadkach naszych sobotnich obyczajów, zamknąłby przed naszymi farbowanymi głowami drzwi świątyni. I pierwszy rzucił kamieniem.

Paradoksalnie to właśnie nasza głęboka religijność, nie grzech, sprawiła, że pewnego dnia staliśmy się najbiedniejszymi studentami w mieście.

Zanim do tego doszło, włożyłam na sylwestrowe szaleństwo karminową sukienkę pożyczoną od Erki. Karminową, aby Brucc Lee nie stracił mnie z pijanych oczu. Wieczór zapowiadał się radośnie. Studencki klub tętnił noworoczną atmosferą, a stoły, dzięki dużej ilości butelek, przypominały kredens w moim domu. Bez wahania oceniłam ten klimat jako rodzinny i zrobiłam wszystko, by Bruce także odczuł familijny nastrój. Gdy był już dostatecznie wstawiony i porzucił swą wrodzoną wstydliwość, ruszyliśmy na parkiet. Okazałam się szczególnym rywalem Bruce'a. Choć nieświadomie robił wszystko, bym podzieliła los jego poprzednich partnerek, ja mocno trzymałam się na nogach.

I gdybyśmy na tym poprzestali, gdyby pycha nie skłoniła nas do nadmiernej akrobacji, Bruce mógłby przeżyć przełomową noc, która ukryłaby w sylwestrowej ciemności dawne nieszczęścia pechowego dansera. Ale nadeszła chwila, gdy Bruce Lee z witalnym okrzykiem na ustach zakręcił mną młynka i posłał w rozbawiony tłum. Zanim wróciłam, pomyłkowo przechwycił inną pannę. Również w karminowej sukience. Nie znając tanecznych kroków garnizonowych, szybko wpadła pod nogi tańczących, a z jej karminowej sukienki, niczym królik z kapelusza, wyskoczyła dorodna pierś.

Ta krągła niespodzianka zebrała sute oklaski od męskiej publiczności. Panowie byli zachwyceni. Poza aktualnym właścicielem piersi. Nieprawym wielce człowiekiem okazał się partner panny „naga pierś", Robert z AWF-u. Niewiele myśląc, powalił Bruce'a jednym ciosem, po którym nieszczęśnik, pomimo naszych zaklęć i nalegań, nie chciał oprzytomnieć.

Karetka w rekordowym tempie dotarła do pobliskiej kliniki, a my spędziliśmy resztę nocy na szpitalnym korytarzu. Bruce jednak nie potrzebował nas, tylko dobrego chirurga i krwi. Następnego dnia stawiliśmy się liczną grupą, zaopatrzeni w mocne żyły i życiodajny płyn.

Od tamtej sprawy Hanka częściej wpadała do mojego pokoju. W rozmowach tak często wracała do szpitalnego łóżka i Bruce'a, że poczułam się w obowiązku udzielić jej przestrogi.

– Pamiętaj, tylko ujemne Rh. – Westchnęłam.

– Oddałam dla niego krew – przypomniała z uśmiechem.

– Wszyscy oddaliśmy. To nie wystarczy. – Znów westchnęłam, bo ładna byłaby z nich para.

– Przy okazji ją zbadali, tę krew – dodała. – No i ja mam Rh ujemne. – Podniosła na mnie rozświetlone oczy.

Zbliżał się czas kolędy, na którą do akademika przychodził ojciec Bernard. A tym razem czekała nas niespodzianka. Podwójna. Zawitał młody misjonarz, sympatyczny ojciec Jan. Człowiek wyjątkowej postury i umysłu. Nikt go nie znał i on nikogo. Otoczony dorodnymi ministrantami, prezentował się witalnie i zdrowo. Z aprobatą szeptaliśmy, że tak chyba wygląda odnowa Kościoła. Niejedna z nas uczestniczyła w tym spotkaniu z grzesznym pragnieniem małego *tête-à-tête*. Choćby z ministrantem.

Zebraliśmy się w sali telewizyjnej, aby wysłuchać opowieści z dalekiej Afryki. Ojciec Jan mówił pięknie i tak uroczo nadużywał określenia „kurdefrak", że zaczęliśmy je przyjmować ze śmiechem i nagradzać ciepłymi oklaskami. Tylko nasz Komba z Zairu wlepiał w ojca swe białe gałki oczne, jakby wciąż miał problemy z językiem polskim. Nie sądziłam, że Murzyni są aż tak nieufni. Ale Komba od niedawna był członkiem naszej wspólnoty i gdy przychodził ze swą białą żoną do kościoła, też patrzono na nich z wielką nieufnością. Wszyscy odruchowo się żegnali. Od ojca Jana dostaliśmy obrazki, których poczciwy Bernard zawsze nam żałował.

Wzruszeni i oczyszczeni rozchodziliśmy się z kolędową nutą. Ale po paru chwilach pieśń na naszych ustach zamarła, a jej miejsce zajął potok pośpiesznie wyrzucanych przekleństw. Nasze pokoje opustoszały. Znikły kalkulatory, telewizory i radia. Rozpłynęły się kosmetyki i trzymany w szafach alkohol. Przepadły zapasy papierosów składanych na czarną godzinę. Nie mogliśmy znaleźć pieniędzy i portfeli z dokumentami.

– Szatan przychodzi pod różnymi postaciami! – grzmiał na mszy ojciec Bernard, ubolewając nad naszą naiwnością niegodną indeksu studenta. – I nie ma dla niego żadnych przeszkód! Poza wiarą – dodawał ciszej, co brzmiało niezwykle efektownie. – Dlatego módlmy się – zachęcał – aby nie miał do was dostępu. Wczoraj zabrał złotego cielca. Jutro sięgnie po wasze dusze!

– A ja go, Jana, z wielką uwagą wtedy słuchać – mówił rozgoryczony Komba, kiedy zbiorowo topiliśmy smutek w czystej żytniej – i takiej Afryki, gdzie on był, ja nigdy nie byłem. Mój ojciec też nie byłem. Ani braty.

– Że niby co? – Podnieśliśmy na niego pełne rozgoryczenia oczy.

– No, że on opowiada o Afryka... jak to się mówi... chujowo, nie?

– Chujowo – zgodziliśmy się, nie patrząc na Kombę, który pieszczotliwie tulił w swoich czerwonych wargach kolejny klejnot z bogatej kolekcji polszczyzny, jaki otrzymał niedawno od nas w prezencie. – Chujowo – szeptał z zachwytem, szczerząc białe kły.

Jodyna na klatce z piersiami

Trzeci rok studiów zaowocował ślubem Hanki z Bruce'em Lee. Ojciec Bernard, zanim połączył ich dozgonnym węzłem, wyzwał nas na wszelki wypadek od łajdaków, a przed parą młodą uchylił rąbka tajemnicy co do piekielnych czeluści gotowych otworzyć się przed małżonkami na wypadek, gdyby zwlekali z wypełnieniem rodzicielskiego obowiązku. Idiota widział, że obowiązek rodzicielski został dawno spełniony. Sukienka Hanki ze specjalnym karczkiem pękała w szwach, jakby ukrywała pod beżową halką parę ślicznych bliźniaków. Jednak ojciec Bernard zawsze zawieszał oczy na sklepieniu świątyni, zbliżając się w ten sposób do Boga, a oddalając od naszych ziemskich spraw.

Chcieliśmy szczęśliwców obsypać ryżem, ale ryżu nie rzucili, więc i my nie mieliśmy czym rzucić.

Hanka była szczęśliwa. Bruce bardzo szybko odkrył tajone dotąd zalety idealnego męża i niejedna klęła na czym świat stoi z powodu swej hematologicznej ułomności.

W czasie miłosnych wzlotów Hanki i upadków Erki moje serce zachowało postawę na baczność, niczym stary kapral. Sądzę, że duży wpływ na tę uczuciową pustkę miał obowiązek kolejnej służby wojskowej, tym razem objętej programem studiów. W każdy poniedziałek wstawałam z ciężkim bólem głowy, aby zameldować się z zeszytem sześćdziesięciokartkowym zamykanym na plombę przed panem pułkownikiem, szefem naszego studium.

Były to zajęcia szczególnego rodzaju. I jeśli dotąd wydawało mi się, że stacjonujący w naszym miasteczku garnizon przyzwyczaił mnie do oblicza koszar, to w każdy poniedziałek dochodziłam do wniosku, że nie przyzwyczaił. Dopiero rok ćwiczeń i wykładów dał mi pełny obraz możliwości, jakie przed cywilem skrywał zmilitaryzowany świat.

Pan pułkownik już na pierwszych zajęciach, gdy bawiłam się peryskopem, zauważył, że zasługuję na szczególną uwagę.

– Studentka Pietkiewicz proszona jest o nietykanie eksponatu – powiedział, przyglądając mi się podejrzliwie.

– Ja nie tykam, panie pułkowniku. – Moja niesforna ręka powędrowała do kieszeni.

– W tej chwili nie, ale tykała studentka.

– Tak jest, panie pułkowniku, ale tykałam, kiedy nie wiedziałam, że się nie tyka.

– Generalnie niczego nie tykamy, co stanowi eksponat. Eksponat ma za zadanie wszechstronnie ukazywać przedmiot, pod różnym kątem i z różnych punktów widzenia. Zanotować! – wydał rozkaz i zaszeleściły sześćdziesięciokartkowe zeszyty z plombą.

– Studentka Pietkiewicz także notuje – stwierdził pułkownik rzecz niezgodną z prawdą.

– Jeszcze nie – sprostowałam. Szukałam rozpaczliwie w torbie swojego kajetu.

– Właśnie mówię, że nie notuje. – Pułkownik panował nad swym głosem jak dobry dowódca nad krnąbrnym żołnierzem.

– Przeciwnie. Pan pułkownik był uprzejmy zauważyć, że notuję, a ja nie notuję. A przy okazji wyjaśniam, że mój wojskowy zeszyt padł ofiarą złodzieja tramwajowego i to jest powód mojego nienotowania.

– Studentka Pietkiewicz przepisze definicję eksponatu sześćdziesiąt razy. Trzydzieści definicji kolorem zielonym. Trzydzieści czarnym. Koniec zajęć.

Opuszczałam co tydzień studium wojskowe odprowadzana pełnymi współczucia spojrzeniami koleżanek. Bliższa znajomość z pułkownikiem Dąbrówką mogła oznaczać tylko kłopoty.

Dąbrówka prześladował mnie nawet na niewinnych ćwiczeniach z oc.

– Studentka Pietkiewicz źle bandażuje klatkę z piersiami – triumfował, gdy ślamazarnie układałam materiał opatrunkowy w jodełkę. – Studentce Pietkiewicz słowo „jodyna" nic nie mówi na temat środka dezynfekcji. Oznacza to, że studentka Pietkiewicz w przypadku ataku agresora nie zdoła udzielić pierwszej pomocy.

Za jodynę również groziła mi dwója, więc próbowałam polemizować z pułkownikiem.

– Skoro atak agresora ma być powietrzny, jak pan pułkownik zakłada, i atomowy, to żadna z nas nie zdąży z butelką jodyny dotrzeć do obywatela żołnierza – oświadczyłam przytomnie.

– W dodatku studentka donosi na koleżanki studentki. Bardzo nieładnie – wykrzywił się w pogardzie pułkownik i jeszcze bardziej zmniejszył moją średnią, co i tak było bez znaczenia.

Woźny ze studium wojskowego, którego na początku roku poczęstowałam kieliszeczkiem tatusinej samogonki, patrzył na mnie z wielką troską.

– Niech panienka lepiej zamilknie i niczego nie dotyka – doradził przyjaźnie.

Tak też zrobiłam. Nadaremnie pułkownik Dąbrówka wzywał mnie do tablicy, gdzie miałam wypowiedzieć się na temat naboju ze spłonką specjalną. Zignorowałam także pytanie o poprawkę na wiatr. Siedziałam sztywno w ławce, gdy nerwowo dopytywał o odrzut zamka półswobodnego. Oho!, myślałam z przebiegłą satysfakcją – nie ze mną te numery, Brunner! Zachowałam zimny spokój, jaki Dąbrówka nam zalecał w przypadku napaści Amerykanów, których szczególnie nie lubił.

Po tych zajęciach woźny ze smutkiem prowadził mnie do szefa studium. Szef był prototypem Dąbrówki, więc nic obiecywałam sobie wiele po tej rozmowie. I słusznie. Prototyp próbował wymusić na mnie oświadczenie, że jestem opozycyjnie nastawiona do Wojska Polskiego. Nie było to prawdą, choć w dziedzinie nawiązywania bliskich kontaktów z garnizonem w naszym mieście nie miałam takich osiągnięć jak Opona czy inne dziewczyny.

– Informuję studentkę Pietkiewicz – powiedział uroczyście prototyp, patrząc na portret generała Maczka – że studentka zostanie poddana egzaminowi komisyjnemu w terminie ustalonym przez podległe mi jednostki.

– Wojskowe? – zapytałam z przestrachem.

– Administracyjne – odrzekł krótko i sztywno przysiadł na fotelu. – Odmaszerować – rzucił w stronę Maczka, który ani drgnął.

Cicho zamknęłam za sobą drzwi, po raz pierwszy pełna obaw, że nigdy nie skończę studiów. Zginę na tej wojnie, i tyle...

Pamiętam upalny maj, który jednostki administracyjne pułkownika uczyniły miesiącem mojej kaźni. Wszystkie dziewczyny spalały się na złoty brąz, smarując gołe ciała masłem kokosowym. Dach naszego akademika zamienił się w naturystyczny raj, a ja siedziałam nad notatkami z wykładów Dąbrówki i nie rozumiałam żadnego z nich. Można mieć problem z jakimś wycinkiem wiedzy, spekulowałam. Ale nigdy wcześniej nie miałam do czynienia z grupą słów, które się wzajemnie wykluczały.

– Improwizuj – poradziła mi Hanka, widząc, że przegrałam z Dąbrówką.

W gabinecie serdecznie przywitał mnie tylko generał Maczek. W zalakowanej kopercie otrzymałam karę śmierci. Mimo to postanowiłam walczyć. Do krwi ostatniej, jak by powiedziała babka Bronia.

– Studentka Pietkiewicz ma rozkaz wykazać się wiedzą z dziejów oręża polskiego – zarecytował Dąbrówka.

„Relacja z bitwy miłosławskiej" – przeczytałam z przerażeniem temat z zalakowanej białej koperty. Pomyślałam, że rozkaz jest zaszyfrowany, bo co może wiedzieć student psychologii o bitwie miłosławskiej. Do odpowiedzi zmobilizował mnie zwycięski uśmiech Dąbrówki, który moje milczenie niesłusznie uznał za akt oddania się w ręce wroga.

– To był piękny wiosenny poranek – rozpoczęłam. – Nad cichymi polskimi wioskami unosił się delikatny śpiew skowronków. Pachniało spokojem i ciszą. Ale po tym subtelnym preludium natury niczego niepodejrzewającej, jakże przyjaznej i okupantowi, i obrońcy, nastąpiło nagłe starcie. Wróg zaatakował znienacka. Była 10.24, gdy pierwsze odgłosy walki dotarły do uśpionych chat. Adiutant piechoty polskiej przeprawiał się w tym czasie przez las, by dotrzeć do swoich. Las był iglasty i co rusz nisko zwisające gałęzie zadawały mu niewysłowiony ból. Miał dalsze dyrektywy i ustalenia dotyczące przeciwnatarcia. Jednak na jego drodze pojawił się szwadron kawalerii...

– Pruskiej! – wykrzyknął rozpłomieniony Dąbrówka.

– ...Pruskiej – zgodziłam się grobowym głosem. – Adiutant mógł się ukryć z ludźmi w pobliskim lesie. Straciłby jednak bezcenny czas. Nasi czekali, a świadomość, że cios zadany Prusakom może stać się alertem do walki, sprawił, że decyzja adiutanta była inna. Postanowił się przedrzeć przez ogień wroga. Dochodziła 11.45. Dokładnie nie wiadomo, w jaki sposób dobre nowiny dotarły do adiutanta... Nazywał się chyba... Wiernicki. Tak! Do adiutanta Wiernickiego. Szala zwycięstwa przechyliła się w tym czasie już wyraźnie na polską stronę. O 12.53 nasi strzelcy mogli się upajać pierwszą wygraną potyczką. Prusak przerażony ogniem i bojowością polskich żołnierzy drętwiał w swym źle skrojonym mundurze. Pruski trup słał się gęsto niczym martwy liść. Od południowego zachodu wschodziła świetlista łuna pożogi. Paliła się również północna ściana pobliskiego lasu. To ona zdawała się utrudniać odwrót, który sztab pruski planował pośpiesznie i bezładnie. W obozie polskim triumfowano. Wiernicki spojrzał na zegarek. Dochodziła 13.20. Mocne słońce nie ułatwiało ani marszu, ani bitwy. Nasi bohaterowie nieśmiało sięgali po termosy...

– Manierki! – zaprotestował Dąbrówka.

– Manierki. – Spojrzałam z wdzięcznością w jego stronę. – Ta bitwa wciąż jest dla mnie wielkim przeżyciem – szepnęłam na swoje usprawiedliwienie, a pułkownicy w milczeniu pochylili głowy.

Była 13.30. Pomyślałam, że to odpowiednia pora, aby wypić wielki kufel piwa. Za zdrowie woźnego, armii polskiej i pruskiej. Za walkę zbrojną o postęp społeczny i za profesora Wiedermeiera. W kieszeni radośnie podrygiwał mój indeks i słońce stało odpowiednio wysoko, by cieszyć się życiem.

A swoją drogą ciekawe, czy profesor wie, gdzie te potyczki miłosławskie stoczono i jaki miały przebieg. Muszę go o to koniecznie zapytać, pomyślałam.

Moja mała prywatna rewolucja

Amatorów wspólnej jazdy tramwajem było więcej, niż sądziłam. Polityczne uwarunkowania, w jakich rozwijała się moja konspiracyjna miłość, zdecydowały o zniewoleniu uczuć, które teraz, z pierwszą wolną wiosną, wystrzeliły niczym sławetna „Aurora" na znak rewolucyjnych zmian.

Tę prywatną rewolucję rozpoczęłam od wizyty u ginekologa i u fryzjera. Pierwszy sprawił, że mogłam bez obaw rzucić się w wir miłosnych przemian. Drugi definitywnie odciął mnie od *emploi* dziewczyny zamachowca. Bezlitośnie usunął mysie ogonki i radykalnie postrzępił grzywkę, nadając jej nową, godową barwę. Przyśpieszona przemiana z szarej myszki w dorodną lwicę w dużym stopniu zachwiała dotychczasową wiarą doktora Cezarego Żyraka w wielowiekowy łańcuch ewolucji. Dał temu wyraz w uniwersyteckiej kawiarence, pytając mnie mało inteligentnie, czy ja to ja.

– Owszem, ja – odpowiedziałam nie swoim głosem. Doktor Żyrak, nocami i dniami zgłębiający dewiacje ludzkiej natury, która interesowała go wyłącznie naukowo, najwyraźniej na moment zapomniał o celu swych dociekań, chłonąc moją zewnętrzność. Było w tym chłonięciu także coś naukowego, ponieważ doktor chłonął z szeroko otwartymi ustami.

Ładnie chłonie, uznałam. Obiecałam sobie dać następnym razem fryzjerowi napiwek. Uwaga doktora przenosiła się powoli ze mnie na organizację sesji naukowej poświęconej seryjnym mordercom.

– Musimy im stworzyć jak najlepsze warunki – mówił o zaproszonych z odczytami gościach, a ja uśmiechnęłam się, przekornie odnosząc troskę doktora do morderców. – Zajmę się osobiście sprawami finansowymi, a pani z kolegą Wojtaszewskim dopilnują, aby niczego im nie brakowało.

Wyobraziłam sobie morderców siedzących na Wojtaszewskiego i moich kolanach, umorusanych czekoladą i trzymających w mocnych łapach stalowe siekierki.

– Oczywiście – odpowiedziałam z powagą. – Niczego im nie zabraknie.

Nie pierwszy raz miałam się zająć niewdzięczną pracą konferencyjnego anioła. Wojtaszewski po mistrzowsku spijał piankę organizacyjnych sukcesów, nie robiąc nic poza nawiązywaniem bliższych stosunków z utytułowaną czołówką polskiej psychologii.

Z obrzydzeniem patrzyłam, jak się wije przy każdym znaczącym naukowo nazwisku, mnie zostawiając posesyjne zwłoki. Nasi goście byli mniej odporni na kalifornijskie wina niż tartaczni pracownicy na samogon tatusia. Ileż to razy musiałam tłumaczyć podstarzałym napaleńcom, że nie jestem wynajętą przez Wojtaszewskiego dziwką, tylko osobą, która kroczy najlepszą drogą, żeby za trzydzieści lat zająć ich miejsce w psychologicznej czołówce i przy konferencyjnym stole z winem. Szłam na udry z własnym honorem z czystej sympatii do doktora Żyraka, którego ujmujący smutek, podkreślony szarością mocno wytartego w bibliotekach garnituru, wydobywał ze mnie to, co najlepsze.

Doktor dopił swoją zieloną herbatę i z jeszcze większym niż zazwyczaj smutkiem szepnął:

– Metamorfoza, jaką dostrzegam w związku z nową pani fryzurą, pozwala mniemać, że zaistniały również pewne zmiany na poziomie pani osobowości. I ciekaw jestem – dodał mocno zawstydzony – tych przemian duchowych, niewidocznych, w przeciwieństwie do grzywki, gołym okiem.

Przy słowie „gołym" doktor spiekł raka i już bez pożegnania odszedł do krainy swoich wyjątkowo patologicznych przypadków.

Z nie mniejszym entuzjazmem ocenili mój nowy wizerunek koledzy.

– Kurwa mać – szepnął oczarowany Piotr, oglądając mnie z każdej strony. – Jesteś całkiem niezła dupa.

Podobny komplement usłyszałam w niegdysiejszych czasach od żołnierza z garnizonu stacjonującego w naszym mieście. Ale Piotr nie był kapralem śmierdzącym sportami. Nie miał zażółconych od nikotyny paznokci i zębów. Znał się na kobietach, o czym wiedział cały nasz wydział, a zwłaszcza ślicznotki krążące za nim, jakby był członkiem jury w konkursie piękności.

Ucieszyłam się z tej nominacji w kategorii „niezła dupa". I nie odmówiłam jurorowi, gdy zaproponował jazdę tramwajem we dwoje, celem obejrzenia w kinie Sława filmu miłosnego z happy endem.

Liczyłam na coś więcej niż upojny melodramat. Nie miałabym nic przeciwko jakiejś drobnej pieszczocie pod osłoną kinowych ciemności. Okazało się jednak, że Piotr jest fanatykiem filmów fabularnych i w kinie uznaje wyłącznie miłość ekranową. Gdy odprowadzał mnie do domu, postanowiłam ukarać go za dwie zmarnowane godziny.

– Ale gniot – prychnęłam. – Niedoszła para młodych rozstaje się w przeddzień ślubu. Panna młoda ucieka z ojcem pana młodego. Matka pana młodego popełnia samobójstwo na oczach syna. A syn, choć wariuje z rozpaczy, umawia się tego wieczoru z kolegą na bingo... I gdzie ten twój happy end?

– A wyobrażasz sobie, co by się działo, gdyby wzięli ślub?

Pożegnałam Piotra przed domem. Mieszkałam wówczas na stancji u pani Czartoryskiej, która z arystokracją miała tyle wspólnego co, nie przymierzając, mój tatuś. Była to osoba krewka i obdarzona handlowym sprytem.

Pracowała dwa dni w tygodniu na pchlim targu, gdzie wszyscy znali ją jako Hrabinę. Sprzedawała tureckie odzienie i niemieckie lekarstwa.

Gdy po raz pierwszy stanęłam u drzwi jej dużego mieszkania, zażądała zaświadczenia o niekaralności i krótko scharakteryzowała swoje wymagania:

– żadnych dziadów,
– żadnego złodziejstwa,
– żadnego kurewstwa,
– wanna raz w tygodniu.

Cena lokalu warta była tak daleko idących kompromisów, mimo że dwa pierwsze zastrzeżenia ograniczały wizyty mojej rodziny w stopniu upokarzającym. Przystałam na propozycję Hrabiny, negocjując sprawę ostatniego punktu. Nadaremnie. Hrabina sama korzystała z wanny raz w tygodniu i nie widziała powodu, by z racji panieńskich kaprysów marnować ciepłą wodę. W duchu musiałam się z nią zgodzić. W domu też kąpaliśmy się raz w tygodniu, w sobotę.

Polubiłam wynajmowanie stancji. Pozwalało mi to ćwiczyć się w zgłębianiu osobowości staruszek odnajmujących pokoje. Szybko doszłam do przekonania, że właścicielki lokali tworzą odrębną grupę społeczną i w pełni zasługują na uwagę psychologii klinicznej. Wcześniejsze gospodynie, tak zwane Babcie Potwory, zajmowały się utrudnianiem życia lokatorkom. Starcza wyobraźnia podsuwała im wciąż nowe sposoby tortur – do psychicznej śmierci osoby pozostającej w ich domu włącznie. Każda próba ucieczki od Babci Potwora kończyła się znalezieniem jej klona w jeszcze droższym, zimniejszym i mniej wygodnym mieszkaniu.

Hrabina wydała mi się absolutnym wyjątkiem. Potwierdzała pogląd babki Broni, że nigdy nie wiadomo, co w ludziach siedzi. I w przeciwieństwie do innych była trudna do jednoznacznego zdefiniowania. Równie interesująca ze względu na ulubione nakrycie głowy oraz zwyczaj zamykania wanny na klucz. Ilekroć wchodziłam do łazienki, zastanawiało mnie, gdzie zdobyła potężną klamrę zwisającą nad waniennymi kurkami. Kto w pocie czoła i w precyzyjnym trudzie twórczym wykonał to urządzenie przypominające pulpit pilota w prototypie pierwszego samolotu? W każdym razie pulpit doskonale spełniał swoje zadanie. Tylko w soboty z wielkim jękiem zardzewiałego metalu zgadzał się na wylanie strumienia wrzątku, aby potem w żeliwnej powadze powrócić do roli stróża.

Hrabina lubiła stawiać sprawy jasno i chodzić po mieszkaniu z króliczą skórką na głowie. Nieżyjący królik posiadał właściwości uzdrawiające. Trudno wyrokować jakie, ponieważ na ten temat i skórka, i jej właścicielka zgodnie milczeli. W sobotnie wieczory przychodził do Hrabiny pan Antoni, emerytowany oficer wojsk powietrznych. Czekała na niego z groteskowym makijażem, ubrana w karnawałową suknię. Malutki Antoni nie ulegał presji tej maskarady. Zjawiał się w tabaczkowym garniturku. Z różą. Zupełnie przypadkowo byłam świadkiem randki Hrabiny z jej miłosnym desantem. Oboje siedzieli przy okrągłym stoliku otoczonym kręgiem nocnej lampki i pochyleni nad blatem... liczyli pieniądze. Z ich ust wydobywał się świszczący szept cicho wymawianych liczebników. Szczególnie usta Hrabiny ociekające karminową szminką czerwieniały od trudu monotonnej litanii. Atmosfera absurdu i tajemnicy łącząca tę dziwną parę kazała mi patrzeć na Hrabinę z pewną dozą szacunku, jaką mamy dla ludzi niepojętych. Potem ze starego gramofonu płynęły piosenki Kiepury, a desant i Hrabina siedzieli sztywno w fotelach, popijając absynt. Hrabina paliła papierosa w długiej cygarniczce i miała martwe oczy. Dziwiłam się jeszcze, że oficer sił powietrznych mógł być taki maleńki jak miniaturowa katapulta.

Hrabina ciężko stąpała po kuchni ze skórką na głowie, przygotowując sobie kolację. Na mój widok zrobiła kwaśną minę i wycedziła bladymi wargami:

– Oj, głupia. I po co tak się na zdzirę zrobiła? Będą kłopoty.

– Kłopoty? – zdziwiłam się grzecznie.

– A jakże nie? Brzydkie kobiety mają jeden kłopot, że są brzydkie. A ładne mają pozostałe – odpowiedziała tonem, który świadczył, że o pewnych sprawach wie znacznie więcej, niż ma w zwyczaju mówić. A nawet, że wie o nich wszystko.

Czas Brydzi

Brydzia pojawiła się w moim życiu w złym momencie. Każdy moment zaistnienia Brydzi byłby zły, ponieważ należała do osób, które jak się wprowadzają, to już na całe życie. A ja wcale nie chciałam się jeszcze wiązać na całe życie. I to z kimś tak szpetnym jak Brydzia. Studiowała prawo, co jakiś czas przenosząc się na inną uczelnię.

– Wywalają mnie, skurwysyny, jakby się umówiły – wyjaśniła krótko powód swych migracji.

Rozejrzała się z zachwytem po nowym pokoju.

– Ale nora – doceniła i po raz pierwszy wydawała się zadowolona.

– Za co wyleciałaś? – zapytałam, gdy rozwaliła się na mojej kanapie w butach i z rękami pod głową.

– Za inteligentny żart. Dasz wiarę, że cię usuwają za wesołe usposobienie? – spytała z oburzeniem.

Nie dałam wiary.

– Jaki był twój ostatni żart? – dociekałam, coraz bardziej zaintrygowana przeszłością Brydzi.

– Ostatni był do dupy. – Wzruszyła ramionami.

– Ale co zrobiłaś?

– Ukarałam faceta od prawa zagranicznego. Znęcał się nad taką jedną z mojej grupy. Dziewczyna ze wsi, kościółek, narzeczony i te rzeczy, a facet ją sobie upatrzył i mówi: łóżko albo won. To ona wybrała won. To my do dziekana. A dziekan wybrał kumpla. Nie lubię takich historii. – Brydzią wstrząsnęło. – Mój ojciec jest sędzią i mam po nim poczucie sprawiedliwości.

Wcale nie śpieszyła się z relacją. I to mi się w niej spodobało. Przewróciła się na bok i zawzięcie drapała po udzie.

– Są tu jakieś zwierzęta? – Zmieniła temat. – Coś mnie niemiłosiernie żre.

– Tylko nieżywy królik – odpowiedziałam. – I co zrobiłaś?

– Nic takiego. Kilka zdjęć. Wiesz, taki mały fotomontaż. Głowa profesora, niżej kawałek chudego torsu mojego kumpla i dół gołej kobitki. Rozwiesiłam te zdjęcia w auli. Przed jego wykładem. Z napisem: „Należę do bardzo spokojnych gości, nie robię krzywdy ani przyjemności". – Brydzia ziewnęła. – Teraz pośpię – zdecydowała, zapominając, że leży na moim łóżku.

I tak się rozpoczął czas Brydzi, według którego mogłam regulować zegar przyjaźni. Patrzyłam, jak śpi, cichutko sapiąc, spokojna i obojętna na wszystkie sprawy świata. Pierwszą rzeczą, jaka mnie zdumiała, był jej minimalizm. Nawet się nie rozejrzała po naszej wspólnej wnęce. Nie rozpakowała torby. Wyjęła z niej tylko Prousta. Nie wyznaczyła nowej granicy metrów kwadratowych, bo poza łóżkiem niczego nie pragnęła. Nie powiesiła ciuchów w szafie, mogły zostać w torbie. I w przeciwieństwie do innych osób, z którymi zdarzało mi się mieszkać, nie otoczyła się domowymi fetyszami, bo takowych po prostu nie miała. Jej rodzinny dom pękał od nadmiaru nikomu niepotrzebnych doczesnych dóbr, ale jedynym dobrem doczesnym, żywo interesującym Brydzię, były papierosy, których wypalała nie mniej niż chłopcy z naszego garnizonu. Poza tym szła na najdalej idące kompromisy. Wolała czerstwy chleb niż poranną kolejkę w piekarni, gorzką kawę niż wyprawę po cukier. Ciemność aniżeli manipulowanie przy kontakcie oddalonym od naszych łóżek. A wanna zamknięta na klucz wyraźnie ją ucieszyła.

– Nie znoszę częstych kąpieli – wyznała. – Kobiety zbyt długo przebywające w mydlinach są jak czekoladki pozostawione na słońcu. Rzygać się chce od samego patrzenia.

– Może nie lubisz kobiet? – Jej teoria wydała mi się trochę szokująca.

– Nie lubię. Tych, co się myją głównie dla facetów i ze względu na lekarza, normalnie nie lubię – powtórzyła. – Mężczyźni mają w dupie problem wczorajszych skarpet i nieświeżego oddechu. Obmacują cię brudnymi pazurami i sypią wokół łupieżem jak konfetti! – prychnęła z pogardą.

– Nie wszyscy – wtrąciłam. Pomyślałam o czystych dłoniach Krzysia.

– Ale większość. – Brydzia nie bawiła się w szczegóły. – Kobiety muszą wreszcie wyleźć z wanien na brzeg, otrząsnąć pukle z mydlin i uciec z gabinetów urody! Ten bezsensowny wysiłek tysięcy spracowanych bab przyprawia mnie o mdłości. Żeby jeszcze robiły to dla siebie...

Sama Brydzia była jawnym zaprzeczeniem istnienia gabinetów urody.

– Kończ fajkę – błagałam, patrząc na zegarek – bo nie zdążymy na autobus!

Ciężko wzdychała i z niechęcią sięgała po torbę z notatkami. Nie lubiła chodzić na wykłady. Wolała knajpki, gdzie grają bluesa i podają tanie piwo. Na dobrą sprawę była ideałem mężczyzny. Jedyny defekt wyrażała jej własna maksyma: „Należę do bardzo spokojnych gości, nie robię krzywdy ani przyjemności".

Kiedyś zawiozłam ją do mojego domu. Była zachwycona. I niebieskim autobusem, który kolebał się jak kołyska po nieutwardzonych drogach, i tępym, jednostajnym krajobrazem, zapowiadającym melancholijną nudę mijanych miasteczek. A nasz dworzec oglądała z zapartym tchem. Jak zabytek klasy zero. Upatrzyła sobie słup z odręcznym spisem przyjazdów i odjazdów.

– Cudo – wzdychała, delikatnie pieszcząc ostatni taki słup. – Tu na każdym kroku zatrzymuje mnie fascynująca prawda – szeptała, rozglądając się po zdewastowanych filarach wiaduktu kolejowego.

– Pięknie! – cmokała z uznaniem, zaglądając do dworcowej toalety przypominającej poniemiecki bunkier.

– Niesamowite! – Kiwała z entuzjazmem głową przytkniętą do okna dworcowego bufetu, gdzie zwyczajowo o tej porze tętniło życie.

Przy Brydzi sama uległam złudzeniu, że stoimy u wrót wiecznego miasta, nad którym unosi się duch przeszłości. Ponadto duch tego miejsca zdawał się mieć ciężki oddech i śmierdział tanimi papierosami.

Prowadziłam ją ciemnymi uliczkami do rodzinnego domu, kopalni innych fascynujących prawd, pełna obaw, jak je przyjmie. Czy też przyklei twarz do naszej szyby, w której odbija się cała małość i smutek codziennej nędzy?

Rodzice przyjęli nas ze staropolską gościnnością. Jakby Brydzia przypłynęła „Batorym" z Ameryki.

– Witamy w skromnych progach – przemówiła drżącym głosem mama.

Po raz kolejny uznałam, że mama ma upodobanie do niepotrzebnych wyjaśnień. Narzucające się od drzwi ubóstwo nie wymagało komentarzy, lecz wyrozumiałości.

Brydzi podobało się wszystko. Bo też i wszystko stanowiło ową fascynującą nagą prawdę, której była zwolenniczką.

– Mam dla szanownej pani najlepszy rocznik! – cieszył się tata, przecierając zakurzoną butelkę z żółtą wiśnią.

– Jestem Brydzia. – Uścisnęła serdecznie dłoń taty, nie bez powodu nazywaną przez znajomych złotą destylatką.

Tata wybałuszył oczy, bo serdeczność Brydzi bywała bolesna.

– Swojska robota – dodał tonem właściciela największej winiarni świata, dając jej do powąchania cienką szyjkę butelki.

– Bukiet jak od Diora – szepnęła zachwycona.

– Nie znam Diora, ale jak pędzi, to musi być z niego miły facet – zauważył tata, sadzając nas za stołem.

Babka z mamą wnosiły już przekąski. Pojawiły się salceson i biała kiełbasa. Towarzystwo niezwykle rzadkie na serwecie w malowane jabłuszka. Uśmiechnęłam się ze wzruszeniem. Wiedziałam, że to na cześć Brydzi. Zapomniałam im napisać, że ona nie je mięsa.

– Brydzia woli ryby i ser – wyjaśniłam, gdy usiadłyśmy do kolacji.

– Są i rybki! – Babka już nie żałowała, że musiała odstąpić nam swoje mieszkanie. Patrzyła na Brydzię z uznaniem. – Świeżutkiej rybce nic nie dorówna. U nas, na Wileńszczyźnie, tyle było ryb, że same wchodziły na stół!

– Mówiła mama, że tyle było świń i wchodziły. – Tata niepotrzebnie łapał babkę za słowa.

– Owszem, świń także było dużo, choć odnoszę wrażenie, że tych i tu nie brakuje.

Tatuś zbył milczeniem uwagę babki. Nie lubił przy gościach wywlekać domowych spraw.

Brydzia wodziła rozkochanym wzrokiem po kolejnej „fascynującej prawdzie", którą odkryła: po rodzicach i babce polujących podczas kolacji na kawałki kiełbasy i salcesonu. Szeroka gama okonia pod różną postacią należała wyłącznie do nas. Najlepszy rocznik samogonu silnie parował z małych kieliszków, rozsiewając zapach swoistej sielskości. Tata promieniał. Brydzia piła na równi z nim i po każdym kieliszku po męsku przecierała usta.

W patrzeniu taty na Brydzię dostrzegłam serdeczność pomieszaną z żalem. Bo taka powinna być jego córka – myślał pewnie, opowiadając jej o ostatniej partii bimbru, która wybuchła przed spożyciem. Brydzia zanosiła się śmiechem, aby we właściwej chwili znaleźć w sobie współczucie i właściwie ocenić katastrofę.

– Ja pierdzielę, tyle dobra szlag trafił! – podzieliła się refleksją żywo podchwyconą przez tatę.

– O, to, to! To samo powiedziałem Romanowi... Co nie, Roman? – zwrócił się ojciec do wchodzącego właśnie wuja.

– Święta racja! Bimber przegapiony, żal nieutulony – przytaknął poetycko wuj, witając się z nami wylewnie i głośno.

Po godzinie cała rodzina kochała Brydzię jak własne, cudownie poczęte dziecko.

– Twój ojciec okrutnie zbłądził... – mówił bełkotliwie wuj Roman. – Zbłądził, skurczybyk, niepotrzebnie. Tyle jest pięknych zawodów na świecie, a ten uparciuch jak na złość. Wybrał skorumpowany i najmniej uczciwy! Żadna w tym twoja wina – pocieszał Brydzię, klepiąc ją po ramieniu. – Wszyscy błądzimy. Jedni bardziej, drudzy mniej – ciągnął sentencjonalnie.

– On musiał. – Brydzia chlipała. – To przez cholerną tradycję rodzinną. – Z niepokojem dostrzegłam, że jest kompletnie pijana.

– Nie płacz, dziecko. – Mama przytulała Brydzię, dokładając jej co lepsze kawałki okonia. – Ciebie na świecie jeszcze nie było, jak twój tatuś wybrał taką drogę... Nie możesz w żadnym wypadku czuć się winna.

Brydzia jednak czuła się winna.

– Na pewno będę adwokatem! – Uderzyła stanowczo ręką w stół i resztki alkoholu z jej kieliszka chciwie pochłonęła nasza świąteczna serweta. – Zawsze możecie na mnie liczyć! Zawsze!

– Jasne! – zapewniłam Brydzię, z trudem odrywając ją od stołu.

Zaprowadziłam rodzinną panią adwokat do mieszkania babki Broni. Ściągnęłam z jej nóg opierające się przemocy trapery. Wsadziłam Brydzię pod świeżo powleczoną pierzynę sięgającą sufitu. Z czeluści sztywnej bieli wydobywał się coraz słabszy głos Brydzi.

– Będę was bronić nawet przed trybunałem międzynarodowym. Wygramy! Sprawiedliwość istnieje. Zdam tylko kilka egzaminów i do roboty... – bełkotała.

Wizja trybunału, moich bliskich oskarżanych o zbrodnie przeciwko ludzkości, wydała mi się tak samo realna jak wielka pierzyna babki, pod którą zapadała w swój pijany sen moja przyjaciółka. Właścicielka brudnych dżinsów, walkmana i szlachetnych intencji naprawiania zła. Miałam świadomość, że pierwszym złem, jakie naprawi, będzie jej jutrzejszy kac. Z myślą o nim postawiłam obok łóżka szklankę z kompotem jabłkowym, medykamentem mocno wychwalanym przez wuja Romana. Poczułam się jak żona Brydzi, troskliwie otulając ją pierzyną. Potem cichutko wsunęłam się pod pościel, wzorem innych kobiet w mojej rodzinie, zawsze wyłączających światło.

Antypatię Brydzi do Piotra tłumaczyłam jej wrodzoną niechęcią do świata noszącego spodnie z rozporkiem. Świat ten nazywała Brydzia „samczą planetą" i mocno upierała się przy swoim nowym układzie planetarnym. Piotr też unikał Brydzi. Ze strachu. Czuł z jej strony wieczne zagrożenie, jakby Brydzia była złodziejem okradającym go z testosteronu.

– Nie znasz jej – mówiłam Piotrowi na długich spacerach, znajdujących kres w kawiarenkach lub kinach.

– I nie chcę poznać – buntował się, pogardliwie wzruszając ramionami. – Fernandel z macicą – szeptał mściwie przy każdej okazji.

– Po co ci ten dupek? – pytała z kolei Brydzia, głucha na moją potrzebę obcowania z inną płcią niż nasza. – To skończony narcyz! – przypominała niestrudzenie. – Czy ty wiesz, że on nosi w portkach lusterko ze zdjęciem Marilyn Monroe?

Wiedziałam o lusterku, a nawet o grzebieniu, ale lekceważyłam te fakty. Skoro wytrzymałam z facetem targającym pod koszulą kilogramy bibuł, dlaczego miał mi przeszkadzać maleńki grzebyczek i miniaturowe zwierciadełko? A poza tym Piotr świetnie całował. W każdym razie lepiej od Tadeusza.

Zaczęliśmy się spotykać częściej niż okazjonalnie, ale nie przeceniałam tego faktu. Byłam dla Piotra rodzajem żeńskiej plomby wtłoczonej w kolejną przerwę jego związku z Pamelą. Nikt nie pamiętał, jak naprawdę miała na imię. Może właśnie Pamela? Za to wszyscy pamiętaliśmy „plomby". Każda z nich kończyła tak samo. Przynosiła katalog ślubnych sukien, po czym zostawała z katalogiem i wybraną kreacją. Piotr zawsze wracał w bezpieczne ramiona nieskorej do ożenku Pameli.

W czasach, gdy upadały ustroje, wybuchały małe i duże wojny, ludzie pracowicie tworzyli nowe biografie, przy kiosku Parysiaków wciąż stała kolejka po papierosy, stoły jeszcze nie okrąglały, Pamela z Piotrem obnosili się z urodą, która bardziej niż jakiekolwiek poglądy i czyny zyskiwała im ludzką życzliwość. Jeśli groził im jakiś konflikt, to w przyszłości serologiczny. Jeśli była im pisana klęska, to urodzaju uczuć.

Nie byłam zakochana. Nie mogłam kochać Piotra należącego niepodzielnie do Pameli. Zdumiewał go mój opór na wdzięki uczciwie kontrolowane w lusterku z Marilyn Monroe. Piotr bywał u nas coraz częściej, a ja zaczynałam się bać, że któregoś dnia przyjdzie z katalogiem sukien ślubnych. Wykończonych białym futerkiem z królika, bo zdaniem Hrabiny tylko królicze futerko zapewnia szczęście i płodność.

Ilekroć przyłapywałam ją na korytarzu, podglądającą nas przez szparę w drzwiach, z dumą poprawiała opadającą na czoło zwierzęcą skórkę.

– Chciałam jej powiedzieć – mówiła do mnie – że królik jest najlepszy na te sprawy. W razie czego mogę pożyczyć.

Lubiłam ręce Piotra. Pozwalałam im na wiele, ale nie na wszystko. Grzeczne i trochę nerwowe, potrafiły z dużą wprawą wywoływać roje mrówek bezkarnie maszerujących po moim brzuchu. Zastanawiałam się nad produkcją tych mrówek, a nawet całych mrowisk, i dochodziłam do wniosku, że miał w rękach talent. Jeśli dłoń tatusia nazywano złotą destylatką, to palce Piotra zasługiwały na miano platynowego wibratora. Jego głęboka wiedza na temat erogennych polan i mrówczych legionów przekornie kierowała moją pamięć do ogrodu pana Sybiduszki. Wracałam wspomnieniem do dnia, gdy padał deszcz, a ja byłam ciekawa dłoni Krzysia na moim policzku. Dotyku jego ramienia. Na samą myśl ogarniał mnie dziwny niepokój. Mrówki zamierały, a palce Piotra bezskutecznie próbowały powołać je do życia. Dlaczego tak bardzo pragnęłam czegoś, co mogłam mieć?

Na szczęście miałam inne zmartwienia. Zbliżała się konferencja. Wykreśliłam z kalendarza wszystkie randki. Dzień przed powitalnym przyjęciem koktajlowym pomyślałam ze wstrętem o Wojtaszewskim. Zwierzyłam się Brydzi z najgorszych obaw.

– Będę znowu latać z tacą na każde jego skinienie.

– To jemu daj tacę! – Brydzia nie widziała problemu.

– Nie weźmie. On jest od obsługi starych kokot, a ja od biegania z winem.

Z roznoszenia butelek mogłabym już napisać habilitację.

– To po cholerę tam idziesz? – nie mogła zrozumieć.

– Ze względu na Żyraka. Doktor jest w porządku. Podam te pieprzone zakąski. Ostatni raz – obiecałam.

– Mogę się zająć Wojtaszewskim – szepnęła z dziwną rozkoszą w głosie.

– Tylko nie to! – Szczerze się przeraziłam. – Nie stać mnie na zmianę uczelni. Dam sobie radę.

– Z pewnością! – Brydzia uśmiechnęła się promiennie i wróciła do lektury Prousta.

Po raz pierwszy cieszyłam się, że jest leniwa. Jej aktywność mogłaby obalić fundamenty badań Żyraka, dotyczących patologicznych osobowości, nie mówiąc już o obalaniu pokonferencyjnego alkoholu. Dziękując Bogu, że Brydzia nie obstaje przy swoim pomyśle, ruszyłam w wir przygotowań.

Pan Bóg w chwili litanii moich podziękowań musiał być zajęty czymś zupełnie innym. Może przyglądał się koledze Wojtaszewskiemu, który prasował w wynajętym pokoju spodnie w kant? W każdym razie na pewno zgubił z oczu Brydzię.

Stała przed wejściem do restauracji Łezka i czekała na mikrobus z gośćmi. Wyglądała jak idiotka. W szkockiej mini, białej bluzce i w berecie na głowie przywodziła na myśl bardzo dużą i brzydką dziewczynkę z zapałkami, której ktoś właśnie skubnął cały ich zapas. Zafrasowana wodziła oczami po wszystkich twarzach. Omijała je niecierpliwie, aż trafiła na Wojtaszewskiego. Ten dwoił się i troił, zabawiając zażywne profesorki wcześniej przygotowaną anegdotą

– Marrreeek! – ryknęła, z impetem ruszając w jego stronę. – Ojej, ojej, ale się ucieszysz! – Klaskała w dłonie, zaśmiewając się bez skrępowania. Przemierzała ciężkim truchtem restauracyjny dziedziniec.

Wojtaszewski z niewyraźną miną spoglądał na Brydzię, próbując ustalić, kim jest i czego chce. To samo uczyniły jego leciwe towarzyszki. Szczerze mówiąc, wszyscy, nie wyłączając mnie, gapiliśmy się na Brydzię w osłupieniu.

– Więc byłam na badaniu i udało się! Udało! – Brydzię roznosiła radość. – Doktor powiedział, że to ciąża!

Zdrowa jak margaryna! Tak powiedział! Że jak margaryna! Już dzwoniłam do mamy...

Brydzia próbowała zarzucić mu ręce na szyję, ale Wojtaszewski szybkim gestem pozbył się ich. Tłumek zasyczał i patrzył dalej.

– To jakieś nieporozumienie – bąknął Wojtaszewski. – Ja pani nie znam...

– No co ty, Marek – jęknęła Brydzia – jaka pani? A może ty tak ze szczęścia zgłupiałeś? – Zrobiła krok w jego stronę, ale Wojtaszewski ponownie wykonał unik i jej ręce znowu zawisły w powietrzu.

Doktor Żyrak nerwowo przecierał okulary, konferencyjna świta przestępowała z nogi na nogę, a ja odkrywałam w sobie zamiłowanie babki Broni do teatralnych fars i czekałam, co będzie dalej.

– Proszę państwa, to głupi żart! – Wojtaszewski tracił rezon i zaczynał lekko się jąkać. – Tttak nnie mmożna...

– Co jest żart? – Brydzia podniosła na niego wielkie oczy. – Moja ciąża jest żart? – W jej oczach pojawiły się łzy. – Nasza miłość jest żart? A może ja jestem żart?

Brydzia płakała coraz donośniej i sytuacja stawała się nie do wytrzymania. Po grupie przeleciał szmer niezadowolenia.

– A pieniądze na twoje studia? Te od tatusia? To żartem je brałeś? Bo mnie może i wziąłeś żartem... – Jej dalsze słowa przerwał szloch.

– Wejdźmy do środka. – Doktor Żyrak przytomnie zwrócił się do gości. – Państwo powinni porozmawiać sami, a my tymczasem... Bardzo proszę! – przejął inicjatywę.

Ruszyliśmy za Żyrakiem, omijając zapłakaną Brydzię i wbitego w ziemię Wojtaszewskiego.

– Dlaczego to wszystko? – pytał Brydzię słabym głosem, pozostawiany przez obojętnie mijających go gości na pożarcie.

– Wychowam nasze dziecko sama. – Brydzia chlipała, obejmując rękami brzuch. – I nie dzwoń do mnie, łajdaku! – krzyknęła, zanim odeszła. Na tyle głośno, że nasze głowy jeszcze raz odwróciły się w kierunku głównych aktorów.

To była szczególna kolacja pokonferencyjna. Wojtaszewski z uporem maniaka biegał między gośćmi, tłumacząc wcześniejsze zajście. Im więcej tłumaczył, tym więcej politowania i ironii wzbierało w słuchaczach. Wreszcie, po raz pierwszy w życiu, upił się na smutno i płakał nad własnym losem, budząc jak najgorsze emocje.

– Ja z tą ciążą nie mam nic wspólnego – powtarzał z uporem, coraz śmielej nalewając konferencyjne wino. – Ja nie pamiętam tej pani.

– Nie sądziłem, że kolega ma takie problemy – szepnął mi do ucha doktor Żyrak. W spojrzeniu, jakim obdarzył Wojtaszewskiego, widziałam rodzącą się zawodową ciekawość.

– Biedna dziewczyna – odszepnęłam konspiracyjnie.

– Wojtaszewski też biedny. – Doktor pośpieszył z męską solidarnością. – Chodzi mi o to, że widziałem kilka ładniejszych kobiet w ciąży... – dodał. Uśmiechnął się diabolicznie i po raz pierwszy nie wydawał się smutny.

Ucieszyłam się, gdy po kolejnym powrocie do domu zastałam przy rodzinnym stole dwa zgodne małżeństwa: rodziców i państwa Parysiaków, zatopionych jak bursztynowa komnata, tyle że w przyjaznej rozmowie.

– Ależ ona urosła! – zakrzyknęła Parysiakowa. Nie rosłam już od ponad czterech lat.

– I wypiękniała – dodał Parysiak, zajadając białą kiełbasę. Kiedy mówił, że wypiękniałam, patrzył na tatę.

– Jeszcze trochę, a Misia będzie nas leczyła – powiedziała mama, siląc się na zdawkowy ton, jednak duma w jej głosie była aż nadto słyszalna.

– Niemożliwe! – Parysiak wreszcie mnie dostrzegł. – To ona jest na medycynie?

– Będzie leczyła nasze dusze – ciągnęła cierpliwie mama. – Do tego nie trzeba medycyny.

– Dusze, dusze... – Pani Parysiakowa czyniła intelektualne wysiłki, próbując coś sobie przypomnieć. – Ja słyszałam o takich chorobach – ściszyła głos – ale one dotyczą chyba tylko wierzących, bo niewierzący nie wierzą w duszę.

– W Boga nie wierzą – zaprotestował tatuś. – W duszę, jak sądzę, raczej tak...

– No, nie wiem. – Pani Parysiakowa nie ukrywała swych wątpliwości.

– Szkoda, że nikt z nas nie jest niewierzący – westchnęła mama. – Mógłby to rozstrzygnąć – rzekła i poszła odgrzać dla mnie bigos.

– W Ameryce ludzie chorują głównie na otyłość. – Pani Parysiakowa powróciła do ulubionego wątku. – Tam byś,

Misiu, nie zarobiła nawet na stylony. – Uśmiechnęła się do mnie.

– Chociaż na stylony... Kto wie? Ponoć oni nawet nie oddają rajstop do repasacji, tylko wyrzucają.

– Jak wyrzucają? – nie mogła się nadziwić mama. Postawiła przede mną wielką miskę z kapustą i wpatrywała się w zachwyconą twarz Parysiakowej.

– Mówię ci, normalnie wyrzucają. Jak jest oczko, to do kosza.

– Stylony? – Mama kręciła głową z niedowierzaniem. – Powinni przysyłać do nas. Te ich z oczkiem są pewnie lepsze od naszych nowych. – Westchnęła.

– Tam, niestety, wszystko mają lepsze. – Pan Parysiak rozejrzał się po naszych twarzach z nieskrywaną satysfakcją.

– Ciszej, na Boga! – Mama się przestraszyła i zaczęła zaciągać story.

– Spokojnie – zignorował jej strach tatuś. – Kiedyś trzeba zacząć walczyć. Najwyższy czas, by rozmawiać przy otwartych oknach. Kurtyna idzie w górę! – ogłosił niemal proroczo.

– Jaka kurtyna? – Babka Bronia zawsze odzyskiwała animusz, gdy mówiono o teatrze. – I kto walczy? Bo ty, Zdzisiu, przez ostatni czas dupy nie ruszyłeś ze swojego krzesła – zauważyła złośliwie.

– Tacie chodzi o kurtynę wolności, nie o teatr. – Postanowiłam ratować sytuację nieuchronnie zmierzającą do wojny domowej.

– Wszystko jest teatr! Nawet ta wasza wolność, a zwłaszcza wasza walka – oświadczyła babka i podreptała do kuchni skrobać ryby.

– Cieszcie się, że nie kupiliście tego segmentu. – Parysiakowa powoli wkradała się na podminowany rodzinną niechęcią teren. Delikatnie, niczym sprawny saper wyruszała w stronę mamy rozgoryczenia. – Jest fatalny!

– Co ty powiesz? – Zdziwienie mamy było trochę zimne jak na zażyłe stosunki z Parysiakami.

– Fatalny – zgodził się Parysiak, wlewając do kieliszków jakąś markową wódkę. – Zawaliła tymi półkami prawie cały salon. I nic się w nim nie mieści. – Stuknął nerwowo w kieliszek ojca.

– Sama się przekonasz – zwróciła się Parysiakowa do mamy.

– Nnooo, może kiedyś, jak sobie kupię. – Po minie mamy było widać, że pragnie tego doświadczenia z całych sił.

– Broń cię Boże kupować! – wykrzyknęła z emocją Parysiakowa. – Jak tylko dostaniemy wizy, ten segment jest twój!

– Jak to mój? – Mama zamrugała z przejęcia.

– A co ty myślałaś? – Parysiak uśmiechnął się na to jej zakłopotanie – że my przez ocean z tym barachłem będziemy się przeprawiać? Bierzecie kiosk, bierzecie i segment – dodał tonem dobrodzieja. – To już załatwione.

– Co załatwione? Wizy? – Mama nie nadążała.

– Wizy już prawie mamy w kieszeni. – Parysiak poklepał się po połach marynarki.

– Ja nawet kupiłam sobie aviomarin na drogę. Morskie podróże bardzo mi szkodzą – poskarżyła się jego żona.

– Skąd wiesz? Płynęłaś już statkiem? – Tata zapatrzył się w Parysiakową jak w obraz żaglowca na pełnej fali.

– Kajakiem, ale odczucia są podobne. Mdłości i zawroty głowy. Ja tak mam.

– My też mamy aviomarin. Mogłaś nie kupować. Dałabym ci, bo tak rzadko wyjeżdżamy teraz ze Zdzisiem... – Mama także zapragnęła być dobra, ale Parysiakowa przebiła ją kolejnym atutem.

– Ja tylko dlatego go kupiłam, ten segment! – wyznała z miną dobrej wróżki. – Wiedziałam przecież, że tam nie będzie mi potrzebny. Prawdopodobnie nasz domek jest już umeblowany.

– Co ty powiesz? – Mama wciąż nie mogła się nadziwić tej anonimowej dobroci z amerykańską metką. Nie umiała sobie wytłumaczyć przyczyn, dla których obcy ludzie prześcigają się w gestach, by uszczęśliwić Parysiaków.

– Urodziliście się pod szczęśliwą gwiazdą – oświadczył poważnie tatuś, kopany pod stołem przez krewkiego kolegę. – Zdrowie takich gwiazd!

– I wiz – dorzuciła mama, błądząc szczęśliwym wzrokiem po pokoju. Dałabym głowę, że sprawdzała, czy segment Parysiaków zmieści się na dłuższej ścianie.

– I naszych przyjaciół. Bo ja się w tej Ameryce zatęsknię za wami na śmierć – oświadczyła tkliwie Parysiakowa.

– Lepiej nie. – Tatuś spoważniał. – Czytałem, że oni się nie ceregielą. Po śmierci cię palą i wrzucają do wazonu.

– Do urny – zaprotestował Parysiak.

– No właśnie. – Tata odchrząknął. – Chciałem z wami omówić ten problem. Bo u nas też zachęcają, żeby wszyscy szli do urn. Niby na wybory, ale nie zdziwiłbym się, gdyby to było pobożne życzenie naszych władz. Wrzucić naród do wazonu, a dobro publiczne przejąć.

– To by im się nie udało. Amerykanie nie pozwolą. Mają taką deklarację, że mucha nie siada... – Parysiak chwycił za cugle ulubionego wątku.

– Na ich deklaracji może i nie siada – wtrącił tata dyplomatycznie – ale na polskim łajnie zawsze.

– Do pomocy oni wcale nie są tacy skorzy. – Mama też dorobiła się własnego światopoglądu. – Nawet głupich stylonów nam nie wysyłają, a mogliby.

– Jak mają wysłać, skoro myślą, że tu same komuchy! – Parysiak nie przebierał w słowach.

– Że niby my też? – Mama ponownie się zdziwiła.

– Oczywiście, że wy też!

– A wy? – podstępnie zapytał tata.

– Nie. My nie. Wiadomo, że nie. Jesteśmy nawet u nich zapisani. W ambasadzie – prychnęła Parysiakowa.

– My... – Parysiak skupił się na doborze odpowiednich argumentów. – My jesteśmy... w innej sytuacji. Od lat walczymy z komuną...

– Sprzedając „Trybunę Ludu"? – Babka Bronia jak zwykle wtrąciła się w złym momencie. Postawiła na stole smażone karpie i sama nalała sobie kieliszek wódki.

– Sprzedawać musimy. Tu nie może być mowy o walce z komuną. Nie na tym polu, w każdym razie. Ale, ale... Są inne sposoby wojowania...

Przyjrzałam się Parysiakowi i pomyślałam, że dokładnie tak samo za dwadzieścia lat będzie wyglądał mój Tadeusz. Tajemniczy, łysy i kombinujący. Tyle że Tadeusz tak będzie wyglądał w jakimś obcym państwie, a Parysiak wygląda jak wygląda w naszym mieście. I w naszym stołowym.

– Na ten przykład... – ciągnął niestrudzenie przyjaciel domu – ...liberalizm...

– To znaczy? – Mama wpatrywała się w Parysiaka jak w prezydenta Stanów Zjednoczonych.

– Liberalizm to podstawa. No i cywilna odwaga, żeby głośno powiedzieć, choć od czasu do czasu, co się naprawdę myśli.

– A co się naprawdę myśli? – Babce zaszkodził alkohol. Chyba odwykła od markowych wódek. Uśmiechała się tylko połową twarzy, a druga połowa zastygła w wyrazie niewypowiedzianej pogardy.

– Gdyby oni wiedzieli, co się naprawdę myśli... tobym do Ameryki nie pojechał! Tobym do własnego kiosku nie doszedł! Tobym się Parysiak nie nazywał – wyliczał nieszczęścia – tylko miałbym numer w więzieniu dla internowanych!

Powiało grozą i zapadła cisza.

– Aż tak? – zdziwiła się mama.

– Aż tak – odpowiedziała nabożnie Parysiakowa i zatopiła oczy w stygnącym karpiu.

– Milczenie w naszych czasach jest... gwarantem wolności – zakończył Parysiak i odsapnął.

– Ładnie to ująłeś – pochwaliła mama. – Gwarant wolności – szepnęła z ponownym zachwytem. – No, to za ten segment, żeby wam nie zawadzał w podróży. – Pierwsza przechyliła kieliszek.

Gdy zostaliśmy sami, mama wyjęła swój krawiecki centymetr i cierpliwie przykładała go do ściany.

– Trzy osiemdziesiąt – oznajmiła z triumfem. – Zmieści się bez problemu. Ostatecznie jedną część będzie można postawić przy oknie. – Meblowała pokój mimo zmęczenia.

– A ja ci powiem, kochana – ojciec nie miał dla niej dobrych wieści – że prędzej ta Ameryka do nas przyjdzie, niż oni do niej pojadą.

– To już sama nie wiem, czy to źle, czy dobrze? – Bezradnie opadła na krzesło, a krawiecka miara snuła się po wykładzinie, nikomu już niepotrzebna.

– Trudno powiedzieć. Raczej dobrze. Bo jak Ameryka tutaj przyjdzie, to zajdzie i do nas, a jak oni tam pojadą, to ty tej Ameryki nawet na zdjęciu nie zobaczysz...

– A co z segmentem?

– Jak przyjdą, to przyjdą z segmentem! Co to dla nich jakiś gustowny mebelek ze sobą wziąć? Słyszałaś, co mówią Parysiaki. Całe domy obcym ludziom meblują. Kto wie, może i do nas wpadną? W końcu to nie my handlujemy komunistyczną sieczką.

– Jak dobrze, że jeszcze nie wzięliśmy od Parysiaków tego kiosku... – ucieszyła się nagle mama.

– Parysiakowie co innego – rzekł ojciec. – Oni powinni stąd uciekać, i to jak najszybciej!

– Jak najszybciej – powtórzyła mama z przejęciem. – A segment mogą nam ostatecznie zostawić. W każdym razie ja na ich miejscu nie targałabym drzewa do lasu.

Fabryczka jaj

Wuj Roman wpadł następnego dnia mocno zaaferowany. Zdawał się nie dostrzegać mojej rzadkiej obecności. Po jego wyznaniu mama i tata też już mnie nie dostrzegali.

– Będziemy bogaci – powiedział. – Jest biznes do zrobienia.

– Ile butelek? – fachowo zapytał tatuś, natychmiast wstając.

– Żadnej, Zdzisiu. Przechodzimy na nabiał.

– Na nabiał? – Ojciec spochmurniał. – Mam pędzić maślankę?

– Zakładamy... Ale jedną butelkę, tak do pogwarki, mógłbyś postawić. – Głos wuja nabrał jakiejś magicznej siły i powagi.

Ojciec też usłyszał w słowach wuja nową nutę entuzjazmu, bo nad wyraz szybko ruszył po najlepszy rocznik.

– Co zakładamy, Romku? – Mama się niecierpliwiła.

– Fabrykę ekologicznych jaj! – Wuj powiódł po nas wzrokiem właściciela wszystkich kurników świata.

– Ciekawe, która z tych rozleniwionych paszami kur zniesie ci ekologiczne jajo! – prychnął tata. Pomysł mu się nie spodobał. Wyraźnie żałował butelki godnej lepszych okazji.

– Moja w tym głowa, żeby były ekologiczne. – Wuj puścił wielkie perskie oko w stronę babki Broni i rozsiadł się po pańsku przy stole.

– Ty, Zdzisiu, lej – zarządził – a ja będę omawiał biznes.

– Romek ma to po mnie. – Babka wpatrywała się w syna z zachwytem. – Tę wschodnią pańskość. I kurki będziemy znowu mieli – cieszyła się szczerze – jak na Wileńszczyźnie!

– Sztuczna kwoka! – zawołała mama. – Gdzieś czytałam, że bardzo pomaga w hodowli drobiu. Pokój duży, to się ich zmieści kilka, tych kwok. Niech się cipciunie tu lęgną. – Rozejrzała się po wnętrzu okiem sprawnej gospodyni. – Własny drób to własny...

– Żadnych cipciuni! – Wuja zaczynało nosić. – Interesują nas jaja. Dla Niemca. Rozumiecie?

– Znaczy się, eksport? – Ojciec poważnie pokiwał głową. – No, kombinuj, Roman, kombinuj... Czuję, że masz we łbie interes lepszy niż w portkach...

– Eksport – potwierdził wuj i rozejrzał się po wpatrzonych w niego twarzach. – Ja będę kurierem – rozdzielał role – mama zajmie się skupem kurzego gówna... Co mamie jest? – Wuj przytomnie zauważył niezwykłą bladość na twarzy babki.

– Skupem łajna? Ja, Bronisława z Kiejbutów, mam zbierać kurze balaski? Nie dość, że twój tyłek przez całe dzieciństwo pucowałam, to teraz w kurze dupy przyjdzie mi zaglądać? – Babka ciężko dyszała i trzeba było dać jej walerianę.

– Niech się mama uspokoi – postulował wuj – bo ze względów estetycznych mamy zostaniemy takimi nędzarzami, że tylko kurze gówno przyjdzie nam zbierać. Zamiast marek! – wrzasnął.

– Ja mogę skupować – ofiarowała się mama.

– Dobra. Reszta będzie brudziła jaja gównem i przylepiała piórka.

– Ty, Romuś, oszalałeś... – Babka Bronia wciąż miała problemy z oddechem. – Czy ty kraszanki Niemcom chcesz robić? Naszymi rękami?

– Żadne tam kraszanki! Trochę trzeba przyozdobić tak zwane jajo paszowe, żeby wyglądało na *country*, rozumiecie?

Ojciec zaczynał rozumieć. Miarowo przytakiwał, a na jego ustach rozkwitał pełen radości uśmiech.

– Nareszcie damy tym szkopom popalić! – Zatarł dłonie. – Za wszystkie nasze krzywdy, za Krzyżaków i za hołd pruski, za drugą wojnę i za cenę mercedesów na polskim rynku – wyliczał zbielałymi wargami. – Za mur berliński! Tak! Za mur również! I za Hansa Klossa!

– Oraz za sposób bycia – dodała mama. – Ponoć oni sikają w środku miasta, bez skrępowania. I pierdzą. – Mama rozejrzała się trwożliwie, gdyż nie była pewna, czy przypadkowo ta nienawistna strzała krytyki nie ugodziła któregoś z bliskich jej mężczyzn. Wszak mogła.

– Za krzywdy nasze i wasze! – niestrudzenie wyliczał ojciec. W jego głosie rosło patriotyczne wzruszenie, któremu kres położyła babka.

– Jakie wasze? Kogo masz na myśli? – zapytała.

– Tak się mówi. Mama powinna bardziej obcować z literaturą patriotyczną.

– Ja obcowałam z faktami. I to wystarczy. – Babka wydęła wargi. – Ty tobyś się mścił za cały świat, a jak trzeba było walczyć o nasze, sikałeś, gdzie popadnie – dodała nienawistnie. – Za moje krzywdy ja bym taki transport Ruskim wysłała – dodała niepewnie i spojrzała na wuja.

– A Ruskim po co nasze jaja? – Wuj twardo stał na gruncie otwieranego właśnie interesu. – Chyba że mama chce ich dokarmić, bo za co kupią?

Babka odżegnała się od tej myśli naprędce skreślonym w powietrzu krzyżem.

– Niech idą do Niemca – zdecydowała po krótkim namyśle i fabryczka jaj ponownie zaczęła nabierać realnych wymiarów.

– Latem będziesz mogła dorobić. – Wuj, jak zwykle, zadbał w swoich planach i o mnie. – Staniesz sobie na rogu Marx Stadt Platz – marzył ciepłym głosem – rzucisz kilka zdań. Powiesz na ten przykład zachęcająco: *Polnische Eier aus dem Lande*! A oni na to deszczem marek do naszego sejfu! I za jaja! I po kilka wytłaczanek! Jakby jaj nie widzieli w swoim bogatym niemieckim jestestwie! Zobaczycie, co będzie. Pięć kiosków sobie kupimy po pierwszym wylęgu!

– Pięć? – przeraziła się mama. – Mój Boże! Toż my ich nie utrzymamy! Trzy to w zupełności dosyć!

Zostawiłam ich, aby mogli spokojnie planować zbrodnie oszustwa na sąsiednim narodzie. Wycenić jeszcze niezniesione jaja. Przeliczyć zyski. Kupić parę kiosków i przy starym abażurze z Wilna posiedzieć z wilgotnymi od podniecenia ustami. Nawet nie zauważyli, kiedy z *Czarodziejską górą* pod pachą opuściłam rodzinną spółkę eksportu jaj, wyobrażając sobie, jak jej założyciele dniem i nocą mocują na delikatnych skorupkach kurze piórka oraz nanoszą w skupieniu na taśmowy produkt inne śladowe dowody wiejskiej genealogii tego kurzego daru. Zgodnie i zespołowo. W ciche popołudnie i wieczór, kiedy już nic lepszego nie może się zdarzyć w ich małym autonomicznym królestwie marzeń. Pomyślałam o Brydzi. Gdyby tu była zamiast mnie, pełna równie szalonych inicjatyw, niewidzialna rodzinna fortuna rosłaby jeszcze szybciej, lokowana w banku złudzeń.

Tymczasem ja uciekałam od familijnego szczęścia do świata fikcyjnych, męczących dylematów Hansa Castorpa, potencjalnego nabywcy ekologicznych jaj, choćby z racji narodowości. Pewnie by ich nie jadł, myślałam, tęskniąc już za zmienną atmosferą zastoju i rozwiązłości, wiszącą w starym sanatorium jak ciepłe powietrze. Uciekałam z domowego targu nadziei, aby wpaść w wir martwego życia. Równie nieruchomego jak nasza sztuczna paproć na kredensie. To dziwne, ale nie mogłam się oprzeć wrażeniu, że w słabym świetle wileńskiego abażuru widzę również bladą twarz inżyniera i jego długie nerwowe palce macające w zadumie jajkowy owal. Usiadł, w moich wyobrażeniach, tuż obok spekulującej rodziny. Pochyla się nad odwiecznym dylematem pierwszeństwa bytu na planecie. Spekuluje, podobnie jak oni, tyle że po swojemu. I łączy ich wszystkich ta sama przestrzeń: otwarty czas życia. Taki bez troski i bez nadziei. Wystarczająco śmieszny, by zapłakać... Pomyślałam, że mój dom to właśnie taka czarodziejska góra. Szczyt wzniesiony marzeniami.

Zapach Czterech Róż

Z profesorem Wiedermeierem spotykałam się zwykle w kawiarni Cztery Róże, ulokowanej nieopodal uniwersytetu. Przyjeżdżał do uczelnianej biblioteki w każdą pierwszą sobotę miesiąca. Poczytać. Był jedynym belfrem z naszego ogólniaka, który cokolwiek czytał, a jak się później okazało, również pisał. Przez wiele lat pracował nad monografią Tadeusza Kościuszki, o czym dowiedziałam się dopiero teraz, gdy przestały nas dzielić rzędy ławek, a połączyło jedyne w swoim rodzaju metafizyczne doświadczenie samotniczego losu. Profesor wydawał na swój poznawczy kaprys niemal wszystkie nędzne grosze. Najpierw z niewielkiej pensji, a potem z emerytury. Podejrzewałam, że czeka na wypchaną kopertami torbę listonosza Bresia z taką samą niecierpliwością jak babka Bronia.

I ja znałam się co nieco na Tadeuszu bojowniku, ale innym. Dlatego każde z nas o swych Tadeuszach myślało różnie. Mój Tadeusz sam skorzystał z niewoli i pewnie sam napisze swą biografię. Szkoda, że nie wspomni w niej o mnie. O jednej ze swych miłosnych markietanek podążających za jego roztrzepaną myślą polityczną w szarugi listopadowe, mrozy i deszcze. Na szczęście stan wojenny skończył się moim stanem wolnym, nad czym profesor Wiedermeier bynajmniej nie ubolewał.

W dniach bibliotecznych wizyt profesora nie wyjeżdżałam do domu. Nasza przyjaźń, kwitnąca niczym piąta róża w towarzystwie ponurego szyldu Czterech Róż, działała na mnie przygnębiająco. Uświadamiała mi, że jedyny kandydat na mężczyznę mojego życia należy nieodwracalnie do minionego porządku zdarzeń. Innych smaków, zapachów i innej młodości. Odnosiłam wrażenie, że profesor i ja jesteśmy parą eksperymentujących aktorów z dwóch różnych filmów, usiłujących pokazać to samo życie i tę samą Polskę. Ale tych naszych scenicznych usiłowań nie notuje żadna z obserwujących nas kamer.

Lubiłam, gdy cierpliwie czekał na mnie w nieprzytulnej kawiarni. Pił gorącą herbatę z cytryną, przeglądając przez zaparowane okulary gazetę lub swoje notatki. Gdy pojawiałam się w drzwiach, gasił papierosa i do wewnętrznej kieszeni swej jedynej marynarki chował szklaną cygarniczkę. A potem, w leniwym milczeniu, jedliśmy srebrnymi łyżeczkami, maleńkimi jak dla lalek, galaretkę z owocami. Latem galaretka wyglądała jak czerwona oranżada, z trudem próbująca zachować konsystencję ciała stałego. Łatwiej było ją wypić niż zjeść. Zimą Cztery Róże częstowały nas zimnymi podmuchami wiatru szalejącego bezkarnie w nieszczelnych oknach. Łyżeczki z trudem rozbijały skorupkę galaretki, jeżdżąc po niej jak para początkujących łyżwiarzy. Trzęśliśmy się z zimna, ratując sytuację kolejną gorącą herbatą.

Profesora interesowały moje studia.

– Znalazłaś już coś dla siebie? – pytał, jakby studia były sklepem z sukienkami szytymi na inną niż moja miarę.

– Nie, chyba nie – odpowiadałam z namysłem, bo najchętniej wykupiłabym hurtem cały ten „sklep". Chciałam zostać na uczelni, ale marzyłam o praktyce. Interesowałam się psychologią kliniczną, ale nie mogłam żyć bez społecznej. Czułam wielką potrzebę diagnozowania, ale przerażał mnie kontakt z pierwszym pacjentem. Pod względem wachlarza zainteresowań i braku zdecydowania byłam nieodrodnym dzieckiem swoich rodziców.

– Masz czas – mawiał, znajdując dla mnie zrozumienie, jakie miał dla czynów swego bohatera z trzema imionami. – Nie śpiesz się – mówił cicho. Pewnie tak samo delikatnie przemawiałby do Tadeusza Andrzeja Bonawentury Kościuszki, gdyby przyszło mu być przy łóżku umierającego w szwajcarskiej Solurze Naczelnika. – Ważne, żebyś zawsze czuła się wolna – dodawał.

Zasępiałam się i tępo patrzyłam w ciemniejącą szybę. Nie bardzo wiedziałam, jakiej wolności życzy mi Wiedermeier. Czy tej, którą odbierano mu na lekcjach historii? Czy wolność to dla niego samotność, z którą całe życie chodził pod rękę? Czy może jest jeszcze jakaś inna, wewnętrzna? Niby jej nie ma, ale przychodzi czas, że pozwala nam uciec lub wrócić. Bo z tego – tak mi się przynajmniej wydawało – składa się ludzkie życie. No, poza życiem moich rodziców trwających w tym samym miejscu. Gdy byłam mała, zastanawiałam się, ile razy mama i tato trafiają nogą na własne niewidoczne ślady kolekcjonowane cierpliwie przez wytartą podłogę. Nasze mieszkanie było niewielkie, a ich dreptanie nieustanne. Co do rodziców, miałam po prostu wrażenie, że są w jednym miejscu, bo w nim właśnie czują się wolni i bezpieczni.

Ze mną stało się inaczej. Ja wyjechałam i wracałam. To tak, jakbym wciąż się wahała. W przeciwieństwie do niebieskiego autobusu, który z uporem godnym podziwu codziennie przełamywał różnicę między wyjazdem a powrotem.

Powiedziałam o tym profesorowi.

– Podróże są wyzwaniem, walką, zwycięstwem. A powroty miłością – powiedział z uśmiechem.

Pierwszy raz się przekonałam, że profesor ma jednak jakiś pogląd na temat miłości.

– Czy chodzi również o kobietę? – Postanowiłam być odrobinę wścibska.

– Och, moja panno. – Zamachał rękami. – Nawet jeśli myślałem o kobiecie, jestem już taki stary, że nie pamiętam o której. A twoje powroty? Czy odwiedzasz tylko dom?

– Noo nie... – Zaczerwieniłam się. – Lubię ogród pana Sybiduszki. Zawsze chodziliśmy tam z Krzysiem na wagary. – Płonęłam czerwienią wszystkich róż.

– A więc miłość... – Profesor ogłosił swe stanowisko jak werdykt. Poważnie, ale z roześmianymi oczami.

– Miłość? Skąd! – zaprzeczyłam gwałtownie. – To już... historia.

– Wszystko jest historią. – Z upodobaniem głaskał swą białą bródkę. – Wszystko jest historią. Prędzej czy później.

Propozycja

Dzień przed moim ostatnim egzaminem doktor Żyrak zapytał, czy chcę zostać na uczelni. I nie kpił, ponieważ smutek, jaki w sobie nosił, wykluczał tego rodzaju zachowania.

– O... oczywiście – wyjąkałam z zachwytem. – Bardzo.

– Na razie jako asystent...

– Bardzo – powtórzyłam, zalewając się szkarłatem.

– Przed panią doktorat. Ma się rozumieć, nie od razu...

– Bardzo! – zapewniłam jeszcze gorliwiej.

– Co bardzo? – Doktor przestawał być smutny, ale robił się zaniepokojony.

– Bardzo... się cieszę. – Nie mogłam znaleźć żadnych innych słów. Jak głupia Rytka na matmie.

– Wobec tego proszę powiedzieć, czy jest pani zainteresowana stałą pracą na naszym wydziale.

Milczałam.

– Nie słyszę. – Doktor ponownie wbił we mnie siwe jak garnitur spojrzenie.

– Bardzo – wyszeptałam z największą nieśmiałością. Zrozumiałam, co oznacza stwierdzenie „nie znajduję słów".

Pokręcił głową na znak niezadowolenia, machnął ręką i zamierzał odejść, zostawiając mnie w głębokim stresie.

– Panie doktorze – odezwałam się w ostatniej chwili.

– Tak? – Spojrzał na mnie niepewnie.

– Czy... czy pan jest za tym, żebym została?

– Bardzo – wysylabizował starannie i ruszył na zajęcia, uśmiechając się pod nosem, co było wielką rzadkością, zważywszy, że doktor obcował nieustannie z dewiacjami.

Zapragnęłam w niemej wdzięczności przeobrazić się w jakąś wzorcową dewiację, która sprawiłaby mu przyjemność. W gigantyczne ucieleśnienie patologicznego zła, w nienawiść zaprawioną najgorszymi instynktami. W kogoś, kto stałby się dla doktora Żyraka potwierdzeniem wszystkich jego hipotez i wielką ilustracją genialnej rozprawy. Ale taka przemiana nie była możliwa. Zanadto w tym momencie kochałam ludzi i świat wypełniony seryjnymi mordercami. Pomyślałam, że jestem szczęśliwa, i zdziwiłam się łatwością, z jaką można się stać szczęśliwym. Dotąd wyobrażałam sobie, że o taką radość trzeba się starać. Tymczasem przyszła sama. No niezupełnie. Razem z Żyrakiem. Widać znał się na szczęściu lepiej ode mnie. W końcu doktor.

Gdyby jeszcze móc o tym powiedzieć Krzysiowi – zamarzyłam, powoli rozumiejąc, że pełnia szczęścia jednak nie istnieje. Ale myśl o nim też sprawiła mi przyjemność. Bo Krzyś potrafił się cieszyć, gdy ja się cieszyłam. Uśmiechnęłam się nawet do jego jasnej, pogodnej twarzy. Ale w połowie tego uśmiechu podszedł Piotr, bezceremonialnie rozprawiając się z moim dobrym nastrojem.

– Chyba się nie zgodziłaś na ten etat? – mruknął ponuro. I wygłosił mowę, z której miało dla mnie jasno wynikać, czego Piotr nienawidzi. A nienawidzi kobiet noszących przez całe życie wielkie torby z notatkami. Nie cierpi przeintelektualizowanych bab w służbowych garsonkach oraz innych szarych myszy nadgryzających archiwalne annały i śmierdzących bibliotecznym kurzem.

– Wolę się zająć badaniem pozytywnych emocji niż tobą – odpaliłam.

Wyraził niecenzuralne zdziwienie, że nie zamierzam się

zajmować głównie nim. Zrozumiałam, że nie był w stanie pojąć, jak można mieć inne zainteresowania.

– To kim się zajmiesz? Żyrakiem? – wybuchnął, i pomyślałam, że z emocjami Piotr też ma kłopoty.

– Żyrak sam się sobą zajmuje. I to od dawna – syknęłam gniewnie. – A o tobie pomyślę. Na zajęciach ze studentami. Przy temacie „Narcyzm". – Starałam się go zranić.

– Zastanów się, co robisz – fuknął.

– Oddaję się nauce. – Rozłożyłam ręce.

– Jeśli tak jej się oddasz jak mnie, nie będzie usatysfakcjonowana. – Uśmiechnął się cynicznie. I natychmiast pożałował swej męskiej bezczelności.

Nic mnie już przy Piotrze nie zatrzymywało. Ani jego nerwowe gesty, ani szybko wyrzucane przeprosiny. Miło się szło do szatni bez ciężaru zobowiązań.

Piotr pośpiesznie ruszył za mną. Niepotrzebnie. Odchodziłam w swoją stronę z determinacją plutonu egzekucyjnego, powiewając zwycięską falbaną bojowej spódnicy zdobytej na innym froncie, w walce z polską arystokracją, a konkretnie – z Hrabiną Czartoryską.

– Nie chcę się tobą dzielić! – krzyczał rozdzierająco, nie zważając na rosnące zainteresowanie naszym spektakularnym rozstaniem. – A zwłaszcza z tym popieprzonym Żyrakiem! – darł się na cały głos.

Spojrzałam z pogardą w jego stronę, odbierając w szatni płaszcz.

– Pamiętaj! Sama go wybrałaś! Kutasa-smutasa! – ryczał wściekle z bezpiecznej odległości. – Żyraka-cudaka, doktora wielka sraka!

Oniemiałam do tego stopnia, że każdy psycholog uznałby to za przypadek katalepsji. Oniemiałam, widząc, jak kipiącego nienawiścią Piotra zaczyna otaczać tłumek przerażonych studentów, znacząco spoglądających to na niego, to na Żyraka, który jakimś cudem znalazł się pod uczelnianą palmą i z niezłomną cierpliwością badacza dewiacji skwapliwie notował swe spostrzeżenia, przyglądając się z uwagą opisywanemu przypadkowi. Jego cierpliwej pracy towarzyszył uśmiech rozkoszy, jaki cechuje twarze osób wybitnych, a stających się świadkami długo oczekiwanego wydarzenia. Dowodu potwierdzającego wyniki wieloletnich poszukiwań. Odkrycia, na które czeka się całe życie.

Tak właśnie wyglądał Cezary Żyrak w momencie, gdy nieświadomy jego obecności Piotr bił uczelniane rekordy w wygłaszaniu inwektyw. Notatki doktor sporządzał w zeszycie w czerwonej oprawie, gdzie znajdowały się najciekawsze przypadki niepospolitych patologii. Piotr zamilkł w chwili, gdy Żyrak z wielkim trzaskiem zamknął brulion i triumfalnie, odprowadzany spojrzeniami widzów, udał się w kierunku męskiej toalety, pogwizdując melodię z popularnego westernu.

Jeśli można iść do męskiej toalety w sposób ogólnie podziwiany, to Żyrak tak właśnie to uczynił. Cały ten incydent bardziej od sukcesów naukowych zaważył na jego ogromnej popularności.

Powstała nawet formacja, zwana żartobliwie „szkołą Żyraka", która od tego czasu tłumnie zapełniała jego salę wykładową.

Tymczasem ja wraz z Brydzią spekulowałam nad tym, czy sposób chodzenia do toalety może się w pewnych okolicznościach stać kolejnym argumentem kobiet w walce z szowinizmem. W tym celu przeprowadzałyśmy przy piwie skwapliwe badania w małych, przytulnych knajpkach. Brydzia nie miała wątpliwości, że męskie sikanie świadczy o bucie i pysze tej płci.

– Leją, gdzie chcą! – triumfowała, śledząc przez okna kawiarni kolejnych amatorów wypróżniania się na wietrze. – A my do kibla wystajemy w kolejkach dłuższych niż po szynkę. Trzymamy wstyd pod spódnicami i ściskamy nogi przez połowę życia – ubolewała nad kobiecą subtelnością.

– I dobrze nam z tym, nie sądzisz? – Terapeutycznie budowałam jej osobiste poczucie babskiej godności.

– Dobrze – zgadzała się potulnie. I z kuflem do połowy wypełnionym piwem ruszała zająć kolejkę do ciasnej toalety, obliczonej na jedną kobietę.

Spóźniony prezent

Noo, nie wiem – odezwał się wuj Roman głosem zawiedzionego biznesmena – nie wiem, czy to słuszna decyzja...

Siedział w nowym fotelu i palił markowe papierosy. Obok, również w nowym fotelu, tatuś czyścił rękawem swetra z angory jakiś pozłacany sygnet, zupełnie niepasujący do jego dłoni. Mama stawiała na stole przekąski i rzucała w moją stronę wystudiowany uśmiech kobiety szczęśliwej. Miała na sobie ciuchy zmęczone podróżami za chlebem. Mocno tuszujące jej naturalną urodę. Jakby pośpiesznie zdjęte z linki z praniem pani Jarmołowskiej. Widziałam, że czuje się w nich nieswojo, ale za wszelką cenę pragnie wejść w te koszmarne bawełny z wielkimi misiami w kolorowych czapeczkach. Bal przebierańców, na którym się nieopatrznie znalazłam, obrazował sukces finansowy firmy jajczarskiej za granicą.

– Jak to, niesłuszna decyzja? – Zaczynały mnie denerwować rodzinne wątpliwości świadczące o naszych różnych sposobach myślenia. – Jak to nie wiesz, czy dobra? Było pięciu kandydatów na miejsce asystenta i tylko ja...

– Otóż to – podchwycił wuj. – Znaleźli naiwną! Będziesz tyrać za nędzne grosze. Jako najgłupsza!

– W jakim sensie najgłupsza? – Traciłam cierpliwość.

– No, same profesory, docenty... i Miśka Pietkiewicz. Źle to brzmi. – Wuj podrapał się po karku i spojrzał smutnym wzrokiem na rodziców. Wyglądali, jakby zawalił im się na głowę skwapliwie łatany i budowany od pradziejów świat marzeń.

– Wujek chce twego dobra – pośpieszyła z wyjaśnieniem mama. – Teraz, kiedy nam nieźle idzie z jajami, zamierzamy otworzyć resort zdrowych warzyw dla Niemców. Myśleliśmy, że się tym zajmiesz.

– Ja? Marchewką?? Dla mojego dobra? – Nie mogłam się nadziwić.

– Buraczkami – sprostował tatuś. – Najpierw pohandlujemy buraczkami, a ty zawsze lubiłaś buraczki...

– Kiedyś lubiłam buraczki, ale dzisiaj wolę psychologię zaburzeń!

– Tutu śrutu. – Tatuś się skrzywił. – I komu potrzebne te twoje naukowe zaburzenia? A buraczki, elegancko zapakowane i efektownie sprzedane, pozwolą nam dokupić nową wersalkę.

– I segment – przypomniała mama. – Znowu dowieźli

te z Jarocina. Śliczna, fabryczna robota. – Cmoknęła z zachwytem.

– Przykro mi – ucięłam rozmowę. – Musicie meblować się sami. Mam już miejsce w hotelu asystenta. Własny pokój i nawet wnękę, w sam raz na maleńką kuchnię – wyznałam z dumą w głosie.

Skrzywili się jak na komendę.

– Jaki on własny, ten twój pokój? Państwówka – prychnął wuj. – Własna to będzie twoja bieda – ostrzegł z groźbą w głosie.

– A twoja bieda to nasza bieda – włączyła się do rozmowy babka Bronia, którą poznałam wyłącznie po głosie. Weszła do pokoju przebrana za mistrzynię jazdy figurowej na lodzie. W mieniącej się, trochę kusej sukience bombce.

Majątek mojej rodziny, znoszony przez kury, a zdobywany ich zespołowym trudem, najwyraźniej przeznaczany był głównie na te karnawałowe szatki, w których wszyscy wyglądali jak dziwacy. Nowy rodzinny wizerunek przerażał. Miałam wrażenie, że pierwsze pieniądze skłoniły moich bliskich do nabycia jeszcze dziwniejszych i jeszcze bardziej niepotrzebnych rzeczy niż te z niedawnych czasów ubóstwa.

– Aleście wystrojeni. – Z trudem odwróciłam oczy od kuriozalnie śmiesznej kreacji babki Broni.

– I ty byś mogła teraz tak wyglądać – postraszyła mnie mama – gdyby nie te studia.

Po cichu musiałam się z nią zgodzić.

– Teraz to mały pikuś. – Wuj Roman roztoczył kolejną upiorną wizję, żeby mnie zniszczyć. – Zobaczycie potem! Jak będzie musiała nosić okulary! Nie znoszę kobiet w okularach – przypomniał, zabierając się do plasterków niemieckiej wędliny.

– A mnie martwi, że nasza Misia chce się zająć zaburzeniem – westchnął tata. – Tyle jest przyjemniejszych zajęć dających satysfakcję... Ja nie znam nikogo, kto by miał satysfakcję z zaburzenia...

– Dlatego zamierzam je leczyć – powiedziałam z resztką uśmiechu.

– A o jakie zaburzenie tobie, dziecko, chodzi? Czy o jakieś konkretne? – Mama usiadła wprawdzie na starym krześle, ale pretensjonalnie. Tak, abym dostrzegła jej nowe szpilki w intensywnie czerwonym kolorze. Musiały jej się bardzo podobać, bo wciąż na nie spoglądała.

– Chodzi o zaburzenia osobowości. Interesuje mnie ryzyko uzależnień... – rozpoczęłam, ale poza babką Bronią nikt mnie już nie słuchał.

– Mów, mów. – Babka ziewnęła. – Ryzyko uzależnień – powtórzyła głośno – jak to ładnie brzmi. Chyba kiedyś widziałam film panoramiczny pod takim tytułem.

– Panoramiczny? To raczej niemożliwe – zauważyłam grzecznie.

– Panoramiczny był na pewno – ożywiła się babka – tylko tytuł miał chyba inny... *Do krwi ostatniej* czy jakoś tak.

– Istotnie. – Dałam jak zawsze za wygraną i sięgnęłam po kawałek zimnego kotleta. Ale bez ćwikły, dumnie prezentującej na rodzinnym stole swą szlachetną polskość.

Zasypiałam z mieszanymi uczuciami. Miało być radośnie i pięknie. Wyobrażałam sobie, że propozycja pracy, której zazdrościło mi pół naszego roku, stanie się familijnym świętem. Wielkim kinderbalem, jakiego w dzieciństwie nigdy nie miałam. Tymczasem okazałam się rodzinnym wyrzutkiem obojętnym na problemy domowego biznesu. Poszarzała ta moja radość, a szczęście skurczyło się jak stary kasztan, trzymany przez rok w ciepłej kieszeni.

W nierozpakowanej torbie stojącej pod łóżkiem leżała sobie w chłodzie babcinego pokoju nocna koszula dla mamy. Różowiutka jak poranna mgiełka i cała w koronkowych pejzażach. Jadąc niebieskim autobusem, wyobrażałam sobie, jaka to będzie uciecha, gdy przy mamie oderwę metkę z ceną i ofiaruję jej najładniejszą bieliznę, jaką znalazłam. Ładniejszą od wszystkich zgromadzonych w szafie doktorowej Sztolc. Tymczasem moja mama udawała w nowych, śmiesznych przebraniach, że wcale nie jest tą mamą, dla której przygotowałam prezent. Spóźniłam się o kilka dobrych lat. I nie mogłam ustalić, czy to dobrze, czy źle...

Biała koperta

Pan Sybiduszka musiał mnie dostrzec z okien swej kuchni, bo zanim zbliżyłam się do ogrodu, stał już przy furtce, z daleka machając białą kopertą. Przyśpieszyłam kroku.

– Napisał. Tylko do ciebie. – Uśmiechnął się zasapany. Jego starość, witająca mnie świszczącym oddechem i niezdrowymi rumieńcami, ostudziła radość z listu.

– Tylko do ciebie – powtarzał, jakby miało to dla niego szczególne znaczenie.

– Zrobię herbatę – zaproponowałam, dotykając jego szorstkiej dłoni.

– Zaraz tam przyjdę – wyszeptał z trudem.

Altana wymagała radykalnego remontu. Rozejrzałam się po drewnianych wiotkich ścianach z niezadowoleniem. Najchętniej wysłałabym to niezadowolenie na adres zwrotny. Prosto do Paryża. Czułam, że Krzyś ponosi większą winę za spustoszenia, jakie wyrządziła zima w naszym ogrodzie.

Postawiłam na kuchence czajnik i wzięłam się za odgarnianie zeszłorocznych liści z drewnianego stołu. Wraz z nimi od blatu odklejały się wilgotne płaty spróchniałej sosny, głucho opadając na gnijącą podłogę. Może odgłos umierającego miejsca, a może wspomnienie ciężko dyszącego Sybiduszki sprawiły, że przysiadłam na dębowym pniu i ukryłam twarz w przesiąkniętych zbutwiałą wodą rękawach. Po raz pierwszy tak boleśnie się zbuntowałam. Na ciszę, która tu nastała i której nie potrafił wypełnić do końca pracowity gwizdek zardzewiałego czajnika. Byłam zła złością niepoślubionej żony wyglądającej przez dziurę w płocie powrotu niemęża. Byłam pełna gniewu wysyłanego udręczoną myślą daleko za granicę, chociaż jeszcze wczoraj, a nawet dzisiaj rano nie myślałam wcale o Krzysiu. Nie w ten sposób.

Całe moje niezadowolenie skupiło się na kopercie. Spóźniła się, a nie miała prawa. Znalazłam byle jaki uśmiech, żeby zrobić z sobą porządek. Za chwilę przyjdzie podekscytowany staruszek. Nieśmiało przysiądzie obok, aby posłuchać paryskich wieści. Mną pan Sybiduszka nigdy się tak nie interesuje, podszepnęła mi zazdrość. Byłam niesprawiedliwa. Listy od Krzysia przychodziły tu częściej niż ja. Umiał w nich tak ładnie tęsknić, pytać o drzewa w ogrodzie i moje kasztany. Kasztany zajmowały go bardziej niż własne sukcesy, kolorowe biennale, wernisaże i wystawy.

A ja? Odpisywałam albo nie, zajęta podbojem świata. Unoszona przez fale przypadku. Wciąż żądna nowych wrażeń i miejsc, których nie dostrzegałam z kasztana. A były... Kusiły. Omamiały. Wypełniały pustostan z przeszłości. Kreśliłam w pośpiechu kilka słów przeprosin. Czasami milczałam przez długie miesiące. Więc, do cholery, czegóż teraz chcę? I skąd się bierze to przekonanie, że być może przegapiłam nie tylko przyjaźń?

Miłość, do której i teraz nie potrafiłam się przyznać, znikła pod natłokiem spraw teraźniejszych. Ofert i zaproszeń na wielki bal. Miało być przecież wesoło i miała grać wielka orkiestra uczuć. Na całą parę! Więc może jej nie słyszałam, tej miłości, bo mówiła niezrozumiałym szeptem... Jak ja dzisiaj. A potem zamilkła. Jest dobrze wychowana. Nie będzie przecież siedzieć niczym papuga na ramieniu i stukać dziobem w serce...

Z daleka zamajaczyła postać pana Sybiduszki. Herbata już czekała, wysyłając w jego stronę białe dymne znaki. Wydobyłam najmilszy uśmiech. Aby ukrył smutek z powodu mężczyzny, z którym łączyło mnie najwięcej, a jednocześnie mniej niż z innymi. Inni sami wypłukiwali wspomnienia o sobie. Poszukiwacze bursztynowych ziarenek. Odchodzili na inne plaże. A Krzyś wracał. Tylko nie tak, jak tego teraz pragnęłam.

– Co napisał? – Pan Sybiduszka patrzył na zaklejoną kopertę, ale dałabym głowę, że przechadzał się po mojej duszy i przyglądał wszystkim dotąd ukrytym w niej uczuciom.

Otwierałam list zimnymi palcami.

– Już i tobie tęskno – powiedział, ale gdy spojrzałam w jego stronę, śledził nie mnie, lecz maszerującą po cegle zaspaną muchę.

– Tęsknota gorsza od dusiołka. – Machnął ręką. – Jak wlezie na piersi, żadną siłą nie zrzucisz.

Również to zdanie skierował do mocującego się z życiem owada. Pozazdrościłam musze towarzystwa jak niegdyś Krzysiowi jego liszki i z westchnieniem powróciłam do otwierania koperty.

– Są jakieś zdjęcia – szepnęłam, wyciągając plik kolorowych fotografii. – Z wystawy – oceniłam na pierwszy rzut oka.

– Czytaj – poprosił, patrząc na złożoną kartkę z pośpiesznie skreślonymi zdaniami.

Przebiegłam po nich szybko wzrokiem.

– Przyjedzie.

W ciszy altany szelest owadzich skrzydeł brzmiał jak melodia z trzeszczącego radia. W tę melodię wdarł się refren wyszeptany drżącym głosem pana Sybiduszki.

– Przyjedzie – powtórzył i z lękiem rozejrzał się wokół. Jakby nagle odkrył, że nie jest tu dość wygodnie dla tak znakomitego gościa. – Trochę tu posprzątam. – Ożywił się i zarumienił. – Odmaluję zewnętrzne ściany – planował, rozglądając się z uwagą wokół – i daszek naprawię. Daszek koniecznie, bo przez tę dziurę po jaskółczym gnieździe woda się leje jak do rynny...

Śledziłam fotografie. Jedna po drugiej. Na każdej Krzyś i jego prace w tle. Ale tło nie było dla mnie łaskawe. Obok obrazów wszędzie majaczyła postać delikatnej dziewczyny. Na jednym ze zdjęć ujęcie jej twarzy. Przypadkowe, ale wyraźne. Wyraźne do bólu, jaki narasta od pierwszego ukłucia zazdrości. Bardzo ładna. Zwłaszcza tu, w tym wielgachnym swetrze. Takie kobiety widywałam wyłącznie w kolorowych zagranicznych czasopismach i dotąd spałam spokojnie, pewna, że one w rzeczywistości nie istnieją. Jednak są, i to na Krzysia wyciągnięcie ręki.

– Mogę? – Pan Sybiduszka delikatnie wyjmuje z moich dłoni zdjęcia, uwalniając mnie w ten sposób od nadmiernego ciężaru. Chyba to czuje, bo patrzy na kolorowe odbicie Krzysia uważnie. A potem mówi coś o jego obrazach. Że są poruszające. Zwłaszcza ten z czarnymi kwiatami na szarym tle. Kwiaty wyglądają jak ptaki na łące.

Jak on to robi, że nie dostrzega groźnego ptaka w wielkim swetrze?, zastanawiam się, czujnie śledząc stare oczy krążące po fotkach.

– I ten też jest piękny...

Pan Sybiduszka delikatnie gładzi lśniący papier z rysunkiem martwej plaży. Żółte piaski zdają się chrzęścić pod jego palcami. Wie, że cierpię, i podsuwa zdjęcia, na których nie ma tajemniczej dziewczyny. Tak. Tylko te dwa mu się szczególnie podobają. Innych mi nie pokazuje. Odwraca do góry grzbietem i pyta, czy nie zrobimy sobie dolewki.

– Zrobimy – mówię drżącym głosem. I bezradnie kręcę się w kółko, nagle zapominając, gdzie jest czajnik.

– Jak wreszcie do nas przyjedzie – podkreśla pan Sybiduszka – to sobie uświadomi, że nie można zaniedbywać raju. – Uśmiecha się do mnie bezzębnym porozumieniem.

– Mnie już tu pewnie nie będzie – szepczę po chwili tak niewyraźnie, że staruszek mocno się pochyla, aby usłyszeć.

Mój szept robi się przykry i niezrozumiały. Ale pan Sybiduszka wcale się tym nie przejmuje. Ma w sobie cierpliwość dzielnego strażaka i wprawę w gaszeniu piekielnych płomieni. Języków smutku. Mówi, że spodziewa się w tym roku prawdziwego wysypu gruszek. Ulęgałek. W sam raz na kompoty. I że zakwitnie żarnowiec, ten żółty, przyniesiony z pola. I że nigdy nie jest tak całkiem źle, jak się czasami ludziom wydaje. Bo największy pożar kiedyś gaśnie. Czy to będą płonąć serca, czy umysły, czy choćby zwykła trawa na łąkach. Zgaśnie, i już. A po pożarach trzeba się nauczyć żyć od nowa. Oprócz mnie słucha pana Sybiduszki natrętna mucha. Siedzi na rozdrożu ogrodowych dróżek i czeka na pierwsze słońce.

Dolewam do kubków wody i znowu wycieram łzy.

Pijemy w milczeniu herbatę, a ja patrzę na rozmokłą ścieżkę i zastanawiam się, jak Krzyś dojdzie nią do mnie. Po tej zimowej chlapie i po glinianych bruzdach ziemi. W swoich nowych zamszowych butach, jakich tutaj nikt nie ma. Nawet doktor Sztolc. Nasz miasteczkowy elegant.

Piąta pora roku

Wreszcie poznasz Krzysia. – Obiecałam Brydzi przy śniadaniu.

– „Wreszcie" to jaka pora roku? Bo latem jadę na Mazury. – Siedziała markotna i zła. Nie potrafiła wybaczyć mi planowanej przeprowadzki do hotelu asystenta. – A po wakacjach chyba nie wrócę już na studia – ciągnęła grobowym głosem, patrząc na mnie z wyrzutem.

Zaczynałam rozumieć kolejnych rektorów wyrzucających ją z kolejnych uczelni. W przeciwieństwie do nich kochałam Brydzię, a moja cierpliwość mimo to wyczerpywała się szybciej niż fajki zdobywane w czasach strajków za kartki na fajki. Te zdobywane za kartki na czekoladę. Życie wówczas nie było łatwe.

– A co zamierzasz robić?! – wkurzyłam się po raz setny. – Siedzieć w tataraku i liczyć dzikie kaczki? To jest szantaż, Brydzia! – Straciłam apetyt na rogaliki, po które biegłam rankiem w piżamie. Specjalnie dla niej, bo sama zwracałam po rogalikach już trzeci tydzień z rzędu. Pewnie były robione z tej starej amerykańskiej mąki, którą alianci ratowali Polskę od klęski głodowej.

Brydzi mąka służyła. Zjadała wszystkie rogaliki, tyle że nieustannie przy nich beczała i robiła fochy.

Nasze śniadania zaczynały przypominać obraz rozlatującego się małżeństwa. Rozgoryczonej żony, która poświęciła wszystko, a teraz zostaje z trzema rogalikami, oraz skończonego chama, który, jak każdy cham ogarnięty potrzebą zmiany życia, przestaje udawać potulnego mężusia, zamieniając argumenty uczuciowe na racjonalne.

– Tak będzie lepiej – mówiłam, wchodząc w rolę chama.

– Przecież nic się nie zmieni... – Brydzia przyklejała się do tego zdania. – To zamieszkam z tobą – mówiła, błagalnie patrząc mi w oczy. – Wystarczy nam jedno łóżko. Przecież i tak śpimy o różnych porach. Ty nocą, ja w dzień...

Rozmowa z Brydzią od kilku dni zawieszała się na tej samej frazie niczym zepsuty uczelniany komputer. Zostawiałam ją w towarzystwie ostatniego rogalika, a sama wpadałam do łazienki z widokiem na zaryglowany prysznic. Dziękowałam Hrabinie, że zostawiła nam wolny dostęp do sedesu, z którym miałam od niedawna dziwny zwyczaj dzielenia się wszystkim, co zjadłam. A nawet tym, czego zjeść nie zdążyłam.

Gdy opuszczałam łazienkę, Brydzia kornie stała za drzwiami.

– To co? – łatała urwany wątek. – Weźmiesz mnie z sobą? Zajmę się dzieckiem i w ogóle...

– Jakim dzieckiem, Brydzia? – Patrzyłam na nią z przerażeniem, a wymarzony jednoosobowy pokój zaczynał się zaludniać szybciej niż nasze rodzinne mieszkanie. Oczami wyobraźni zobaczyłam dyktę, za którą w moim gniazdku mości się Brydzia i obce dziecko, którym zamierza się zająć. – Jakim dzieckiem? – Wycierałam mokre usta w dłoń, nie spuszczając z niej wzroku. Bo Brydzia mówiła różne rzeczy, ale to, co mówiła, zwykle miało sens.

– No, twoim, to znaczy naszym...

– Nie mamy dzieci – zaprotestowałam słabym głosem.

Właśnie kończyła się pierwsza godzina seminarium, na którym zamierzałam przedstawić fragment rozdziału o uzależnieniach. Z pięknym tytułem *Ścieżki przyjemności*. Tymczasem wydeptywałam własną ścieżkę do kibla Hrabiny. Biegła w odwrotnym do przyjemności kierunku. Na dodatek leżała na niej kłoda w postaci Brydzi bredzącej o dzieciach i wspólnym łożu.

Położyłam się, aby mój żołądek odnalazł właściwe dla siebie miejsce i przestał kursować po ciele jak zepsuta winda. Zamknęłam oczy i wyraziłam zgodę na kompres z mokrego ręcznika.

Brydzia przysiadła po turecku w rogu łóżka, zadowolona z tej mojej niewoli podyktowanej zdrowotną niemocą. Otworzyła książkę i z uwagą oddała się lekturze.

– Co czytasz? – Mój głos z trudem wydobywał się spod ręcznika.

– *Jak wychować zdolne dziecko*. Lewisa – dodała z powagą, a ja zerwałam się na równe nogi.

– Porozmawiajmy poważnie!

– O czym? – Brydzia wodziła palcem po spisie treści.

– O twojej ciąży – odezwała się ponownie, gdy palec zatrzymał się na interesującym ją problemie.

Opadłam ciężko na poduszkę. Nazwała po imieniu moje niespanie, rzyganie i zmęczenie. A przecież nie wie, że od trzech miesięcy daremnie czekam na jedną ze swoich dwunastu śmierci w roku.

Ileż winy może udźwignąć na sobie zepsuta amerykańska mąka? Jak długo chcę oskarżać o fizjologiczną klęskę nieistniejące wrzody i kapryśną dwunastnicę? Ile jeszcze czasu będę się upierać, że mój gładki brzuch nie ma przede mną żadnych tajemnic? Że ja sama nie mam przed sobą żadnych tajemnic. Że jutro, jak mówi pan Sybiduszka, będzie lepiej. A grusza tylko czeka, by sypnąć maleńkimi ulęgałkami, które zmienią raj w wielki dzban pełen słodkiego kompotu...

– Nie płacz – mówi Brydzia i poprawia mi kompres. – Damy sobie radę.

Odkłada książkę na bok. Zanim się dowie, jak wychować zdolne dziecko, będzie cierpliwie gotowała dla niego kaszki i owsianki.

– To normalne, że nie wszystko może pani jeść – instruuje mnie sympatyczny ginekolog ze studenckiej poradni. – Ciąże są jak małe dzieci. Miewają różne zachcianki. Na razie niewiele mogę powiedzieć, ale w następnym miesiącu pewnie będą dobre wieści – kończy badanie.

Pod drzwiami czeka Brydzia. Wiem, że aż się rwie, żeby stanąć w kolejce po śliczny nowy wózek i kilka śpioszków.

Z przerażeniem patrzę, jak moja wciąż nie do końca stwierdzona ciąża staje się własnością innych. Jeszcze jej nie czuję pod tkanką skóry, a już została zaklasyfikowana jako „dobra wieść". Jeszcze nie nadałam jej żadnego kształtu i nie nazwałam, a Brydzia przystraja ją w różową sukienkę i chce uczyć wierszyka o słoniu. Poza tym – i to kolejna myśl, z którą zostaję sama – co ze sprawcą tej całej awantury? Wprawdzie widziałam Piotra wczoraj w uczelnianym barku, jak czochrał włosy urodziwej blondynki z pierwszego roku, ale choć widziałam go z bardzo bliska, uświadomiłam sobie, jak bardzo jesteśmy od siebie daleko.

Przez kilka dni nie opuszczałam łóżka. Nawet Hrabina zainteresowała się moją chorobą i przyniosła czekoladę z bazaru, po której świetnie się rzygało.

Leżałam i studiowałam bezbolesne przechodzenie z raju do czyśćca. Wcale tam nie chciałam dotrzeć, ale wystarczyła minuta zapomnienia, a już los spakował moje manatki. Wciąż jednak miałam kłopot z akceptacją pasażera na gapę, który ukrył się w moim brzuchu.

– Jak myślisz, Brydzia, matką zostaje się od razu po zapłodnieniu czy dopiero po porodzie?

– Skąd mam wiedzieć? – Brydzia wzruszała ramionami. – Sądząc po tobie, chyba nie tak od razu... Cholera wie.

– Czytam teraz o pierwszych miesiącach ciąży. – Machnęłam w jej stronę broszurką.

– Po co? – Praktycyzm Brydzi był irytujący. – To masz już z głowy. Lepiej przerób poród.

– A może od razu pierwsze rozmówki z dzieckiem, co?

– To też jakiś pomysł. – Brydzia wpadła w długotrwałe zamyślenie. – Trzeba będzie coś powiedzieć na dzień dobry. Na przykład „jak się masz?" albo może coś po angielsku. Gdzieś czytałam, że dzieciaki szybko uczą się języków obcych. Jak się rodzą, to im wszystko jedno, czy w Polsce, czy w Pakistanie.

– Nie pamiętam – wycedziłam z resztką cierpliwości w głosie.

– Rozumiem. – Brydzia dbała o moje nerwy. – Przywitaj niemowlę po polsku. Tak normalnie. „Cześć, dziecko". Ja bym powiedziała „cześć, dziecko" i wyciągnęła do niego rękę.

– Bóg wiedział, co robi, nie obdarzając cię brzuchem – warknęłam wrogo.

– Bóg jak Bóg. – Brydzia lubiła się ze mną droczyć. – Ten frajer z lusterkiem nie ma z Bogiem nic wspólnego.

Nie wiem, jak Brydzi się udawało tak perfekcyjnie unikać ataków lecącej w jej stronę poduszki. Ale trzeba przyznać, że była w tych unikach mistrzem. Poduszki leciały jak przyjazny deszcz. Śmiałyśmy się, gdy nie trafiały w nasze głowy. Lądowały miękko na podłodze i pozwalały dalej sobą pomiatać. Bawiłam się w takich chwilach jak dziecko celujące kasztanem w szyby kurnika. Ale chciałam czy nie, musiałam wreszcie dostrzec, że zaczynała się piąta pora roku. Przemilczana przez panią Elwirę i inne ładne panie z naszej szkoły.

Ciekawe, co robią kasztany podczas piątej pory roku? Pewnie dojrzewają w brzuchu wielkiego drzewa...

Ale jaja! – szczerze zdziwił się Piotr, gdy bez wstępnych wyjaśnień powiedziałam mu o ciąży. Przygryzł dolną wargę. – Ale jaja – powtórzył.

Zrozumiałam, że nasza sytuacja nie różni się od fabuł jego ulubionych filmów z Louisem de Funèsem. Na filmach też był zaskoczony rozwojem akcji i co jakiś czas powtarzał „ale jaja". Tyle że ja nie byłam de Funèsem, a nasze dziecko skrzydełkiem lub nóżką.

– Jaja. – Zgodziłam się, choć ta konkluzja bardziej przywodziła na myśl rodzinny biznes niż moją sytuację. Jeśli jeszcze parę dni temu sądziłam, że nie dorosłam do roli matki, to teraz byłam pewna, że Piotr jako ojciec jeszcze się nawet nie urodził.

Był nie tyle zakłopotany, ile zdziwiony.

– Słuchaj. – Spojrzał na mnie z rzadkim u niego ożywieniem. – Skoro będziemy mieli dziecko, to chyba trzeba by wziąć jakiś ślub, no nie?

– Nie – odpowiedziałam spokojnie. – Takich planów nigdy nie było, więc po co od razu ślub...

Wydawało mi się, że spochmurniał.

– To nie jest dobry pomysł, Piotrze – powiedziałam ciepło. – Sam wiesz, że bardziej nas zmęczy wspólne życie niż wspólne dziecko...

– Okej – zgodził się z tym samym uśmiechem, z jakim zaproponował mi ślub. – Jak wolisz – dodał i rozejrzał się za kelnerką.

– Szkoda, że nie chcesz łyknąć browarka. Przedni tu mają. – Zamówił kolejne piwo. – No to co mam zrobić? – Z lubością zanurzył usta w pianie.

– Pomożesz mi finansowo. Z tym będzie najgorzej.

– Wal śmiało, ile potrzebujesz. Mój stary ma szmal na dziwki, to znajdzie i dla wnuka. Chyba wnuka? – Spojrzał pytająco.

– A co za różnica?

Piotr podrapał się po głowie.

– Na filmach prawdziwi faceci chcą mieć syna. Tak mi się przynajmniej wydaje.

Patrzyłam na niego ze szczerym zdumieniem. Nigdy nie sądziłam, że zajdę w ciążę z kimś bardziej dziecinnym od mojego płodu.

– Dziewczynki też są ładne.

– W zasadzie... Okej. Może być dziewczynka.

Wolno sączył piwo i wydawał się zadowolony. Pozazdrościłam mu. Też chciałabym sączyć piwo i głupio się cieszyć. Odnosiłam wrażenie, że Piotr nie bardzo wie, o czym, a raczej o kim mówimy. Łykał radośnie browarek, najwyraźniej ożywiony nową sytuacją.

– Nic po tobie nie widać. – Obejrzał mnie od stóp do głów.

– Ale we mnie widać.

Zastanawiałam się, jak to możliwe, aby dojrzały człowiek parę miesięcy przed magisterium z pedagogiki zdołał zachować świeżość umysłu małego dziecka. I nie był to komplement pod adresem małych dzieci.

W drodze na przystanek omówiliśmy resztę ważnych spraw. Byłam Piotrowi wdzięczna za jego zdroworozsądkowe podejście do nowiny. W końcu nie co dzień zostaje się ojcem.

– Muszę lecieć. – Piotr nie bardzo wiedział, jak się zachować w nowej sytuacji. Drapał się po głowie i wykonywał dziwne ruchy, jakby chciał pocałować mnie w rękę. Wiedziałam, ile kosztowałby go taki gest, chociaż nikt poza nami nie czekał na autobus.

– No to cześć. – Błysnął zębami. – A o forsę się nie martw. Powiedz tylko, ile potrzebujesz, a na pewno załatwię.

Uśmiechnęłam się jak pani Emilia Poronin z naszego Peweksu. Trochę handlowo. Bo też nagle poczułam jakiś mały wstyd. Pani Emilia handlowała zapachami i golfami. Miała też na stanie ładne opakowania z chałwą. A mój towar, choć może w ładnym opakowaniu, nie był chałwą, lecz raczej margaryną, bo niezwykle zdrową ciążą, jak zapewniał ginekolog podczas ostatniego badania.

Zostałam na przystanku sama. Z kołaczącą po głowie myślą, że kiedyś moim marzeniem były owe golfiki z angory, a teraz mam ciążę, która, choć zdaniem fachowca jest jak marzenie, to jednak jakby nie moje. Doszłam do wniosku, że musiałam je komuś skubnąć. Tylko komu i po co?

Wieczór filmowy

Doktor Żyrak patrzył na mnie z większym smutkiem niż kiedykolwiek dotąd.

– Co pani powie – jęknął, przecierając okulary. – Taki pech...

– Taki los – poprawiłam doktora. Zaczynałam walczyć o dobre imię swej ciąży.

– Słusznie. Oczywiście, los... Szkoda, ogromna szkoda... – powrócił bezwiednie do swego stanowiska. Nie musiał go głosić. Twarz doktora wyrażała bezmierne cierpienie, z którego emanowała niechęć do wszystkich ciąż świata. Jakby zapomniał, że sam musiał być kiedyś dorodnym brzuszkiem.

– Ja nie przyszłam się skarżyć. – Odchrząknęłam. – Nic już nie da się zmienić, ale mimo to chciałabym dostać tę pracę.

– Tak. Naturalnie. Tylko czy będzie to możliwe?

– Dam sobie radę. Macierzyństwo nie jest chorobą – szepnęłam płaczliwie.

Doktor przeraził się moich ewentualnych łez.

– Oczywiście! Żadna to choroba... No, może maleńka niedyspozycja... maleńka...

– Gdyby nie maleńkie niedyspozycje, pan doktor nie miałby kogo wpisywać do czerwonego kajetu – przypomniałam mu, znajdując pewniejszą siebie minę.

– Mhm... Istotnie. Ktoś przecież musi rodzić morderców. – Uśmiechnął się z większą sympatią i milszym wzrokiem ogarnął mój brzuch. Jakbym tam trzymała dla niego prawdziwą gratkę. Superbydlę, które tylko czeka, żeby po przyjściu na świat położyć trupem pół miasta.

– Nasza umowa nie ulega zmianie. – Wyciągnął do mnie swą smukłą dłoń. – Może pani liczyć na moją pomoc – zaproponował, lekko czerwieniejąc. – Chodzi o zastępstwa. Na zajęciach – dodał szybko, pełen obaw, że każę mu karmić piersią.

Z gabinetu doktora Żyraka wyszłyśmy z ciążą spokojne i zadowolone. Pomyślałam nawet, że byłoby dobrze, gdyby ciąża okazała się w przyszłości takim doktorem Żyrakiem. No, może tylko trochę weselszym i zmieniającym czasami garnitur na dżinsy.

Zrobiło mi się jeszcze przyjemniej, gdy przechodząc przez uczelniany plac, doszłam do wniosku, że trochę jestem drzewem, w którym dojrzewa kasztanowy ludzik. Niewielki, ale już czuję jego obecność. Zaczynam rozumieć jego ruchy, na razie tylko sygnalizowane ciepłą falą przetaczającą się w okolicach pępka. Kto wie, czy nie przywitam go po angielsku. Jak sugerowała Brydzia. Choć po angielsku to się raczej wychodzi, a ja nie mam powodów do cichych ucieczek.

Usiadłam na ławce przed uczelnią, aby w pomrukach nadchodzącej wiosny rozważyć ostatnie wydarzenia. Miałam dwadzieścia trzy lata, brzuch wypełniony coraz milszym ciężarem. Kończyłam psychologię i mogłam podjąć pracę na ulubionym wydziale. W zasadzie niczego mi nie brakowało. A Brydzia skomentowałaby to kąśliwie, że mam więcej, niż chciałam, co też było prawdą. Uśmiechnęłam się na myśl, że po raz pierwszy to właśnie ja pozmieniam rodzinne hierarchie. Z ojca uczynię dziadka, z mamy babcię. Ale w zamian dam im najlepszy z możliwych prezentów. I to taki, którego wuj Roman nie przehandluje w warsztacie Małachowskiego. Wcale nie jest źle!

Obok mnie przechodzi przystojny blondyn. Uśmiecha się. Nie. Tylko przygląda... A jednak uśmiecha. O cholera, już się nie uśmiecha, a na głowie czuję mokry placek gołębiego gówna. W takim momencie mnie osrać! Gdzieś pod skórą czuję, jak wzbiera we mnie energia babki Broni. Wyciągam serwetkę i starannie ściągam gówno, mocno dbając, by nie pobrudzić twarzy.

– Kurwa mać – miotam pod nosem, szukając następnej chusteczki.

Blondyn niezdecydowanie przystaje. Wreszcie po chwili namysłu podchodzi do mnie i szarmancko się nachyla.

– Przepraszam, nie usłyszałem... Co koleżanka mówi?

– Kurwa mać, kolego – odpowiadam mu z czarującym uśmiechem.

– Rozumiem. – Blondyn znowu staje się poważny i odchodzi, a ja przestaję wierzyć w uparte twierdzenie tatusia, że jak cię osra gołąb, to zawsze na szczęście.

W sklepie z pustymi półkami jest tak długa kolejka, że natychmiast w niej staję. Może sprzedają te półki. W razie czego kupię. Zamiast segmentu dla mamy. Sprawdzam, czy moje kartki na przeżycie leżą w portmonetce. Leżą. Lubię stać w kolejkach i patrzeć na ludzi. Ludzie też lubią w nich stać i popatrzeć sobie na mnie. Co innego bowiem można robić w kolejce? Czytać literaturę? Gdy najpiękniejsze sceny, wciąż ocenzurowane i nieobecne w książkach, przetaczają się przez sklep z realizmem dokumentu?

– Jestem w ciąży! – drze się triumfalnie młoda tleniona. – Przepraszam! – Popycha kilku mężczyzn. – Jestem w ciąży!

– To do ginekologa! – odszczekuje jej gość w cyklistówce.

– A pan do psychiatry! – Tleniona purpurowieje. Ciąży nie widać, ale widać, że ma kolejkową wprawę. Już stoi za trzema inwalidami.

– Chyba przed chwilą z łóżka wyskoczyła. – Odwraca się w moją stronę poczciwa staruszka. – Pięć minut jest w tej ciąży, mówię pani. Mnie to już nikt by nie uwierzył. – Wzdycha zazdrośnie.

– Co rzucili? – pytam.

– Nie wiem. Jakbym wiedziała, to może bym nawet nie stała, a tak? Do piątej zleci.

To jedna z tych, co mają w oczach kolejkowy zegarek.

– Raczej do piątej trzydzieści. – Nachyla się nad nami elegancki pan. Też mierzy tłum i oblicza starannie czas stracony przy długiej ladzie.

– Nie, proszę pana. – Starowinka jest uparta. – Najwyżej do piątej... piętnaście albo szesnaście.

– A ja pani powiem, że nie. Otóż nie tak dawno...

– Proszę pana, ja potrafię wstawić obiad i tak obliczyć kolejkę, że wracam i zupę gotową nalewam. Wczoraj robiłam kapuśniak na skrzydełkach...

– Na skrzydełkach? – Grzeczne zainteresowanie pana trochę zmitygowało staruszkę.

– Owszem.

– Gdzie je łaskawa pani dostała? Na Wyczółkowskiego?

– Nie. Tam też były, ale wie pan, tylko dla znajomych. Jeżdżę we wtorki na Węgrzyna...

– Na Węgrzyna, miła pani, rzucają w piątek wołowinę. Rozumiemy, o co chodzi? – Zrobił znaczącą minę. – W piątek.

– A jak nie rozumiem, proszę pana? W Środę Popielcową w zeszłym roku to tyle mięsa było, że siatami wynoś.

Tleniona już odchodzi od lady. Zadowolona. Mój kolejkowy znajomy zaczepia ją delikatnie.

– Przepraszam panią – uchyla kapelusza – co dają?

– Dupy dają, kochany – odpowiada mu tleniona i w uśmiechu pokazuje złoty ząb.

– Wczoraj było jeszcze tak zimno, a dzisiaj idzie na ocieplenie, nie sądzą panie? – Mój kolejkowy sąsiad z zakłopotaniem gniecie kapelusz.

Zgadzamy się z nim, a starsza pani, patrząc na zawijas kolejkowy, mówi niepewnym głosem:

– Chyba szanowny pan ma rację. Piąta trzydzieści, a i też nie wiadomo, czy dla nas wystarczy...

Uświadamiam sobie, że przez ostatnie lata wszystko, poza uczuciami, jest dokładnie odważone, policzone i zmierzone. Zastanowiło mnie, kto jest tym narodowym geniuszem ekonomicznym potrafiącym precyzyjnie policzyć ilość parówek i kostek masła potrzebnych nam do szczęścia. Albo do przeżycia. Obojętnie, bo jeśli się przeżyje, to już powód do szczęścia.

Gorzej z uczuciami. Pozostawały nielimitowane. I miłość, i nienawiść w każdej ilości. Miłość jest chyba mniej chodliwa, myślałam, wspominając tlenioną. Może brakuje nam czasu na kochanie? Język miłości też wymknął się spod kontroli. Zmilitaryzował się, włożył mundur i uzbroił w rozkazy. Podobnie jak moi mężczyźni stanu wojennego i powojennego... Po swych spiskowych spotkaniach sprawnie ściągali ze mnie mundurek łączniczki. Znowuż marzyciele obiecywali coś bełkotliwie, ale zwykle byli pijani. Jak to poeci codzienności.

Spojrzałam zazdrośnie na kolejną szczęściarę tulącą do piersi masło niczym klejnot. A potem każdy poszedł w swoją stronę, zostawiając po sobie puste butelki tanich wód toaletowych, wiersze z drugiego obiegu. Albo śluby i ciąże. Wojenne pamiątki.

Jakoś to będzie, pomyślałam, ufnie patrząc na nowe kartony wynoszone z zaplecza. Będzie okej, zgodziła się ze mną intuicja głosem Piotra. A ja miałam ochotę ją zapytać, gdzie się podziewała, gdy przy moich majtkach majstrował duży dzieciak. W mrocznym pokoju Hrabiny. W styczniowy ponury wieczór i tylko z tego powodu, że spóźniliśmy się na film z Dustinem Hoffmanem.

Była siedemnasta trzydzieści.

– Nie ma, skończyło się! – krzyknęła radośnie sprzedawczyni, wynosząc stos kartonów po żółtym serze, maśle i cukrze. – Nie ma! – powtórzyła, widząc w moich oczach wielkie pragnienie kupienia czegokolwiek. – Nasrasz w te kartony, a dalej nie uwierzą – powiedziała cicho do sprzątającej po dostawie koleżanki.

Sprzedawczyni nagle wydała mi się podobna do wielkiej, nastroszonej gołębicy. Gotowej na wszystko. I wcale nie oferującej szczęścia swymi niecnymi czynami.

– Żegnam panie. – Kolejkowy dżentelmen uhonorował nas zdjęciem kapelusza. – Przypominam paniom, piątek, ulica Węgrzyna.

– Do zobaczenia w kolejce. – Uśmiechnęłam się do nowych przyjaciół.

– Do widzenia – odpowiedziała trochę zmartwiona staruszka. – Dzisiaj to już chyba nic nie zostało z mojego krupniku – szepnęła.

Wygnanie

Misiu, jak to się stało? – Mama spoglądała na mnie przerażona. Oddychała głęboko, przez co unosił się i opadał trykot z Kaczorem Donaldem. Kaczor na jej piersiach miarowo ruszał różowym łebkiem.

– Normalnie się stało – uspokoiłam ją. Pomyślałam, że matki mają wielką łatwość zapominania, jak się zachodzi w ciążę, a to przecież one są zawsze pionierkami.

– Nie rozumiem. – Bezradnie spojrzała na tatusia pochylonego nad żelazkiem babki Broni.

– A co tu do rozumienia. – Tatuś psuł żelazko, żeby je potem naprawiać. – Zrobi się ślub i po wszystkim.

– Jak po wszystkim? Ślub jest zwykle na początku. – Mama nie dawała za wygraną.

– No to mówię. – Tata tracił cierpliwość, gdyż rozpadł mu się w ręce termostat. Nazbyt mocno go ścisnął. – Ślub zrobimy. Pobłogosławimy. Gorzej z mieszkaniem. – Uprzytomnił sobie, że jeszcze nie jest wystarczająco bogaty, by rzucać obietnicami bez pokrycia.

– Ślubu nie będzie. – Postanowiłam ulżyć doli ojca.

– Jak to bez ślubu? – Mama złapała się za serce. – My z tatusiem... – rozpoczęła, ale babka Bronia, która dotąd siedziała przygnieciona ciężarem nowiny, odzyskała rezon.

– I bardzo dobrze. Po co ślub? Żeby potem czekać długie lata na śmierć ukochanego człowieka? – Babka miała swoje bolesne doświadczenia. I najwięcej mężów w naszej rodzinie. – Nigdy nie wiadomo, w czyje ręce dziecko się oddaje – dokończyła.

– Dwoje dzieci. – Tatuś podniósł ostrzegawczo palec do góry. – W tym wypadku dwoje, bo córkę i wnuka...

– Wnuczkę – sprostowała mama, mnąc swój trykot. Wolała dziewczynki.

– Wnuka – powtórzył ojciec, gubiąc kolejny kawałek żelazka.

– W każdym razie niemowlę. – Babka Bronia zadbała o rodzinną harmonię i byłam jej za to wdzięczna.

– Będziemy mieli dziecko – odezwali się jednocześnie rodzice na widok wchodzącego wuja Romana.

– A to dopiero nowina! – Wuj się rozpromienił. – W waszym wieku... no, no! W gazecie to na pewno o was napiszą. Zawsze piszą o jakichś biologicznych ciekawostkach. Kupimy kilka numerów. Znowu zostanę wujkiem! – odkrył nagle i zatarł radośnie ręce.

– No, nie wujkiem, Romuś, lecz wujkiem-dziadkiem.

– Dziadkiem-wujkiem – sprzeciwił się mamie tata. Wyraźnie zmierzał do kłótni, ponieważ żelazko do niczego się już nie nadawało.

– Misia będzie miała dziecko. To tak, jakby było nasze – wyjaśniła babka, ponownie oziębiając atmosferę.

– Oczywiście! – Wuj znalazł na tę okazję głos wodzireja. Trochę drżący i nadający rodzinnemu życiu wyraz podniosłości. – Trzeba to, kochani, uczcić.

W ten sposób najlepsza samogonka trzymana na specjalną chwilę opuściła na zawsze kredens. Wprawdzie miała zostać wypita w dniu przejęcia kiosku Parysiaków, ale wszyscy zgodnie stwierdzili, że Parysiakowie mają do Ameryki dalej niż ja na porodówkę.

– Nasze dziecko jest ważniejsze nawet od... kiosku! – zagrzmiał tata, a ja wiedziałam, ile go to wyznanie kosztuje.

Mama też odsunęła segment na dalszy plan, choć nadmieniła, że półki Parysiaków przydałyby się na pieluszki i kaftaniki.

– Zapiszemy mu firmę z jajami – cieszył się wuj, trochę zapominając, że płód na razie sam jest jajem. Tyle że nieekologicznym.

Następnego dnia odwiedziłam pana Sybiduszkę.

– Coś się stało – bardziej stwierdził, niż zapytał.

– Nic takiego. – Uśmiechnęłam się, ale nie odpowiedział na mój uśmiech.

– Za dwa tygodnie przyjedzie Krzyś... – rozpoczęłam wolno.

– Wiem. – Patrzył mi prosto w oczy.

– Niech mu pan powie, że... że nie tym razem... ale może jeszcze kiedyś... kiedyś uda nam się tu spotkać. – Rzuciłam tęskne spojrzenie na szare badyle krzewów.

– Nie tym razem... – powtórzył i odwrócił ode mnie oczy. – Dobrze, powiem.

Nie był ciekaw, dlaczego porzucam ten nasz niby-rajski ogród. Ktoś, kto go rzuca, nie jest wart zainteresowania. Usłyszałam szelest przesuwanych ciężkim krokiem liści. Odchodził w swoją stronę. Pilnować własnych spraw. Nie będzie ciągnął mnie tu na siłę. Na raj każdy musi sobie zasłużyć sam – zdawały się mówić jego oczy, gdy ogarniał nimi cicho szumiące drzewa.

Ogród nie żył. Leżał w grobowej ciszy rdzawych mchów, łysych pnączy, spowity darnią martwych traw. Tak samo byłoby z moim sercem, gdyby nie ulokowane pod nim małe, krzepiące życie. Chciane, niechciane, trudno powiedzieć. Zwłaszcza teraz, gdy oddałam dobrowolnie przepustkę do najlepszego ze światów. Za panem Sybiduszką głośno skrzypnęły drzwi. Skuliłam się przed zimnem i ruszyłam w drogę powrotną, gubiąc w błocie obcasy. Moje ślady na grząskiej drodze zapadały się w glinie i znikały. Jakby ktoś za mną szedł i zamazywał wszelkie znaki prowadzące do raju.

CZĘŚĆ TRZECIA

W kolejce po miłość

Ciąża okazała się całkiem ładnym Adasiem, obdarzonym kępką włosów, lekką niedowagą i wrzaskliwym usposobieniem. Nie wiem, kto z nas głośniej darł się w ostatniej fazie porodu. Krzyki noworodka i rodzącej splotły się w jeden rozpaczliwy hymn, który trudno byłoby zatytułować *Pochwała życia*. Poza tym Adaś zdecydował się przyjść na świat tyłem, co poza falą dodatkowych cierpień zmusiło współpracującego z nami położnika do licznych krawieckich zabiegów. Doktor Widliczka rozcinał, fastrygował, zszywał połacie mojego ciała według własnych wykrojów i wzorów, ciesząc się jak dziecko, że po raz kolejny stał się świadkiem cudu narodzin.

A ja wiem, że nie było żadnego cudu. Lała się krew, pękały wątłe ściany tymczasowego mieszkania Adama. Otaczały mnie organiczne płyny, śluzy i mdląca woń septycznej chemii. W tym kobiecym bagnie rozpaczy taplali się różni obcy ludzie, z moim prywatnym synem włącznie. Ale najbardziej przeraziła mnie pozycja kobiecej bezradności. Bo jak inaczej nazwać spętane zimnym metalem nogi, rozwarte na cały świat. I to pulsujące między nimi cierpienie, niezawiniony ból, jaki jeden człowiek funduje drugiemu. W dodatku na samym początku rodzinnej zażyłości.

W dniu porodu ustawiłam się pokornie w kolejce po miłość. Chciałam jej dostać tyle, żeby nam obojgu starczyło na całe życie.

– Dlaczego Adam? – pytała zaniepokojona mama, która już dawno wymyśliła cały zestaw okrutnych imion. – Dlaczego Adam, a nie Daniel?

– Bo już jeleń ma na imię Daniel – obalałam cierpliwie jej górnolotne pragnienia.

– A dlaczego nie Klaudiusz?

– Bo Niemcy nie wymówią. A przecież ma z wami handlować w Berlinie – replikowałam przytomnie.

– No to może Krystian? Co masz przeciwko Krystianowi?

– Nic nie mam – odpowiadałam zgodnie z prawdą. – Ale brzmi prawie jak Chrystus.

– A co to przeszkadza? – Mama wpadała w bolesne zamyślenie. Nici z windowania się poprzez imię wnuka na górną półkę towarzyską. – Niech będzie Adam – zgodziła się obrażona. – Kolejny chłopek-roztropek w naszej rodzinie.

– Jak zwał, tak zwał, byle imię miał. – Tatuś huśtał małego tak mocno, że wylewał z dziecka całe mleko na swoje pierwsze zdobyczne dżinsy.

Piotr Adama nie widział, ale zadzwonił z pytaniem, czy jest okej. Powiedziałam, że nawet bardzo okej. Ucieszył się. Obiecał, że pieniądze przyśle pocztą. Dodał, że szkoda, ale jest, jak jest, i skoro chcę, aby tak właśnie było, nie ma sprawy.

Nie bardzo rozumiałam Piotra. Było, jak było. To fakt. Tylko skąd ta jego dziwna wiedza, że chcę, aby tak było? Nie zdążyłam nawet powiedzieć mu, jak zabolało, gdy

Brydzia zmęczonym od piwa głosem opowiadała o Piotrowej blondynie, którą nakryła razem z nim w czułych objęciach. Na oczach całej sali, pełnej naszych znajomych. W klubie 101 Dalmatyńczyków zwanym psiarnią, gdzie chłopcy z wyższej muzycznej grają nocami swingi i bluesa. To było wtedy, gdy mój brzuch jeszcze bardziej wypiął się na cały świat. Tak bardzo, że ciążowa sukienka, kupiona za grosze od Hrabiny, pękła w swym tureckim szwie.

– Ciesz się, że jesteś sama – mówiła Brydzia, ciesząc się za mnie. – Taki wstyd! – Wykrzywiała ze wstrętem lekko pijane wargi.

Zazdrościłam jej nienawiści do Piotra. Nie darzyłam go płomiennym uczuciem, to prawda, a po obrazie nocnych orgii, które Brydzia zaprezentowała z plastyczną wrażliwością, lubiłam go jeszcze mniej. Ale to, co pęczniało w Brydzi agresją przeciwko Piotrowi, we mnie rosło goryczą i nieufnością. Może nawet żalem, że tak mało zrozumiał, kwitując naszą sytuację niedojrzałym „jest, jak jest"...

Pokochałam Adama, lecz nie od razu. Gdy zrywałam się w nocy, aby zająć się zasikaną anatomią, zadawałam sobie pytanie, dlaczego ja. Gdy gotowałam koperkowe herbatki i śmierdziałam jak pracownik Herbapolu, zastanawiałam się, co robią moje rówieśnice w czasie, gdy ja parzę smoczki i gniotę jarzyny na papkę. Domyślałam się, że robią znacznie przyjemniejsze rzeczy, i moja wstydliwa zazdrość zmieniała bieg macierzyńskich uczuć. Tęskniłam za minionym i źle wykorzystanym czasem. Z westchnieniem wrzucałam śmierdzącą tetrę do hotelowej pralki i zasypiałam z głową przy budziku, a zmęczenie odbierało mi radość bycia matką. Uczucia budziły się razem z Adasiem.

Byłam zdziwiona, że wystarczała godzina snu, by zapomnieć o wcześniejszych rozgoryczeniach.

Budzik okazał się niepotrzebny. Na każdy alarm podnoszony przez Adasia reagowało małżeństwo ambitnych językoznawców, zajmujące asystencki apartament obok nas. Walili w ścianę z siłą, z jaką Robert z AWF-u walił w Bruce'a Lee.

Rzadkie chwile spokojnego snu Adasia poświęcałam na zgłębianie swojej wiedzy o nim i o sobie. Połączyła nas tajemnicza wspólnota losu, jeśli spóźnienie do kina zasługuje na taką metaforę. Był małą, bezradną zapowiedzią mężczyzny w różowym kolorze. Jednym z wielu niemowlaków urodzonych na krawędzi czasów, w których nikt nie myślał ani o matce, ani o dziecku. Myślałam więc za niego i za siebie, za kraj i za poradnie K, za ojca, którego nie miał, i za przyszłość, której nie mogłam sobie wyobrazić. Na szczęście od pewnego czasu mieliśmy obok Brydzię.

Spała na dmuchanym materacu i ze zdumiewającym talentem łagodziła wszystkie dziecięce bolączki.

„To jedyny facet, na którym warto zawiesić oko" – mawiała z czułością, a ja stawałam się zazdrosna.

Dzięki Brydzi w terminie napisałam pracę magisterską. Nigdy nie zapomnę rozpaczliwej obrony, gdy górne rejony mojej sukienki wilgotniały od mleka w nabrzmiewających piersiach. Mimo to referowałam modulowanym głosem wyniki badań, określające zaburzenia w rozwoju dzieci rodziców uzależnionych. Za drzwiami dziekanatu głodny Adaś podnosił wrzask. Tymczasem jego obiad wylewał się ze mnie obficie na komisyjny zielony stół. Gdy tylko zostałam magistrem, zadekowałam się w damskiej toalecie, zatykając Adasiowi odwiecznym sposobem usta. Karmiłam go i byłam pewna, że moje piersi powinny dzisiejszego wieczoru tańczyć na magisterskiej prywatce w dłoniach dorosłego faceta i wzbierać pożądaniem, a nie mlecznym pokarmem.

Coraz częściej myślałam ponuro, że termin „uroda macierzyństwa" wprowadzili do obiegu męscy naukowcy, odizolowani od siary, ciemiączek, kupek i potówek. Albo ojcowie uciekający od zapachu przypalonego mleka i rozgotowanej cielęciny.

Tymczasem macierzyństwo wynosiło mnie coraz bardziej ponad rzeszę tych wszystkich nieśmiało zerkających do kołysek mężczyzn. Chodzących koło łóżeczek na palcach i z lękiem, gdyż nie dorośli jeszcze do leżących tam i pachnących mydłem maleństw. Przyglądali się tym różowym zabawkom z niedowierzaniem i z daleka. Cmokali, bo nic innego nie przychodziło im do głowy. A potem chętnie oddalali się na bezpieczną odległość, która pozwalała im odzyskać wiarę we własną płeć. Tymczasem ja poznawałam życie. Jeśli nie od podszewki, to z pewnością od pieluszki.

Nie ukrywam, że trochę mnie złościło wieczne uleganie tylko jednemu mężczyźnie, który wciąż pamiętał o tym, że mam biust. Inni odchodzili spłoszeni, widząc, jak targam stary poniemiecki wózek ozdobiony tandetną parasolką w biedronki. Tę parasolkę tatuś przyczepił za pomocą sterczących ordynarnie drutów, ponieważ była z innego modelu. Moim zdaniem cały ten spacerowy komplet został pośpiesznie skradziony z jakiegoś spokojnego parku przy Unter den Linden, co wyjątkowo nie miało dla mnie żadnego znaczenia. Uczyłam się życia bez oczekiwań, postawiłam więc na rozsądek.

– Zauważyłam, że on umie liczyć – wmawiała mi Brydzia, kołysząc zasypiające niemowlę.

– Owszem – ziewałam szeroko – na ciebie i na mnie.

– Dzisiaj bardzo inteligentnie patrzył na twoje notatki – chwaliła swego ulubieńca.

– Zgadza się – odpowiadałam sennie. – Potem je obsikał.

– Musiały być do dupy – stwierdziła, ale już ciszej, bez wcześniejszej pewności siebie. – On mi kogoś przypomina... – Brydzia potrafiła długo wpatrywać się w śpiącą buzię Adasia.

– Tylko nie mów, że Fantomasa, bo umrę.

Z niepokojem myślałam o Adasiowych łańcuchach genetycznych. Bo jeśli w przyszłości będzie jak wuj Roman zwolennikiem pracy wolnorynkowej? Albo wda się w dziadka i zepsuje wszystko, co mu wpadnie w ręce? Piotr też nie należał do moich ulubionych dawców genów. Przyszłość Adasia mogła napawać lękiem.

– Jest chyba trochę podobny do Louisa de Funèsa. Ale tylko trochę! – dodała Brydzia szybko i pobiegła do nocnej apteki po zapas butelkowych smoczków.

Chrzciny

Ksiądz Gustaw patrzył na mnie krótkowzrocznym błękitem, próbując ustalić, w której ławce siedziałam na lekcjach religii.

– Pod oknem – upierałam się po raz kolejny.

– A ja bym przysiągł na rany Chrystusa, że koło Poroninówny.

– Tak. Koło Rytki, ale pod oknem.

– No to jak to możliwe, skoro ona siedziała przy ścianie z Najświętszą Maryją? Mhm. – Zamyślił się. – Ty musiałaś, Pietkiewiczówna, siedzieć jednak koło Rytki, a więc w rzędzie przy ścianie. Ja mam w oczach aparat fotograficzny, jak mawia nasz wikary, i ty mnie, Pietkiewiczówna, nie kręć.

Opuściłam głowę z pokorą. Z powodu zepsutego aparatu fotograficznego księdza Gustawa Adasiowi groziło życie w wiecznym grzechu i bez sakramentu.

– No to mi teraz powiedz, gdzie jest ojciec twojego synka?

– W niebie – oświadczyłam, mając na uwadze miłosiernego Boga.

– O Jezu – westchnął ksiądz Gustaw i spojrzał na mnie po raz pierwszy ze współczuciem, jak na zasłużoną wdowę.

– Myślę o Ojcu Niebieskim – dodałam szybko.

Siła argumentu sprawiła, że przeszliśmy do omawiania interesu. Szczegóły zostały ustalone, a ksiądz Gustaw uprzedzony, że Adaś nie będzie leżał w beciku, ponieważ ma już dwa lata i korzysta z własnego transportu.

– Dlaczego tak długo czekałaś? – zapytał, dbając, by do głosu nie doszedł ton skrywanej nagany.

Milczałam. Mogłam wypełnić te dwa minione lata pełną smutku i groteski opowieścią o życiu samotnej matki. O wielkim maratonie, do którego wystartowałam bez treningu. O nieprzespanych nocach, po których z tłustymi włosami i w pogniecionej spódnicy biegłam na uczelnię, próbując nie słyszeć rozdzierającego płaczu Adasia zostawianego na parę godzin w pobliskim żłobku. Ale mogłam też milczeć.

– Opłatę co łaska musisz wnieść, dziecko, sama. – Ksiądz Gustaw przyjął moje milczenie za akt skruchy. – Wikary wie, ile wynosi co łaska. Chyba że masz kłopoty. Na kłopoty jest zniżka – wyjaśnił, i tak dobiliśmy ziemskiego targu o Adasiową duszę.

Wieczorem wydano przyjęcie na jego cześć. Poza toastami za zdrowie ochrzczonego potomka nic nie wskazywało na sakralny charakter święta. Przyczyna całego zamieszania dawno już spała. Usiadłyśmy z Brydzią na ławce pod kasztanem.

– Wyładniałaś. – Brydzia patrzyła na mnie spod przymrużonych oczu.

– Raczej dorosłam. – Uśmiechnęłam się z przymusem. – I stałam się zdolna do wielkich poświęceń.

Z westchnieniem pomyślałam o magistrze Krupce, który ostatnio, zamiast badać agresję tłumu, przesiadywał przy Adasiu. Ubolewałam nad tym, bo Adaś stanowił egzemplum agresji, ale w rodzinie. Z kolei ja wciąż pozostawałam w sferze męskich oczekiwań zimną konserwą uczuć. W dodatku trzymaną w lodówce samotności.

– Jeśli masz na myśli tego Krupkę i jego jałowe zaloty...

– Nie jestem gotowa na nowe związki – przerwałam jej domysły. Ciekawe, w której książce wyczytałam podobnie dramatyczne oświadczenie?

– Na jakie nowe – Brydzia sprowadziła mnie z powrotem pod kasztan – skoro nie było starych? Jedyny związek, kochana, to był nasz związek – oświadczyła nie bez dumy.

Przytuliłam ją mocno. Moją zbuntowaną przyjaciółkę, która wyrastała na prokuratora ze specjalnością „skazywanie niewinnych mężczyzn".

– Kocham cię, Brydzia – wyznałam szczerze – ale twojej nienawiści do facetów nie mogę pojąć.

– Nie znoszę ich choćby... w twoim imieniu.

– Słucham? – Zdumiało mnie, że Brydzia nienawidzi połowy ludzkości w moim imieniu.

– Za to, co ci zrobili – ciągnęła z rumieńcem mściwości.

– Ależ to nie był zbiorowy gwałt! Ja nawet mile wspominam tamtą chwilę – dodałam trochę wstydliwie.

– Nie usprawiedliwiaj ich. – Brydzia o mężczyznach mówiła zwykle w liczbie mnogiej. – Im wcale na tobie nie zależy. Dostosowali świat do własnych potrzeb. Kobieta jest naczyniem do nędznych cieczy, spluwaczką...

– Brydzia! – Rzuciłam się dzielnie w odmęty jej słów, ratując zalewane gniewem męskie spodnie. – Nie można tak wszystkich pod jeden paragraf!

– Nie można? – Brydzia natychmiast przystąpiła do kontrataku. – To powiedz mi, jest fryzjer męski?

– Jest.

– A damski?

– Też jest. – Ucieszyłam się, że jednak dostrzega równouprawnienie.

– A fryzjerka męska?

Zapadła cisza, w której ponownie padło oskarżające pytanie.

– Czy jest fryzjerka męska, pytam? – grzmiała, a ja czułam, że za chwilę ściągnie na nasze głowy lawinę dojrzałych kasztanów.

– Więc ja oświadczam: nie ma! Nie ma męskiej ani damskiej fryzjerki! Kobieta z nożyczkami to po prostu fryzjerka. Bez płciowej przynależności! Gorszy sort. I ja, moja droga, poświęcę życie, aby ratować godność damskiej fryzjerki. To samo dotyczy krawców – ciągnęła zapalczywie. – Jest męski, jest damski, a krawcowa? Bez specjalizacji! – Spojrzała na mnie triumfująco. – Cycki ją czynią kimś uniwersalnym. I nas też! Ty jesteś uniwersalna! – ryczała, a kasztany waliły w ziemię. – Ja jestem uniwersalna! Natomiast krawiec męski lub damski...

– A kim jest ten facet w słonecznych okularach, co tak cmokał nad Adasia wózkiem? – Moje pytanie okazało się najlepszą zaporą przed kolejnym aktem płciowej nienawiści.

– Aaaa ten... – ściszyła głos. – Konrad.

– Damski czy męski? – zapytałam z tajonym uśmiechem.

– On to co innego – odrzekła z nutą czułości. – Pracujemy razem nad projektem zmian w kodeksie pracy. Gdyby kobiety miały jego poglądy, świat byłby inny.

– Konrad emancypantka? – zapytałam delikatnie.

– Przyjaciel kobiet – poprawiła gniewnie Brydzia. Zauważyłam, że po raz pierwszy straciła ochotę do żartów, których przedmiotem mógł być mężczyzna.

– To mądry człowiek – podjęła stanowczym głosem. – Czyta Kafkę, ma pojęcie o bluesie i winie. Ja też przeszłam na wino.

Nie miałam wątpliwości, że Brydzia znalazła się w szczególnie trudnej sytuacji, która wymagała od niej starannego oddzielania ziarna od plew. Mój prokobiecy odrzutowiec pomylił lotniska i trafił do bajki o Kopciuszku.

– Cieszę się, że zostałam matką. To nowe doświadczenie – ogłosiła.

– Jak to matką? – Dotąd wydawało mi się, że Brydzia może zostać ojcem, ale matką?

Przerwała moje spekulacje.

– No. Dzisiaj. Chrzestną – przypomniała, łypiąc podejrzliwie w moją stronę. – Nie powinnaś tyle pić. Do waszego samogonu trzeba mieć mocną głowę, a nie apetyt.

Brudna ściana

Siedziałam na łóżku po turecku i zalewałam się łzami. To był dobry moment na łzy, ponieważ Adaś został u rodziców i nie musiałam beczeć w poduszkę. Ponieważ Brydzia, przyczyna moich łez, została zaproszona przez Konrada na wystawę starodruków i nie musiałam, tak od razu, patrzeć jej w oczy. Ponieważ przed chwilą wyszedł Piotr i został po nim zapach dobrych perfum oraz cień złowieszczej nowiny. Ponieważ ta nowina kazała mi spojrzeć inaczej na minione lata. A patrzenie inaczej zmuszało do bolesnego remanentu.

Mój świat był wystarczająco źle ułożony, aby przemeblowywać w nim również przeszłość. Lubiłam, jak ważni dla mnie ludzie pozostawali na swoich miejscach. Jak rozpierali się dumnie w moim systemie wartości, zasłaniając sobą niedoskonałości tego, co działo się poza mną. Na zewnątrz. Najbardziej te luki i usterki zasłaniała sobą Brydzia. Była trochę jak nasz kredens w stołowym, za którym rodzice nie malowali ściany, bo po co? „Ślicznie jest – zapewniał tata. – Nosa w szpary nikt wsadzał nie będzie".

Teraz zrozumiałam, że i ja nie zaglądałam nigdy poza Brydzię. Bo po co?

A dzisiaj wpadł Piotr. Z dodatkowymi pieniędzmi. To miłe, że pomyślał o Adasiu i przyniósł trochę forsy.

W prezencie. Z okazji chrztu. Tylko wsadził nos do przeszłości. Odsunął Brydzię na bok i pokazał brudną ścianę dawnych spraw, tak skutecznie chronionych przed moim wzrokiem...

– Dlaczego kiedyś nie dałaś mi szansy? – zapytał teraz, godząc się na kawę.

– Bo dałam ją twojej kolejnej blondynie. – Uśmiechnęłam się z przymusem. – Pewnie nawet nie pamiętasz, jak w czasie mojej ciąży szalałeś w psiarni...

Pamiętał. Dobrze wiedział, o którą sytuację mi chodzi.

– Zabiję tę galaretę z kompleksami! – Ścisnął pięści. – Nie powiedziała ci wtedy, że to była Jolka? I że wcale się z nią nie ściskałem, tylko pocieszałem. Kurwa mać, co za perfidia! – Pokręcił głową ze zdumieniem.

– Daj spokój. – Machnęłam ręką. – Nawet jeśli istotnie Brydzia nie do końca była szczera...

– Nie do końca? Przecież to normalne chamstwo! Zrobić ze mnie łajdaka w biały dzień!

– W ciemną noc – poprawiłam skrupulatnie.

– Nieważne! Przecież ty wiesz, że Jolka to co innego. I wcale jej nie tuliłem, tylko objąłem. A dzisiaj też bym to chętnie zrobił. Najlepiej na twoich oczach. Powiedz, miałabyś coś przeciwko?

Patrzył na mnie z ciemnym bólem, kurczowo ściskając poręcz fotela. Odwróciłam się szybko od jego pytania. Bo cóż można odpowiedzieć. Sama wiele bym dała, aby Piotr mógł jeszcze raz objąć Jolkę. Przytulić, a nawet szepnąć jej na ucho, że jest śliczna. Kiedy umierała, nie pozwoliła się przykuć do szpitalnego łóżka. Postanowiła chodzić na zajęcia do końca. Bawić się w klubach i śmiać. Nikt nie widział nigdy płaczącej Jolki. Kochaliśmy ją, a ona odwdzięczała się nam każdym kolejnym dniem. Zmęczona czekaniem na śmierć, potrafiła wciąż się uśmiechać. Nasza wspólna Jolka. Pierwsza nauczycielka godności i niezgody na biologię ciała. Pierwsza, która nie bała się żyć i odejść. A nawet jeśli się bała, nic o tym nie wiedzieliśmy.

– Więc to była Jolka? – upewniałam się po raz kolejny. – Nie jakaś lafirynda, tylko nasza Jolka?

Piotr kiwał swą przystrzyżoną głową. Bez poczucia winy, ale i bez triumfu. Z pogardliwym uśmiechem, który powinien trafić do Brydzi zajętej aktualnie oglądaniem starodruków. Śledzącej bieg archaicznej myśli zanotowanej zwietrzałym atramentem. Potrafiła szukać prawdy w przeszłości. Nie znosiła retuszów. Dotykała tak chętnie wszystkiego, co mogło być historią innych. Ale dla mojej historii nie znalazła zrozumienia. Po raz pierwszy, niczym sędzia, zadecydowała o tym, jak ma się potoczyć. Bo moja historia nie leżała w muzeum. Za szybką ze szkła. Można ją było sobie przywłaszczyć i dowolnie kształtować. Tylko dlaczego?

– To proste! Ta cała twoja Brydzia jest tak naprawdę Wrydzia! – Piotr walczył ze wzburzeniem.

Kiedy wyszedł, widziałam wciąż przez łzy kawał niezamalowanej ściany. Były na niej różne tajemnicze znaki. Pewnie dobre i złe. Plamy. Pewnie bezcenne i obrzydliwe. Nie potrafiłam się rozeznać w tych ściennych hieroglifach przeszłości. Ale bez wątpienia było tam napisane, że przyjaźń nie jest łatwiejsza od innych związków. A może jeszcze bardziej zachłanna. I wymagająca. Bo jeśli nie uda się wybaczyć, to tak jakby jej w ogóle nie było.

– Pakuj się, Brydzia. Nie możemy mieszkać razem – powiedziałam bezbarwnym głosem, gdy wpadła zaróżowiona powietrzem i rozgrzana pocałunkami Konrada.

– Jak to?

Przyglądałam się jej twarzy podzielonej zdumieniem i przerażeniem. Opowiedziałam o wizycie Piotra. I o Jolce. I o balandze w Dalmatyńczykach.

– Wiedziałaś, że wtedy w Dalmatyńczykach to była Jolka? – Patrzyłam, jak twarz Brydzi jednoczy się w bólu. Nagle zdumienie i przerażenie znalazły wspólne ujście.

– Tak – odpowiedziała. – Myślałam, że będzie lepiej, jeżeli... W każdym razie chciałam dobrze.

– Przecież znałaś Jolkę. Wiedziałaś, że ona to co innego...

Brydzia patrzyła na swoje źle pomalowane paznokcie. Schodził z nich lakier jak tynk ze starej ściany.

– Twoja torba jest na górnej półce – instruowałam głosem pani przewodnik na zagranicznej wycieczce. – Nie na tej, na tej lewej. – Mój głos tylko udawał, że nie płacze. Tak naprawdę był najbardziej nieszczęśliwym głosem od czasu, gdy po raz pierwszy opuścił gardło.

Zbierała swoje książki drżącymi rękami.

– Masz gdzie spać? – Nigdy dotąd nie mówiłam do niej z mniejszą troską.

– Mam.

Chciałam jej wybaczyć. Może gdyby nie te cholerne łzy wykrzywiające znowu poukładany w miarę świat, byłoby to możliwe. Ale jak się widzi wyłącznie własne łzy i ból, nic dobrego nie może się zdarzyć.

– Zostawić ci to nasze zdjęcie? – Widziałam szereg pochylonych Brydź. Było ich w moich mokrych oczach coraz więcej.

– Jak chcesz.

Gdy skończyła się pakować, usiadła obok mnie. Ale nie tak jak zawsze, z rozmachem kogoś, kto wszędzie czuje się dobrze. Usiadła, jakby przyszła tu pierwszy raz. Z nieśmiałym pytaniem.

– Tak, Brydzia? Coś jeszcze? – Z trudem panowałam nad tym, co ma nastąpić. Nad pustką, która już tu dotarła, choć wciąż czułam w nosie bijące od Brydzi masumi.

– Wybaczysz mi?

– Chciałabym – odpowiedziałam szczerze.

Chwyciła mnie w objęcia. Mocne i zachłanne. Ścisnęła do bólu, wyrzucając z siebie ni to szloch, ni krzyk. Jakiś złamany i niepewny dźwięk, który do złudzenia przypominał motyw muzyczny trochę zużytej płyty z maminych zbiorów. Takiej, co już nie chciała grać, ale mama chowała ją do szuflady i mówiła, że jej nie wyrzuci. Że choć zawiodła, to jest na niej ulubiona piosenka. I zawsze jest nadzieja, że się jej jeszcze kiedyś uda posłuchać.

Konserwa cierpliwości

Małżeństwo językoznawców robiło wszystko, abym znalazła się na bruku razem ze swoim hałaśliwym synkiem, czajnikiem, który gwizdał na wszystko, i płytami Genesis. Oboje lubili literaturę, więc administracja hotelu asystenta regularnie otrzymywała sprawozdania z mojego niemoralnego sposobu życia.

Najbardziej niemoralny był opanowany do perfekcji płacz Adasia. Jak wynikało ze służbowej korespondencji, stanowił zagrożenie ważnych prac badawczych zmierzających do ustalenia, czy przed „aby" również za sto lat naród polski będzie stawiał przecinek. Kwestia była sporna i często prowadziła do nieporozumień w samym łonie językoznawczej rodziny. Wówczas odgłosy interpunkcyjnej wojny przemierzały cienki mur naszych ścian i mogliśmy z Adasiem do woli przysłuchiwać się strategicznym ruchom językowym. Zdaje się, że ona, Łojkowa, opowiadała się za konieczną obecnością przecinka, gdy on, Łojek, najchętniej by go usunął już dziś, nie czekając na zmiany konwencji. Jako że nie mógł się uporać z przecinkiem, robił wszystko, by usunąć nas.

– Pani magister, ja już nie wiem, co mam zrobić – skarżyła się miła kierowniczka domów studenckich, pokazując mi kolejny donos. – Państwo Łojkowie obwiniają dziecko... twierdzą że... Proszę przeczytać – mówiła i wręczała odręcznie skreśloną skargę.

„Utrudnia nam rozwój badań nad interpunkcją – czytałam – co jednocześnie pozostaje w niezgodzie z obowiązkiem stypendialnym, jaki na nas spoczywa". Podnosiłam bezradne oczy na panią kierownik.

– Proszę czytać dalej – mówiła zmartwionym głosem.

„W tej sytuacji – pisali moi sąsiedzi – obecność przecinka w zdaniu złożonym, mająca nieoceniony wpływ na rozwój nowoczesnej polszczyzny oraz wyznaczająca kierunki językowej eksploracji, z powodów od nas niezależnych dotąd nie znalazła swego naukowego rozstrzygnięcia. Zgłębienie tej kwestii możliwe będzie dopiero w odpowiednich warunkach mieszkaniowych, które, ze wspomnianych przyczyn, wciąż pozostawiają wiele do życzenia...".

Oderwałam wzrok od lektury. Adaś bawił się pieczątką pani kierownik, a ja miałam wielką ochotę powiedzieć, że gdy małżeństwo językoznawców zgłębia w nocy swe wnętrza i eksploduje, nie eksploruje, to ja również nie mogę się skupić na referacie poświęconym wadliwemu genowi kodującemu dehydrogenazę aldehydową. A kłopot z genem jest wielki, bo nareszcie rozumiem, dlaczego mój tatuś tak chętnie pije. Pije, bo ma dobry gen. Być może ten uroczy Adaś, który właśnie zgniata pismo do rektora, też odziedziczył po dziadku zdrowy gen, co już w niemowlęctwie skazuje go na powielenie ścieżki alkoholowej przodka.

Nie mam złudzeń. Sprawa dobrego genu, który w swej istocie jest złym genem, nie ma rangi państwowej, jak sprawa przecinka.

I gnąc się od ciężaru swych ułomnych zainteresowań, ponownie obiecuję pani kierownik, że zrobię wszystko, aby małżeństwo Łojków osiągnęło *status quo* w sprawie przecinka, po czym, z poczuciem niezawinionej winy, cichutko opuszczam biuro. Adaś, który musi oddać pismo rektora miłej pani, pokazuje, na co go stać. Drze się głośniej niż w naszym pokoju, ale skąd może to wiedzieć grzeczna i uśmiechnięta urzędniczka. Przeciwnie. Ona nic o nas nie chce wiedzieć, bo tak jest dla wszystkich lepiej. Milej i wygodniej.

Przewaga Łojków, mój synu, polega na tym, że ich jest dwoje i oboje piszą. – Adaś słucha mnie z uwagą i nawet bije mi brawo. – Nas, synu, też jest dwoje, tylko my nie piszemy. Ty nie piszesz, boś cymbał. A ja nie piszę, bo gardzę słowem wstrętnym.

Adaś patrzy na mnie z ogromną miłością. I mówi mi bardzo po swojemu, że przecinki ma gdzieś. Na wszelki wypadek sprawdzam jego pieluchę i okazuje się, że ukrył w niej coś o wiele większego od wszystkich znaków interpunkcyjnych, jakie dotąd obowiązują. Z zawstydzeniem zmieniam pieluchę mającą się nijak do językowych trendów hamowanych przez mojego syna.

Magister Krupka, potocznie zwany Tomaszkiem, przyniósł nam paprotkę w doniczce i dwie puszki z mielonymi klopsami. Odgrzewam wystane heroicznie klopsy, zmęczone długoterminową niewolą, i rozkwitam dzięki nim, a nie paprotce. Takie czasy. Radość z mięsnej konserwy każe mi spojrzeć na Tomaszka z czułą kokieterią. Nakrywam stół na dwie osoby i wyciągam resztkę wina poniewierającą się za oknem, w skrzynce udającej lodówkę. Nawet latem.

Za ścianą małżeństwo Łojków jest zaniepokojone długotrwałą ciszą. Adaś zajęty paprotką, więc możemy się z Tomaszkiem cieszyć wieczorną ciszą.

Nie możemy. Zza ściany dochodzą pierwsze dźwięki Tercetu Egzotycznego i Adaś już zalewa się łzami.

– Nie przejmuj się – mówię do Krupki. – On tak zawsze.

– Co za muzyczna wrażliwość! – zachwycił się Tomaszek.

– Powiedz to Łojkom – wzdycham, instalując na Adasiowej głowie słuchawki. Włączam Genesis i możemy powrócić do klopsów.

– Ależ to można naukowo wykorzystać! – podnieca się Krupka, obserwując z badawczym zacięciem zadowolonego Adasia.

Wolę, jak podnieca się z mojego powodu, myślę. Popijamy wino, słuchając pieśni o chłopcach z Puebla.

– Ten twój Piotr znowu z Pamelą? – Pytanie Tomaszka nie rani, ale też nie jest całkiem obojętne.

– Jaki on mój? – odpowiadam pytaniem.

– Wybrałaś samotność czy tak wyszło?

– Nie jestem samotna.

Patrzę na Adasia kiwającego się w rytm niesłyszalnej melodii.

– Myślałem o trochę większym mężczyźnie.

– Tych twoich klopsów nie zamieniłabym na najbardziej okazałego faceta – odpowiadam z uśmiechem. – W każdym razie nie w tym tygodniu – dodaję, a magister Krupka głośno wzdycha, z zazdrością patrząc na mięsne resztki na naszych talerzach.

Wietrzyłam pokój po amforze Tomaszkowej fajki, wycierałam naczynia i myślałam o klopsie jako symbolu życiowych porażek. Trochę tych egzystencjalnych klopsów przełknęłam, łagodząc apetyt na wystawne życie. Jadłam je samotnie, dopóki nie pojawił się Adaś. Czasami lepsze klopsy i resztki z pańskich stołów niż głód doznań, pocieszyłam się szybko. Chyba po to, by nie dać się ponieść fali wspomnień.

Fala zagoniłaby mnie do brzegów Francji. I to nie na Lazurowe Wybrzeże, lecz do wynajmowanej pracowni, która była mieszkaniem Krzysia. Pisał o niej z zachwytem. Najbardziej podobało mu się wielkie okno wpuszczające tyle światła, ile go potrzebował do malowania. Jakby światło też było farbą. Tylko na niby. Podobnie jak nasze pączki i kelnerka.

Teraz i Krzyś stawał się na niby. Mogłam go sobie wprawdzie wyobrazić. Usiąść z nim przy stole. Nalać do udawanych kieliszków burgunda i słuchać jego niewypowiedzianych oświadczyn.

Ale po co? On widocznie też tego nie chce. Uciekł od zabaw w przeszłość i sztucznego raju. Tylko wciąż nie wiem, co robi z tą feerią światła, która budzi go codziennie, zalewając pokój jasnością. Bo na obrazach Krzysia, których fotografie przysyła wciąż panu Sybiduszce, panuje taki sam mrok jak w moim hotelowym pokoju. A może nawet większy. Bo tu, na szczęście, uśmiech Adasia rozbija każdą ciemność. I wtedy jest tak, jakby do naszych drzwi pukało szczęście, a nie magister Łojek.

Trzeba zrobić zapas puszek z klopsami – uśmiecham się do swych racjonalnych potrzeb. Zdobędę je w kolejce. W końcu od dawna stoję w różnych kolejkach, jakby to był mój magiczny bezpłatny etat. I żadna nie posuwa się ani na krok. Zwłaszcza ta po miłość, do której pchają się wszyscy, nie zważając na samotną matkę z dzieckiem. Nic dziwnego. Widzą przecież, że ja już mam kogo kochać...

Palec Pana Boga

Studenci są z pani zadowoleni... – dziekan zawiesił głos, aby bardziej efektownie zakończyć – ...ale ja, osobiście, odnoszę wrażenie, że jest pani nazbyt zabiegana.

Opuściłam wzrok na swoje lekko zabłocone buty wtulone w miękki dywanik. Właśnie pozbywały się błota, subtelnie je zostawiając w mechatej tkaninie.

– Nasza praca... praca naukowa – przypomniał – jak pani wiadomo, nie ogranicza się do prowadzenia zajęć.

Rozprawa... rozprawa doktorska – podkreślił – jest jak małe dziecko... Kapryśna, wymagająca i egoistyczna!

Pomyślałam, że dziekan musiał być dość wrednym małym dzieckiem.

– Nie jestem przeciwnikiem dzieci ani szczególnie kobiet – zastrzegł, delikatnie omijając mnie wzrokiem. Kłamał jak z nut. – Ale płeć ta ma swoje, że tak powiem, ograniczenia...

Po raz pierwszy zauważyłam, że dziekan jest podobny do naszego posterunkowego. Dziwne, wcześniej wyglądał na bardziej inteligentnego.

– Rozumiem je, te ograniczenia – łgał w żywe oczy – ale cóż... Trzeba być ponad to! – Zwinął usta w trąbkę, jakby chciał na nich zagrać melodyjkę na moje pożegnanie. – Taaak. – Stuknął palcem w blat i podobieństwo do posterunkowego zwielokrotniło się natychmiast. – Doktor Żyrak chwali wyniki pani pracy. – Spojrzał na mnie z niedowierzaniem. Posłałam mu mądry półuśmiech. Pasujący do rzekomych wyników mojej pracy. – Chciałbym też je obejrzeć.

– Oczywiście – przytaknęłam z powagą, wciąż się zastanawiając, o jakie cholerne wyniki chodzi. Bo jedyne wyniki mojej pracy, które można było obejrzeć, wisiały na hotelowej lince, powiewając radosnym szeregiem dziecięcych koszulek w plamy z soków i zup. Jeszcze inne wyniki mojej pracy z dziecięcym apetytem pochłaniał Adaś i natychmiast je wydalał, uniemożliwiając bezpośredni ogląd wkładu moich starań. Uzmysłowiłam sobie, że poza zdrowym Adasiem nie mam dziekanowi nic do pokazania.

– Przygotuję notatki dotyczące osobowości nałogowca. Mają się złożyć na treść pierwszego rozdziału rozprawy.

– Jeszcze się nie złożyły? – Dziekan wydał mi się dużym, niecierpliwym chłopcem.

– Nie.

– To niech się złożą, bo planujemy dla pani stypendium naukowe. Taka mała niespodzianka.

Więc tak smakuje szczęście? Jak ja mogłam w tym przyzwoitym człowieku dopatrzyć się podobieństwa do posterunkowego! Dziekan pięknial i mężniał na moich oczach. Dopiero teraz dostrzegłam, że ma niezwykle interesujący profil. I chyba schudł. A w każdym razie wyszlachetniał.

– Dziękuję. – Spojrzałam mu w oczy i musiałam przyznać, że ktoś z takimi oczami nie mógł być ani naszym posterunkowym, ani przeciwnikiem kobiet...

Jeszcze tego samego dnia zaprosiłam Czarka Żyraka na obiad. Do restauracji. Wprawdzie trochę przypominała naprędce przemeblowany bar mleczny, ale Czarek nie miał estetycznych kaprysów, zwłaszcza jeśli chodzi o przestrzeń, w której go umieszczano. Tak, właśnie umieszczano. Sam potrafił się wkomponować jedynie w mało przytulny pejzaż biblioteki lub swego pokoju, niewiele się od niej różniącego. Pokój Czarka wyglądał jak filia wypożyczalni z wmontowanym między regałami łóżkiem.

Teraz, zamiast trzymać nos w swoim zeszycie z dewiacjami, czytał z niezwykłym zainteresowaniem menu. W karcie potraw też, ku mojej uciesze, odkrywał zwyrodnienia.

– Skręcane prożki – wydukał i spojrzał na mnie pytająco.

– Pierożki – wyjaśniłam uprzejmie.

– Filet z konia? – Podniósł na mnie zdumione oczy.

– Z okonia – sprostowałam.

– Packi drożdżowe...

– Placki. – Nie traciłam cierpliwości.

– To ja może te packi.

– Weź coś mięsnego – poprosiłam. W moim głosie zabrzmiało nieczytelne dla Czarka echo dziecięcej traumy. Tęsknota do mięsa ciągnęła się za mną niczym zapach smażonej w moim domu ryby. – Ja zjem schabowego.

– Dobra. Wezmę konia. – Uśmiechnął się makiawelicznie.

Jedliśmy wolno, rozmawiając o głupstwach. Czarek nie przełknąłby gadatliwej wdzięczności, a ja i tak nie umiałabym powiedzieć, jak wiele dla nas zrobił. Dla mnie i Adasia.

Kiedyś myślałam, że pieniądze nigdy nie będą dla mnie ważne. Prawdopodobnie naiwnie zakładałam, że je po prostu będę mieć. Teraz myślałam o nich często. Być może częściej, niż czynili to moi rodzice, nieustannie przecież ocierający się w swych marzeniach o wielkie fortuny. Tyle że nie nasze. Stypendium, w przeciwieństwie do ich fortun, miało być moje. Następnym razem kelnerka nie będzie dawała mi wzrokiem do zrozumienia, że wątpi w moje płatnicze możliwości. Najchętniej zamówiłabym do tego głupiego kotleta prawdziwego szampana, francuskiego, ale wówczas kelnerka miałaby rację. Jadłam twardy schab, myśląc o wielkim włochatym misiu uwięzionym na wystawie sklepu z zabawkami. Adaś na każdym spacerze przyklejał nos do szyby i namawiał misia na wspólną przechadzkę. Patrzyłam na tę pierwszą fascynację synka, szukając w pamięci własnego, równie mocnego pragnienia z dzieciństwa. Było, a jakże!

Stanął mi przed oczami widok prawdziwego Świętego Mikołaja, który mi wręcza najprawdziwszą paczkę. To nic, że Mikołaj okazał się w późniejszych czasach wujem Romanem, a wuj Roman zrobił w życiu wiele, aby nie podejrzewać go o świętość. I co z tego! Pamiętam moment, kiedy spojrzenia wszystkich dzieci zanurzają się w moim burym futerku, a ja rosnę. Robię się taka wielka i widzialna. I jestem na ustach wszystkich. Jakbym była kolędą śpiewaną przez anioły. Królową zasypaną poddańczymi szeptami. Panną ważną. Samym środkiem świętości. Albo jednym z palców Pana Boga. Może serdecznym?

Adaś też jest jednym z palców Pana Boga. Pochodzi z kosmicznej dłoni, która musiała nas musnąć w boskim przelocie przez brudne ziemskie podwórka i ulice. Wolno jem schabowego, mówiąc Czarkowi o kłopotach z frekwencją w drugiej grupie, ale myślami przyklejam się do szyby w sklepie i otwieram kopertę z pierwszym stypendium, żeby jak najszybciej kupić synkowi pluszową maskotkę.

Palma w nocniku

Nigdy nie sądziłam, że mały pokój w hotelu asystenta można w prosty sposób upodobnić do naszego mieszkania. Wystarczyło jedno głośne puknięcie do drzwi, aby takie przemeblowanie stało się okrutnym faktem.

W drzwiach stała babka Bronia z walizką.

– Leciałam samolotem! – wysapała z trudem, gramoląc się do środka.

Za nią podążał magister Krupka z dobrze mi znaną walizką, którą babka pakowała po każdej kłótni z rodzicami. Zwykle planowała powrót na Wileńszczyznę.

– Do Wilna za daleko! – Bezbłędnie odczytała moje zdumienie.

– Masz gościa – powiedział niepotrzebnie Tomaszek. Przecież widziałam.

Byłam wdzięczna Adasiowi za szczery entuzjazm, pod którym udało się ukryć moje zaniepokojenie sytuacją.

– Jaki tam ja gość! – Babka Bronia machnęła energicznie ręką. – Ja swoja! I u siebie.

Pokój jej się spodobał. Ze dwa razy przysiadła na moim łóżku, sprawdzając sprężystość materaca.

– Może być. Prawie tak wygodnie jak u mnie. Nie mówiłaś, że macie samolot. – Spojrzała na mnie z odrobiną pretensji.

Tomaszek z trudem ukrywał uśmiech.

– Jaki samolot? Jedyny, który widziałam, był u ginekologa.

– Starszej pani chodzi o windę. – Tomaszek dyskretnie stłumił uśmiech i jeszcze dyskretniej wyszedł, piorunowany moim wzrokiem.

– Starszej pani – sarknęła babka. – Znalazł się, matematyk od siedmiu boleści! Liczykrupa!

– On się nazywa Krupka – sprostowałam przerażona, że Tomaszek może podsłuchiwać pod drzwiami.

– Wiele się nie pomyliłam. – Babka ściągała buty i beret. – A niby dobrze ułożony. Zrób herbatę. Od czegoś trzeba zacząć to wspólne życie.

Sięgnęła do walizki. Wyjęła z niej kapcie i butelkę taniego wina. Żółte wiśnie rzuciły ciepły blask na służbowe ściany naszej kawalerki.

– Koperty z rentą nie dopilnowałam, ale wina nie dałam sobie ukraść.

Wspólne życie z babką..., myślałam, kręcąc się przy herbacie. Za chwilę odwiedzi ją wuj Roman. Potem przyjadą z wizytą rodzice... Będziemy tu sobie egzystować po naszemu, a ku radości innych.

– Zobaczysz... za tydzień, dwa wszyscy tu będą! – Babka miała podobne zdanie. – A my im powiemy: „Won stąd! Na swoje brudy wracajcie! Kraść, srać i chlać!".

– Srać i chlać – podchwycił Adaś. Bawił się w żołnierza. Chodził po pokoju prężnym krokiem, powtarzając w kółko: „srać-chlać, srać-chlać".

– A to zdolna papużka! – zachwyciła się babka, mocno obejmując prawnuka. Trzeba przyznać, że wiedziała, jak to się robi.

Adaś kleił się do niej, jakby była wielkim pączkiem wysmarowanym lukrem. Bardziej przypominała wyschniętą cebulę ze względu na liczne warstwy przykrywających ją kamizelek, halek, koszul i swetrów. Gdy zaczynała zdejmować zgromadzoną na sobie garderobę, ciekawości Adasia nie było końca. Stos jej ubrań zamieniał się w wielki kopczyk i wciąż rósł.

– Śpię z tobą – zadecydował po męsku, zadzierając główkę do góry i szukając w jej pomarszczonej twarzy aprobaty dla swego pomysłu.

– A jakżeby inaczej! – Potrząsała nad nim siwą głową. – Ja przecież twoja królewna. Trochę stara i pognieciona, ale kocham cię tak mocno, jak tylko królewny potrafią.

– Czasami trochę sikam – uprzedził Adaś. Jego szczerość wprawiła mnie w zdumienie.

– A i mnie się zdarzy – uspokoiła go babka pogodnie. Wyjęłam z szafy dmuchany materac i bez słowa zaczęłam napełniać go powietrzem.

Życie z babką układało się lepiej, niż początkowo sądziłam. Jedyne, co mnie irytowało, to jej wyprawy do zsypu, gdzie chętnie wkładała głowę i bacznie obserwowała śmieci wyrzucane przez całe akademickie piętro.

– Babciu, nie chodź tam – nalegałam, zła, że muszę jej robić takie uwagi. – To kupa bakterii i brudu.

– Gówno prawda. Skarbiec – szeptała złowieszczo i dreptała do swojej walizy. – Zobacz, co mam!

Codziennie do jej rąk trafiał jakiś skarb ze śmietnika. Zanim się pochwaliła znaleziskiem, doprowadzała je do stanu użyteczności. Dzisiaj prezentowała wieszak na ubranie i plastikowy nocnik w słonie. Nocnika pozbył się poprzedniego dnia Grzesio Greń, sympatyczny fizyk. Historii wieszaka nie znałam i znać nie chciałam.

– Nocnik przecieka – tłumaczyłam.

– Jakie tam przecieka. Nic mu nie jest, a słoniki jak żywe.

– Adaś ma nocnik.

– A kto mówi, że my potrzebujemy nocnika? My potrzebujemy doniczki, bo będziemy palemkę sadzić. A! I palemka. – Babka znowu sięgała do swych nowych zbiorów. Tym razem trzymała suchy badyl z kilkoma listkami zatknięty w zmurszałej donicy. – Palemka jak żywa – cieszyła się, pieszcząc roślinę. – Adaś sam będzie o nią dbać!

– Dobra. Weźcie palemkę, ale ten nocnik... – Próbowałam wyjąć go z zaciśniętej pięści babki, ale pełen żalu krzyk Adasia powstrzymał mnie od zaprowadzania porządków we własnym domu.

Rozejrzałam się z przerażeniem. Schludny dotąd pokój błyskawicznie zamieniał się w biuro rzeczy znalezionych. Uznałam, że wkrótce wyląduję z dmuchanym materacem w zsypie. Zwłaszcza że tam, od czasu babki spacerów, miejsca przybywało.

Gdy następnego dnia palma wraz z nocnikiem stanęła na oknie, zadzwoniła do mnie portierka z doniesieniem o kradzieży.

– Pani syn – mówiła gniewnie – ze swoją babcią ukradli fikusowi ziemię! Sprzątaczki widziały, jak ją brali do reklamówki. Pełnymi garściami!

Ona, portierka, rozumie, że ludzie ze wsi mają różne pomysły, ale następnym razem złoży skargę u kierownika.

– Oczywiście. Nigdy więcej... – kajałam się przed nią. Nie miałam złudzeń, że przy pierwszym bzykaniu z kierownikiem wyjawi mu w rozkosznych jękach sekret mojej babki złodziejki.

– Dość tego! – krzyknęłam od progu, gotowa zrobić im awanturę. Ale nie mogłam. Babka Bronia i Adaś siedzieli przy nocniku. Patrzyli z zachwytem na swoją palemkę i wyglądali jak para z ilustracji w dziecięcej książeczce. Na ich twarzach malowały się szczęście i spokój, jaki jest dany tylko duszom jasnym i czystym.

O babki upodobaniach postanowiłam poinformować moich sąsiadów. Miałam dosyć ich znaczących spojrzeń i niezręcznej atmosfery, jaka się wokół nas zagęszczała. Wszędzie przyjmowano mnie serdecznie i wysłuchiwano ze zrozumieniem.

Okazało się, że niemal wszyscy albo mieli podobną

babcię, albo ich babcie są na dobrej drodze, żeby dogonić moją. Jeżeli tego dnia wróciłam niezwykle zadowolona z wypełnionej misji, to już nazajutrz nabrałam wątpliwości. Co chwila odrywało mnie od pracy stukanie do drzwi. Każdy, kto zmierzał w stronę zsypu, najpierw zatrzymywał się przed naszym pokojem i omawiał z babką Bronią wyrzucenie lub odstąpienie jej kolejnej dobrej, ale zużytej rzeczy. Babka rzadko kiedy rezygnowała z tych prezentów.

Kupiłam kilkanaście piw i rozpoczęłam nowe negocjacje. Tym razem usilnie prosząc, aby śmieci wyrzucano bez uwzględniania naszego pokoju. Wróciłam do siebie kompletnie pijana, ale zadowolona.

Babka popatrzyła na mnie zza okularów.

– Poszłaś w ślady ojca – oceniła gniewnie. – A szkoda, że nie wdałaś się we mnie. Mądra kobieta w naszej rodzinie bardziej by się przydała niż jeszcze jeden pijak – burknęła, robiąc Adasiowi skarpetki na drutach.

Kiedy wreszcie przyjechał wuj Roman z panem Małachowskim, żeby zabrać babkę Bronię do domu, zamiast oczekiwanej ulgi przyniósł smutek i samotność.

Adaś postanowił wyruszyć razem z nią. I może dobrze, bo i babce ciężko było rozstać się ze wszystkim od razu. Najchętniej wzięłaby z sobą windę, którą, ku uciesze całego hotelu asystenta, jeździła dla przyjemności kilka razy dziennie.

Na wieść o jej wyjeździe kilka osób wpadło z serdecznym pożegnaniem. Okazało się, że babka Bronia służyła pomocą połowie naszego piętra. Podczas gdy pracowałam, doglądała odgrzewających się w kuchence obiadów, myła jakieś talerzyki, kołysała usypiające w wózku dziecko.

Przyjazna i życzliwa, była kimś zupełnie innym niż moje o niej wyobrażenia.

Również Łojkowa nieśmiało zbliżyła się do babki z małym zawiniątkiem.

– To dla pani – szepnęła, wkładając w starczą dłoń paczuszkę. – Nic takiego. Cepeliowskie serwetki – wykrztusiła. – I jeszcze raz dziękuję. – Nie patrząc na mnie, cmoknęła babkę i szybko pomknęła do siebie.

– Nie rozumiem – wyznałam bezradnie.

– Wszystkiego na studiach nie uczą – powiedziała babka Bronia, kierując się do windy. Dwóch kamerdynerów z tytułami dostojnie targało jej walizkę i biuro rzeczy ocalonych.

– Ale za co ten prezent, babciu?

– Ach tam! Miała taką brzydką pokrzywkę na ręce i żaden lekarz nie mógł jej tego usunąć.

– Usunęłaś?

Milczała.

– Swoją metodą?

Milczała nadal, a ja nie miałam wątpliwości, że babka zastosowała na swojej pacjentce terapię uryną. Była to babki metoda na wszystko. Jedyna, w którą święcie wierzyła. I trzeba przyznać, nie bez powodu...

Piątka. Wieczorny kurs

Na próżno czekałam całe popołudnie w kawiarni Cztery Róże. Kelnerka, zwykle rozpieszczająca profesora Wiedermeiera i mnie półpłynnymi galaretkami, też wydawała się zdenerwowana. Udzielił jej się mój niepokój.

Po pewnym czasie obie zerkałyśmy w nieszczelne okna, wypatrując znajomej sylwetki w filcowym kapeluszu. Ale ulica była pusta. Przygnieciona ciężką mżawką i podszyta wiatrem niczym stary wojskowy płaszcz, gnała przechodniów, jakby byli przemokłymi jesiennymi liśćmi.

– W taką pogodę to i pies z kulawą nogą... – pocieszała mnie kelnerka, przynosząc kolejną herbatę. Bez zamówienia. – Na nasz rachunek – dorzuciła zachrypniętym głosem i poczłapała na zaplecze.

Spoglądałam coraz częściej na zegarek. Adaś został pod opieką studentki, a mała wskazówka niemiłosiernie mi o tym przypominała. Mój czas, niezależnie od poglądów profesora na ciągłość historii, układał się w całkiem nową chronologię. Tak bardzo chciałam o tym z nim porozmawiać. O złych porankach, które wynagradza mi uśmiech Adasia. A poranki zamieniają się w kampanie niemal kościuszkowskie. Zwycięskie. Tylko wciąż nie wiem, kto jest wodzem: Adaś czy ja? Komu należy się medal z placu boju i które z nas sprawia, że codziennie powiększamy terytorium miłości. Od pierwszego uśmiechu do nocnej bajki. Od bitwy o rozlane mleko do najczulszego uścisku po stoczonej w pośpiechu potyczce z uzbrojonym po zęby problemem. Z armią kłopotów, które nigdy przedtem nie stawały na mojej drodze, a teraz tworzą złowrogi szereg na każdym kroku. Czyhają na nas wszędzie: w pracy, w przedszkolu, a nawet w kościele.

Msza z ostatniej niedzieli w pełni zasługiwała na uwagę profesora. Adaś, niczym dzielny żołnierz Pana Boga, chciał sprawdzić autentyczność głoszącego kazanie. I wbrew moim zakazom ruszył do ołtarza. I dotarł. I chwycił natchnionego księdza za jego zdobną szatę. I wybuchła awantura na całą świątynię. Ministranci, widać z innej niż boża armii, siłą oderwali Adasia od duchownego. Opuściliśmy święty przybytek wygnani spojrzeniami innych. I przegraliśmy jedną z naszych życiowych walk...

Nikt lepiej od profesora Wiedermeiera nie znał się na strategii. Na pewno znalazłby dla nas jakieś słowo pocieszenia. Ale zamiast jego słów padał coraz zimniejszy deszcz i szaruga wniosła ciemność także pod dach Czterech Róż. Musiałam wracać, ale niewidzialna siła wciąż trzymała mnie w objęciach starego fotelika.

Na pewno nic się nie stało, myślałam, wyjadając cytrynę ze szklanki. Poza nią były w niej tylko fusy. Wielkie, czarne liście, z których mogłam wyczytać zaledwie niską cenę detaliczną tego gratisowego napoju. Pewnie źle się poczuł. To normalne przy takiej pogodzie. Za oknem wichura przybierała na sile, a w mdłych światłach ulicznej latarni dostrzegłam cień odjeżdżającej piątki. Następny autobus będzie dopiero za godzinę. Studentka pewnie szaleje. Trudno. Pozna, podobnie jak ja, smak rozgoryczenia, sól daremnego czekania. Przyprawy życia.

– Chyba już nie przyjdzie. – Kelnerka znowu była na moje usługi.

– Chyba nie – zgodziłam się i podarowałam jej miły uśmiech. – Następny autobus mam za godzinę. Wypiję kawę.

Cztery Róże zapełniały się powoli wieczorną klientelą. Ale dzisiaj, oprócz bywalców, wpadali tu ludzie osaczeni niepogodą. Przerażeni tym, co działo się za oknami. Otrzepywali płaszcze i przysiadali się do wolnych stolików.

Zaczynałam się cieszyć, że profesor nie dotarł. Mógłby się zaziębić, zmoczyć swoje ważne notatki. I powrót do domu też byłby dla niego przykry. Niebieski autobus jest zwykle zimny, nieprzytulny. I tak wolno jedzie, jakby wcale mu się nie śpieszyło do naszych lasów, łąk i pól.

– Słyszała już pani? – Starszy mężczyzna zajmuje miejsce obok mnie. Patrzy z błyskiem sensacji w okularowych oczach. – Słyszała pani o tym nieszczęściu? – powtarza pytanie.

– Nie. – Odrywam szklankę z kawą od ust.

– Pogotowia latają jak oszalałe – mówi, zadowolony, że znalazł jeszcze kogoś w szemrzącym tłumie, kto pozwoli mu ponownie przeżyć radość powtarzania strasznej wieści. – Autobus wpadł na barierę. Tu niedaleko, na ślimaku. Cały autobus... – Kiwa głową z dramatycznym przejęciem. – Boże! Co tam się dzieje! Pełno krwi! Ludzie wciśnięci w ten wrak. I nic nie widać, tylko, proszę pani, wszędzie czuć śmierć. Okropieństwo!

– Jaki autobus? – pytam spokojnie, ale czuję wzbierającą falę przerażenia.

– Wieczorna piątka, proszę pani. Ja nie wiem, czy tam ktoś przeżył...

Zaczynam drżeć. Dopiero teraz docierają do mnie wysyłane z oddali rozpaczliwe sygnały nieszczęścia. Zamykam oczy, żeby przypomnieć sobie, jak to się stało, że nie ma mnie wśród pasażerów. Przychodzi mi do głowy, że to sprawa impulsu. Chciałam jeszcze poczekać, jeszcze przez moment mieć nadzieję, że profesor tu dotrze. Zatrzymał mnie. Osadził w tym niepozornym foteliku jak w nadziei. Niewidzialny, ale obecny. Podszepnął „wypij kawę". To tylko ulotny moment. W historii nic nieznaczący. „Nie śpiesz się, wypij". Tak. To by wyjaśniało, dlaczego nie jestem teraz tam, gdzie przecież miałam być.

– Zimno pani? – Mężczyzna objął mnie troskliwym spojrzeniem. – Nic dziwnego – westchnął. – Jak ja to, proszę pani, zobaczyłem, tę masakrę, to też mi się zimno zrobiło. Tych ludzi zbitych w jedną grudę, to, proszę pani, nikt nie rozpozna. Nawet ich bliscy... I buty... Powiem pani, że najgorsze są buty. Bez nóg. Jeden taki duży kozak leży, a obok maleńki skórzany, proszę pani, całkiem maleńki... Tylko ludzie i rzeczy. A co jest co i co do kogo należało, tego, proszę pani, już nikt nie ustali... Chyba że ustalą? – Nie mógł się zdecydować.

Wyszłam na dwór. Przeraźliwie wiało. Bezskutecznie próbowałam złapać taksówkę. Wsunęłam ręce do kieszeni i ruszyłam w stronę domu.

Wszystko jest historią

Rytka Poronin wyjaśniła jednym suchym zdaniem, dlaczego nie zobaczyłam się z profesorem. O jego śmierci dowiedziałam się na korytarzu domu asystenckiego, w miejscu, gdzie ulokowano poziomowy aparat telefoniczny. Między zsypem a salą telewizyjną. W jej słowa co chwila wdzierał się entuzjazm kibiców śledzących za ścianą obok mecz piłki nożnej.

– Umarł! – krzyczała, odzierając ten fakt z należnej mu ciszy. – Wczoraj go znaleźli. Na naszym dworcu! Tak! Nie żyje! Co mówisz?

Nic nie mówiłam.

– To był zawał! – sylabizowała, mierząc się z kolejnym golem, którego echo ponownie wtargnęło na korytarz.

– Przyjadę! – zakrzyknęłam.

Siedziałam pod telefonem. W czarnej membranie coś bezustannie trzeszczało, a ja nie byłam w stanie odłożyć słuchawki na miejsce. Moje łzy wcale nie miały związku z profesorem. Ani z tym, że już go nie było. Ani z tym, że mnie zostawił. Bez wyjaśnienia. I że to głupia Rytka, co nigdy nie umiała historii, musi go usprawiedliwiać.

Nie. Nic z tych rzeczy. Beczałam, bo szlag mnie trafiał, że ze zsypu cholernie cuchnie. I że te pindy, sprzątaczki, zamiast go porządkować, parzą w kuchence naszą kawę i zawsze patrzą na mnie zawistnie, jakbym to ja była powodem ich alkoholowych migren i skacowanego oddechu. Płakałam również z powodu zepsutej windy w naszym hotelu, gdyż właśnie teraz uświadomiłam sobie, że już od tygodnia wnoszę na szóste piętro Adasia z jego całym składem rupieci i boli mnie pieprzone ramię, a Łojkowa twierdzi, że to może być gorączka reumatyczna. Na tym nie koniec! Nagle uświadomiłam sobie, że moje mieszkanie, w tym obskurnym, pierdolonym domu, wcale nie jest moje! Bardziej należy do miłej pani z administracji domów studenckich, która tylko zgrywa przede mną anioła dobroci. Tak naprawdę jest starą wredną dziwką donoszącą dziekanowi o moich sąsiedzkich kłopotach. Kurwą jest też portierka wmawiająca mi, że Adaś obsikał fikus stojący na dole. Więc pewnie płakałam bardziej ze względu na fikusa. Bo zamiast rozgadywać na prawo i lewo, że moje dziecko szcza, gdzie popadnie, mogłaby, głupia pinda, zaprowadzić go do kibla. Przecież tylko raz zostawiłam go na chwilę bez opieki, żeby zmienić pościel. A jak wyrzucała podpaski do muszli klozetowej to niby nic? W przeciwieństwie do Adasia jest starą babą. A w podobieństwie ma równie złe maniery. Musi mi to sprawiać ból, skoro tak płaczę...

Co ja tu robię? Rozejrzałam się dookoła, ale wszystko, co chciałam zobaczyć, dziwnie się rozmywało. Pamiętałam tylko, że mam jeszcze czas, więc siedziałam dalej. Tu, pod telefonem, który nigdy nie miał mi nic dobrego do przekazania. Siedziałam z podrygującymi plecami wystawionymi na wścibskie spojrzenia przyszłych noblistów, na razie zmierzających do sali telewizyjnej, gdzie nasi przegrywali. Wolno odzyskiwałam spokój. Wracał do mnie razem z pogodnym uśmiechem profesora Wiedermeiera. Bo tylko on potrafił mi wytłumaczyć, że nic nie znaczy zepsuta winda, że co tam zsyp. Są jeszcze inne sprawy na świecie i ważniejsze bitwy. A w nich wygrani i przegrani. Jak w meczu, który właśnie się kończył. Że tak naprawdę nie ma sensu zastanawiać się nad czasem teraźniejszym. Trwa najkrócej i ma nam najmniej do zaoferowania. Lepiej zapatrzyć się w jutro, jeśli nie chcemy wracać do wczoraj. „A zresztą – szepcze do mnie cichutko stary profesor – tak naprawdę, to wszystko jest historią".

Bolesne zasypianie

Adaś bardzo lubi niebieski autobus. W drodze na dworzec zadaje setki pytań, które mnie cieszą. Odkrywam, że w brudne ramiona sapiącego sana pcha go zwyczajna tęsknota. Pyta o tych, których zobaczy. Nawet o Paryżaków. Nie może się zdecydować, do kogo tęskni najbardziej. Wreszcie wymienia wszystkich po kolei. Kasztana też.

Struchlałam, gdy zastanawiał się głośno, czy kasztan mógłby być jego tatą. Bo jest duży i silny.

– Może być twoim przyjacielem. Tatą nie. – Wiedziałam, że wreszcie będzie chciał ustalić swoje miejsce w rodzinie. Określić wszystkie przywileje i wyjaśnić nieścisłości. I tak czekał cztery lata ze swoim zestawem trudnych pytań. Domyśliłam się, że jest gotów je postawić, gdy markotny i zły wracał z przedszkola, waląc kijem we wszystkie przydrożne krzewy.

– Czy to prawda, że jestem z kapusty? Jak gołąbek z mięsem? – zapytał ze łzami w oczach.

Zapowiedział, że nie będzie jadł niczego, co śmierdzi kapustą, a w szczególności gołąbków, i całe popołudnie robił wszystko, by nas usunięto z hotelu. Na szczęście Łojkowa od jakiegoś czasu była zajęta własną ciążą i jej agresja w stosunku do Adasia przeistoczyła się w życzliwe zainteresowanie.

Tego wieczoru wzięłam się ostro do pracy. Zdawałam najtrudniejszy egzamin z psychologii. Egzaminował mnie mój syn. Dotąd uczestnik mojego życia. Teraz weryfikator matczynej wiedzy i mądrości. Surowy sędzia z wielkimi łzami w oczach. Ponury i z poczuciem własnej krzywdy. Mający na wyciągnięcie dłoni sprawczynię swego pierwszego bólu.

Gdy spał, już w jakiś dziecięcy sposób pogodzony z faktem, że nigdy nie ma się wszystkiego, siedziałam przy łóżeczku, miotając się w ogniu własnych, zupełnie nowych wątpliwości. Wiedziałam, że ból będzie wracał. Stanie się jedną z chorób mojego synka, lecz w przeciwieństwie do kolki, biegunek czy wysypki, nie da się go zażegnać żadną tabletką. Nie znałam leku na ukojenie takiej samotności. Przecież nie powiem mu, że ma przynajmniej z głowy kompleks Edypa. Nie powiem, że jego biologiczny ojciec może być co najwyżej starszym kolegą albo bratem, z którym walczyłby o elektryczną kolejkę. Adaś chciał mieć zwyczajnego tatę. Takiego jak inni chłopcy. Nawet w okularach i łysego – jak mnie zapewniał, przekonany, że mogę to załatwić, jeśli tylko odrobinę się postaram. Skąd miałam mu wytrzasnąć kogoś takiego? I jeszcze żeby był normalny...

Podczas wielu takich wieczorów, które nazywałam „bolesnym zasypianiem", odkrywałam z przerażeniem, że gdy Adaś był mało wymagającą ciążą, nie myślałam o czasie pytań, w który musi się wkraść kiedyś ojcowski wątek.

– Może zapraszaj częściej Piotra – poradził Czarek Żyrak, przejęty nowym kłopotem Adasia.

– Po co? – prychałam. – Adaś go wprawdzie lubi, ale nie jako ojca.

– Ciekawe – Czarek ruszył w głąb własnego dzieciństwa. – Nie przyszłoby mi do głowy traktować ojca inaczej niż ojca.

– Może miałeś to szczęście?

– Niekoniecznie.

– Z Piotrem jest całkiem śmiesznie. – Przypatrywałam się Adasiowi, który udawał trupa. Tę zabawę lubiłam, bo przez dłuższy czas leżał nieruchomo. – Przynosi prezent i sam się nim bawi. Ostatnio przyszedł z własną maskotką, Pamelą. I cały wieczór zastanawiał się, jak jej włożyć rękę pod spódnicę, żeby mały nie zauważył.

– Udało się? – Czarek wykazał zdrowe, męskie zainteresowanie.

– Ależ skąd! Adaś potem też próbował, a Pamela piszczała, wyzywając małego od zboczeńców.

– Musisz załatwić mu ojca – westchnął Żyrak, ujawniając po raz pierwszy swoją profesjonalną nieprzydatność.

– Sama go wychowasz – zapewniała mnie Brydzia, ale bez wcześniejszej pewności siebie.

Cieszyłam się, że nasza przyjaźń, wciąż trochę niedomagająca, została także objęta historycznym czasem zmian. Brydzia przychodziła do nas rzadziej. Często z niepokojem zerkała na zegarek.

– Dasz radę – zapewniała mnie solennie i gnała na randkę z Konradem.

Byłam dotkliwie sama. Z dobrymi radami, które moi przyjaciele pozostawiali w przedpokoju jak parasole, kiedy przestaje padać. Czarek wracał do swej filii bibliotecznej z tapczanem, Brydzia do wiotkiego wielbiciela. Krupka uciekał do agresji tłumu, a ja pozostawałam z Adasiem, pod warunkiem że nie bawił się w trupa lub czapkę niewidkę. Moje ulubione kawiarnie i kluby, DKF i basen zamieniłam na niekończący się wykład pod tytułem *Rosnę zdrów*. Inni na tańce, ja po termometr. Inni mają urodziny, ja owsiki w kale syna. Inni znajdują partnera, ja gubię czapki Adasia.

Czasami czułam się zmęczona. Ale właśnie w takich chwilach, gdy przystawałam, aby zaczerpnąć tchu, przypominałam sobie, że też znalazłam miłość. Bez niej już nic nie miałoby sensu. Dostałam ją bez kolejki. Była wymagająca. To fakt. Nigdy niezaspokojona. To z kolei kłopot. I zadawała za dużo pytań. W każdym razie codziennie więcej. To oczywiste!

Toasty

Jak on wyrósł! – cieszy się Parysiakowa, broniąc Adasiowi dostępu do kolan strzeżonych przez amerykańską kremplinę.

– Zuch chłopczyk! – wtóruje jej nieszczerze Parysiak.

Wciąż ma żal do Adasia o zdemolowanie kiosku podczas ostatniej wizyty. Nazwał go nawet przeklętym szubrawcem. Kolana Parysiaka Adaś starannie omija, pamiętając sążnistego klapsa za rozbój w biały dzień.

Gdyby jego ojcem był Tadeusz, zniszczenie „Trybun Ludu" miałoby charakter polityczny. Ale gdy ojcem jest bikiniarz, a wujkiem-dziadkiem Roman – można mówić tylko o chuligańskim wybryku.

Innego zdania był tatuś.

– Widzisz, kochany – tłumaczył z dumą Parysiakowi – mój wnuk ma we krwi walkę z komuną. Tyle ci powiem! Nadejdą czasy, że on z nas pierwszy wizę do Amerykanów dostanie.

– W wolnym kraju wolna prasa. – Parysiak wybrał pozycję demokraty. – W takiej Ameryce na przykład to za zniszczenie prywatnego mienia... Ho, ho! – Parysiak napiął policzki. – Nie wypłacisz się do usranej śmierci!

– W dolarach! – rzuciła złowrogo Parysiakowa.

– A jakie to prywatne mienie – sarkał ojciec. – Nawet kiosk nie twój.

– Bardziej mój niż twój. I może tak zostać – posępnie zagroził Parysiak, a rodzice nabrali wody w usta. Nigdy nie wiadomo, kiedy taki Parysiak przyjdzie z papierem i powie: „Zdzichu, przekazujemy".

Ta chwila śniła się rodzicom zbyt często, żeby teraz ją oddalić z powodu głupiej „Trybuny Ludu".

Nasz niespodziewany przyjazd zmartwił wyraźnie Parysiaków, ale stał się doskonałym pretekstem do rozpoczęcia wieczoru.

– Musimy wypić za zdrowie mojego wnuka – oświadczył dostojnie tata.

– Tydzień temu piliśmy – przypomniała Parysiakowa, ale nikt jej nie słuchał.

Patrzyłam z niedowierzaniem, jak Adaś wchodzi w moją dziecięcą rolę, niezgrabnie taszczy z kuchni kieliszki i oblewa się sokiem żurawinowym, pod który za chwilę wszyscy biesiadnicy przełkną kolejne sto lat jego życia. Jak patrzy z uśmiechem wypełnionym miłością na zachodzące w kredensie słońce. Skąd ma wiedzieć, że już od wielu lat to wcale nie jest prawdziwe słońce, tylko refleks butelki z samogonem, baraszkujący na szybie starego mebla. Taki szklany zajączek uwięziony w starym krysztale. Ożywający przy każdym ruchu butelki z żółtą wiśnią.

Odwracam się do okna szczelnie ukrytego za łąką lnianych maków. Śmieję się, ale i płaczę. Mój śmiech wyraża zdumienie dla powtarzalności sekwencji rodzinnego filmu. Wielkiej panoramy statycznych zdarzeń. I ci aktorzy... Mocno zmęczeni tą samą rolą, ale pracowicie odtwarzający ją w wielkiej rekwizytorni stołowego. Uwięzieni w tych samych frazesach. Otoczeni tym samym ochrypłym banałem. A banał dojrzewa jak moje kasztany za oknem i ciężko spada na rodzinną serwetę. Też tę samą. Wysłużoną i wierniejszą od naszych psów uciekinierów. Babka Bronia znowu jest ważna. Musi przesiadywać w budce suflera i szeptać niczym różaniec to samo co zawsze. Szepce, a jej podpowiedzi są natychmiast wyłapywane i gra toczy się dalej. Od biegu Popławki po amerykański wodospad. Od kiosku Parysiaków po sklep z segmentami. Od późnego popołudnia do nocy.

Adaś to już inne pokolenie. Krząta się po scenicznych deskach. Ja musiałam spędzać dzieciństwo w prowizorycznej garderobie za cienką dyktą. Najbardziej łączy mnie i Adasia ten ulotny zapach samogonu, który wpada i w jego wrażliwe nozdrza. Okłamuje go on trochę, że tak pachnie prawdziwa rodzina.

A może to wcale nie jest kłamstwo?, myślę. I w tym myśleniu pojawiają się moje niewidoczne łzy. Ten płacz nie jest ani smutny, ani oczyszczający. Obejmuję nim wiele lat życia, które teraz unaocznia mi Adaś, dźwigając półmisek z rybami. Stawia okonie na stole i biegnie po szklankę z herbatą dla dziadka. Też zawsze biegłam, gdy mi na to pozwalano. Wycieram delikatnie oczy w ciężkie zasłony. W końcu i do nich mam pewien sentyment. Wcale nie oddzieliły mnie od świata. A przez źle zacerowaną dziurę, która ma więcej lat niż ja, widać nawet fragment kasztana. Jak próbuje zajrzeć do naszego mieszkania i objąć wszystkich zielonym spojrzeniem. Z tymi drzewami, że w Ameryce są większe od naszych, Parysiakowa na pewno wciska kit, pomyślałam, dochodząc do wniosku, że też wolę ich kiosk od pięknego domku przy Niagarze, za który właśnie wychylali kolejny toast. Musiałabym do tej Ameryki ruszyć z kasztanem, a przecież, jak słusznie zauważyła kiedyś mama, nie targa się drzewa do lasu...

Dwa światy

Pan Sybiduszka już od kilku miesięcy nie wychodził przed furtkę, aby nas spotkać. Ja też, zamiast kierować się prosto do altany, najpierw odwiedzałam go w domu. Czas nieubłaganie przejmował kontrolę nad naszymi przyzwyczajeniami. Moja walka o wózek inwalidzki dla starego strażaka skończyła się tymczasową klęską. Na szczęście udało się namówić głuchą Antośkę, by zaopiekowała się panem Sybiduszką. Płaciłam jej marne grosze, aż któregoś razu ich nie wzięła. Powiedziała, że dostała dużo pieniędzy od kogoś innego. Wystarczy.

Adaś, od czasu gdy pan Sybiduszka pozwolił mu bawić się lornetą, tęsknił za wizytami w ogrodzie.

– Imię ma należyte – charczał cicho staruszek. – Ale w tym raju pierwszy nie był. Dopiero trzeci – mówił z trudem i uśmiechał się pod nosem.

– Noo – protestuję nieśmiało – a pani Sybiduszkowa...

– To nie był jej raj.

Nigdy nie pytał o Adasia. Nawet gdy odwiedziłam go z brzuchem sterczącym bardziej od kompostownika pod płotem. A kiedy po raz pierwszy zjawiłam się z wózkiem, niepewna przyjęcia, powiedział, że to dobre miejsce dla dziecka.

Rośliśmy sobie jak łopuchy pod pogodnym wzrokiem właściciela tych wszystkich chwastów i ulęgałek. Adaś polubił starą altanę, którą pan Sybiduszka z trudem uporządkował. Nigdy nie starał się zaprzyjaźnić z Adasiem. Raczej go ignorował, a gdy na chwilę zatrzymywał na nim wzrok, miałam wrażenie, że go nawet nie lubi. Dopiero gdy Adaś wyrósł na dzielnego strażaka i samodzielnie sikał pod płotem, jak tartaczny pracownik na murek niedoli, pan Sybiduszka przyniósł mu swoją lunetę, która przypieczętowała najdziwniejszą przyjaźń, jakiej byłam świadkiem.

Kiedyś przyjechała z nami Brydzia. Pan Sybiduszka uśmiechał się do niej, ale nigdy nie zamienił z nią słowa.

– Przyzwoity gość. – Brydzia doceniła tę wstrzemięźliwość. – Raczej nie wyjdę za mąż, ale jeśli nieszczęście i na mnie spadnie, poszukam takiego Sybiduszki.

– Dlaczego akurat takiego? – pytałam.

– Facet, który mało mówi, rzadziej się kompromituje.

Dzisiaj pan Sybiduszka wyglądał źle. Z trudem cedził słowa. Wreszcie z nich zrezygnował. Podał mi list od Krzysia. Wzięłam z grzeczności. Od czasu gdy Krzyś starannie pomijał moje imię na kopercie, czytałam listy na wyraźną, choć niemą prośbę adresata. Uśmiechałam się grzecznie, uprzejmie śledząc te relacje z artystycznego zesłania. A potem znajdowałam kilka miłych zdań, które świetnie maskowały gorzką myśl, że jedynym uczuciem, jakie we mnie dojrzewa, jest zwyczajna zazdrość. Gdybym miała narysować siebie i zazdrość na zajęciach terapeutycznych, posłużyłabym się modelem kasztana. Zazdrość byłaby dojrzałym wnętrzem, a ja najeżoną zieloną kulką pękającą w szwach. Nie wiem, ile tej zazdrości zdołał dostrzec pan Sybiduszka, spod przymkniętych powiek śledzący moje reakcje. Ile rozgoryczenia wyczytał między akapitami moich uśmiechów. Listy Krzysia prowokowały do złych uczuć. Gdy on pisał o wolności ducha, ja poznawałam niewolę matki Polki. Gdy on szukał pomysłu na cykl egzystencjalnych zmagań, ja szukałam tygodniami niedostępnej witaminy D. Gdy on zastanawiał się nad przyszłością malarstwa, ja dumałam nad własną, patrząc na Adasiowe zniszczone buciki i starą kurteczkę. To, co było wspólne, teraz stało się czernią i bielą.

Czas z pączkami na niby i z miłością na niby dawno się skończył, myślałam z sarkazmem. Głupia byłam, sądząc, że muszę poznać wiele miejsc i wielu ludzi. Profesor Wiedermeier wiedział, że nie należy się z niczym śpieszyć. Gdyby nie ten pośpiech, może zobaczyłabym więcej i lepiej? Kto wie?

– Przeczytaj do końca – zachęcał pan Sybiduszka, widząc, że przerwałam lekturę w połowie listu.

– Chciałby się ze mną spotkać? – Ostatnie zdanie mnie przeraziło. – Po co?

Pan Sybiduszka milczał. Podeszłam do okna. Adaś zdobywał gruszę, starając się wdrapać po jej przygarbionym pniu na najniższy konar. Spadał, otrzepywał spodenki i ponawiał próbę.

Próbuje jak ja. Przyglądam się jego niezgrabnym poczynaniom. Kiedyś na nią wejdzie. Każdy ma swój kasztan. Zauważy, że świat jest znacznie większy, niż sądził, i też zacznie się do niego śpieszyć. Zostanę wówczas sama. Napiszę kilka artykułów o przemocy, z których ktoś zrobi habilitację. Pójdę do łóżka z kolejnymi amatorami wolnych związków. Staranniej zadbam o antykoncepcję. Może być całkiem miło. Okaże się, że wciąż mam odjazdowe sny i potrafię być szalona. Ugotuję obiad na jedną osobę i wyskoczę z kimś do kina. Tak żeby się jednak nie spóźnić. Chyba nie mam czasu na spotkanie z Krzysiem, okłamuję się dzielnie, bo nie mam jedynie odwagi.

Adaś spada z drzewa. Tym razem nie zrywa się z impetem. Leży na murawie jak mała gruszka i płacze.

Pośpiesznie zostawiam list. Kwituję go macierzyńskim niepokojem i pędem biegnę do Adama. Wdzięczna, że mnie w tej trudnej chwili potrzebuje.

Buraczkowa wyprawka

Ciąża magister Łojek, rosnąca dostojnie za sąsiedzką ścianą, wpłynęła bardzo łagodząco na nasze stosunki sąsiedzkie. Ich kilkutygodniowy płód nie słuchał Tercetu Egzotycznego, lecz mocnej, wibrującej między ścianami Mozartowskiej symfonii. Jestem pewna, że tak się działo pod wpływem poradników dla przyszłych rodziców. Łojkowie przeczytali, że Mozart dobrze robi dziecku na korę mózgową, i walą w przyszły intelekt decybelami. Gdyby to przyuczanie do mądrości słyszała nasza miła pani kierownik z administracji domów studenckich, musieliby się stąd ewakuować razem z adapterem i ambitną płytoteką.

Zazdrościłam magister Łojek tego schludnego macierzyństwa. Było niczym bezcenne notatki o wpływie przecinka na ludzkość, obłożone w nieprzemakalną folię pamięci rodziców. Łojek zupełnie zwariował. Gdyby mógł chodzić, oddychać i wydalać za Łojkową, byłby najszczęśliwszym językoznawcą świata. Jestem pewna, że wieczorami ona kładzie się na tapczaniku brzuchem do góry, a on czyta głośno *Kubusia Puchatka*. Na tyle głośno, żeby nienarodzony potomek go usłyszał.

– Lepsze to niż opowiadanie bajki pod tytułem *Fakultatywność członów frazeologicznych* – Czarek się śmiał, nie rozumiejąc mojej złośliwości.

– Zazdroszczę jej. I to wszystko – tłumaczyłam mu swoje narastające rozgoryczenie.

Zazdrościłam Łojkom, że razem chodzą w ciąży i że brzuch Łojkowej przesłonił Łojkowi cały świat. Poinformowałam o tym Czarka. Niech wie, jak musiałam cierpieć.

– Masz świetnego syna. – Czarek zdecydowanie wolał kobiety, które potrafiły się cieszyć teraźniejszością. – A i przedtem dawałaś sobie radę.

– Bo musiałam! – Spojrzałam na niego z urazą, gotowa powiedzieć, żeby coś zrobił z tym kretyńskim uśmiechem. A najlepiej, żeby opisał go w swoim brulionie.

– Naraziłem się – zmarkotniał – a chciałem cię tylko pocieszyć.

– Gdybyś mnie wtedy widział... – zagrałam na jego uczuciach – kolejki, kilometry kolejek, a na końcu ja... Kładę brzuch na ladzie, drętwe nogi odmawiają mi posłuszeństwa...

– I co rzucili? Makaron?

– Parówki.

– Miałaś szczęście. – Wzdycha i patrzy na mnie z wesołą ironią.

– Albo te siaty... Targałam je sama, ale brzemię samotnej było cięższe od siatek.

– Kobieta w ciąży nie jest biologicznie samotna – zasugerował delikatnie.

Zawyłam z rozpaczy. Jakim prawem ktoś, kto nigdy nie będzie w ciąży, odbiera mi ogół poświęceń z nią związanych!

– Cezary – mówię głosem bardzo oficjalnym – czynisz mi wielką krzywdę. Pamięć o tym okrutnym czasie dotąd pozwalała mi patrzeć z góry na Łojkową. Zabierasz mi radość, jaką mam z racji swojego nieszczęścia.

– Zanim cię spotkałem, myślałem, że jestem niezłym psychologiem. – Czarek wzdycha. – Uświadamiasz mi, ile jeszcze powinienem pracować, aby zrozumieć potencjalną pacjentkę.

Śmiejemy się.

– Opowiedz o jakimś wydarzeniu związanym z ciążą, które szczególnie zapamiętałaś.

– Dlaczego pytasz? – Robię się podejrzliwa. Czarek jest naukowcem, nawet gdy miesza łyżeczką herbatę. – A jeśli chcesz mnie diagnozować? I okaże się, że jestem niepoczytalna? Co się wówczas stanie z moim dzieckiem? – pytam zadziornie.

– Zajmę się nim – odpowiada i jeszcze bardziej zapada w fotel.

– Pamiętam taksówkę z nową tapicerką... – rozpoczynam nieśmiało. – Kierowca wpuszcza nas do środka i chwali się, ile zapłacił za to cacko. „Derma" mówi z dumą i głaszcze siedzenie. Samochodowe – dodaję pośpiesznie. – Pamiętam, że tapicerka była buraczkowa. Jak nos kierowcy. Gdy wsiadłam, kolejna fala bólu sprawiła, że straciłam z oczu i tapicerkę, i nos. Brydzia widzi, że żarty się skończyły, więc piszczy przerażonym, cienkim głosem: „Jedź pan, jedź pan", a facet na to: „Spokojnie, drogie panie. Tylko do porodu trza się śpieszyć". Brydzia na to: „A pan, kurwa, myśli, że my gdzie? Na dyskotekę?". Kierowca w lusterko i niemal uderza w płacz. „Niech mi pani tego nie robi. Upapra mi pani kupę pieniędzy! Już raz jakiś pies mi się tu zesrał i doczyścić nie mogłem. Gdybym wiedział, że do porodu, tobym nie brał!". W Brydzi zawrzało. Coś mu tam mówi o prawach człowieka i kobiety, a ja robię wszystko, aby nie urodzić w fiacie 125p. Tapicerka, owszem, nawet ładna, ale nie wiadomo czemu odczuwam dyskomfort. Nie dość, że zamiast męża jedzie ze mną Brydzia, to nie mam pewności, czy moje dziecko przyjdzie na świat na zakręcie Marksa i Engelsa. A jak, dajmy na to, zmienią się wkrótce nazwy tych ulic? Co powiem dziecku? Że urodziłam je w ludzkich warunkach? Na nieistniejącej ulicy? Pomyślałam wówczas, jakie to jednak niesprawiedliwe. Kierowca ma prawo do nowej tapicerki, a ja nie mam żadnych praw. Mogę tylko zaklinać upiorny ból, aby jeszcze poczekał parę minut. I tak gonimy po ulicach, które wkrótce znikną z mapy miasta. Trochę spóźnieni na wielką paradę radości... Do dziś ta sprawa nie daje mi spokoju – ciągnę swoją opowieść. – W każdym filmie, nawet bez happy endu, kobiety rodzą całkiem nieźle. Wszystko jest sterylne, przyjazne i lśniące. Nawet posadzki w szpitalu. Niemowlęta czekają grzecznie na swoją kolejkę. Jak należy. Ojcowie dorastają do swych ról już w poczekalni. Gdy przytulają owinięte w bawełenkę dziecko, są rodzicielskimi wygami. A w mojej sytuacji, kto miał dorosnąć? Brydzia? Brydzię to ordynator wywalił na zbity łeb jeszcze przed rozwiązaniem, bo bez przerwy paliła.

Opowiadam to wszystko z obawą, że jednak Czarek umieści mnie w brulionie od dziwnych zachowań. Niech umieści.

– Wszystko z tobą w najlepszym porządku – słyszę diagnozę Czarka. Wciąż się uśmiecha, co z kolei mnie nie wydaje się do końca normalne.

Łojkowa od dłuższego czasu śledziła Adasia z uwagą psychologa.

– Ile on ma? – zapytała któregoś razu i natychmiast z przerażeniem wykrzyknęła: – Za mały! Według tabel za mały... A literki? – dociekała.

– Co literki?

– Czy zna?

– Zna. Cztery. – Pochwaliłam się zgodnie z prawdą.

– Dlaczego cztery?

– Bo to dziadka ulubione.

– Doprawdy, interesujące. – Łojkowa uruchamiała zmysł badawczy językoznawcy. – Cztery spośród wszystkich... – Kręciła głową ze zdumieniem. – Ciekawe, czy można to wytłumaczyć jakąś alfabetyczną preferencją. Ciekawe...

– Nie sądzę – zaprzeczyłam z głębokim namysłem – żeby to była jakaś preferencja. No, może istotnie... wpływ subkultury albo upodobania językowe – rozważałam z błyskiem w oku.

– Adasiu! Jakie znasz literki? – W Łojkowej naukowiec wziął górę nad ciekawością przyszłej matki.

– D-U-P-A – wysylabizował Adaś w przelocie, ponieważ udawał samolot.

– Rozkoszne maleństwo. – Łojkowa zbladła, nadrabiając uśmiechem. Preferencje językowe chyba wzięły w łeb i jej Nobel z głosek oddalił się jak Adaś.

– To po dziadku – powtórzył z dumą, która dla filologicznego umysłu pani Łojek wcale nie jest czytelna.

Skrzydła Piotrusia Pana

Od pewnego czasu Piotr odwiedzał nas bardzo regularnie i bez Pameli. Przychodził z jakąś głupią zabawką, z której Adaś dawno wyrósł. Wizyty Piotra traktowałam jak odwiedziny kolegi syna. W chwilach gdy pokój przeobrażał się w składnicę harcerską, czułam się odpowiedzialna za dwóch chłopców. Patrzyłam, czy bawią się zgodnie i dzielą modelami. Adaś cieszył się z tych spotkań, ale nie ubolewał, gdy się kończyły.

– Może wyskoczylibyśmy do kina? – zapytał Piotr któregoś wieczoru.

– Dzięki. Raczej nie! – odkrzyknęłam znad notatek. Byłam święcie przekonana, że Adaś zawdzięcza swe życie głównie amerykańskiej produkcji filmowej. Zastanawiałam się nawet, czy Akademia Filmowa nie powinna była nam przyznać jakiegoś małego Oscarka albo parę groszy na niemowlęcą wyprawkę, która czekałaby na nas w wyznaczonym sklepie.

Z dzieciństwa Adasia pamiętam zwłaszcza wyprawkę, pierwszą niezasłużoną karę, jaką dzieci polskie otrzymały od kraju. Wszystkie niemowlaki krążyły po ojczyźnie w kaftanikach z identycznymi motylkami i w pokracznych śpioszkach z szaroburej bawełny.

Piotr miał szczęście lub nieszczęście zawsze pojawiać się w moim życiu, gdy przypominało ono złogi naszych przydomowych łąk i pól. Nieuprawianych, pozostawionych samym sobie. Na taką jałową glebę trafiały i teraz jego znaczące półuśmiechy. To przez nie wciąż nie chciałam uwierzyć, że ma dyplom magistra pedagogiki. Sprawiał raczej wrażenie człowieka oczekującego mojej fachowej pomocy.

– Potrzebuję cię – mawiał, a ja przytakiwałam z satysfakcją, że tak zgodnie oceniamy jego sytuację.

– Fajnie, że nie mieszkasz już z tym buldożerem – mówił o Brydzi, patrząc łakomie na mój materac.

– Rzuciła mnie – kwitowałam jego wredne słowne wycieczki w stronę nieobecnej przyjaciółki. Gdyby wiedział, z jakim poświęceniem zastępowała go w najtrudniejszym czasie, może swój cynizm poświęciłby lepszej sprawie. Próbowałam to na Piotrze delikatnie wymóc.

– Daj spokój! – Krzywił się z niechęcią. – Jestem przekonany, że właśnie przez nią nam się nie ułożyło...

Dawałam spokój, życząc po cichu Piotrowi, aby w przyszłości nigdy nie stanął przed surowym obliczem prokurator Brydzi, przy której Sąd Ostateczny jawił się jako życzliwy wesołym chłopcom chór podniebnych starców. Patrzyłam z zawodowym zainteresowaniem, jak Piotr sprawnie i bezboleśnie pokonuje złą przeszłość, znajdując sprawców wszystkich własnych niedoskonałości. Mało tego! Nazywa ich po imieniu. Uśmierca krótkimi epitetami i z zadowoloną miną grabarza, który zrobił swoje, sadzi śliczne kwiatki na mogile starannie pochowanych grzechów.

– Byłbym naprawdę dobrym ojcem – mówi z wyraźnym wzruszeniem. – Tylko ta twoja dzikość... Przestraszyłem się... Zawsze byłaś taka władcza... Ale proponowałem ci małżeństwo, pamiętasz? Nie chciałaś i ja to rozumiem – odpowiada sam sobie. – Nie byłaś gotowa – dodaje tonem, który mu został po praktykach w szkole specjalnej. – Na szczęście trochę z tego wyrosłaś – diagnozuje tonem zadowolonego z uczennicy wychowawcy. Ton jest jedyną rzeczą, której umiejętność zdobył na studiach.

Zastanawiam się, czy Piotr celowo odwraca nasze role, czy też robi to nieświadomie. Nigdy nie był cynikiem, więc pewnie nieświadomie. Jest wciąż tym samym radosnym chłopcem, z którym bawiłam się onegdaj w lekarza. I w zasadzie na tym nasze zabawy się skończyły. Bo zabawa w mamę i tatę wymagała już innej wyobraźni. Gdybym się uparła, pewnie pogrzebałby jeszcze trochę w moich włosach i w życiu. Jak w piaskownicy.

– Właściwie to ja cię wcale nie znam – uświadomił sobie Piotr któregoś razu, gdy przyszedł z biletami do zoo.

– Właściwie nie – zgodziłam się z nim obojętnie.

– Patrz, mamy dziecko, a wcale się nie znamy!

To, co mnie przerażało, dla Piotra stanowiło zaledwie interesujący przypadek, nad którym zastanawiał się krócej niż nad męczącą go kwestią, czy słoń lubi cukierki. Na wszelki wypadek wziął na spacer paczkę miętusów i krówek. Poprosiłam Adasia, by nie pozwolił mu eksperymentować na biednym zwierzęciu.

– Zastanawiające... – mówił wolno Czarek – że po takim czasie Piotr szuka z wami kontaktu.

– Nie z nami. Z Adasiem – prostowałam, wolno pijąc uczelnianą lurę.

– Mylisz się. – Czarek podniósł na mnie smutne oczy. – On ma poważne zamiary.

– Poważne to ma problemy. Z samym sobą – prychnęłam. – Lata po krainie wiecznej szczęśliwości. W obłokach zdumiewającego absurdu. Z rzeczy ziemskich lubi wyłącznie głupie laski i głupie filmy.

– Chłopiec motyl – skonkludował Czarek i otworzył swój brulion.

Raczej wyrośnięty Piotruś Pan! Z pretensją do zmiany trybu życia, pomyślałam gniewnie, nie powierzając tych rewelacji czerwonemu brulionowi. Świadczyła o tym ostatnia wizyta Piotra. Pochwalił się, że kupił poradnik *Jak zostać dobrym ojcem*. A parę dni potem żółwia. Pamiętam ten dzień.

– Po co ci żółw? – zapytałam.

– Tu piszą – stuknął palcem w instrukcję ojcostwa – że powinienem ćwiczyć na zwierzęciu.

– Ojcostwo? – Nie mogłam uwierzyć.

– Między innymi też.

– Że niby co? Masz udawać ojca żółwia?

– Tak. To znaczy nie. Mam o niego dbać. Jeśli będę w tym dobry, to jest szansa, że zatroszczę się i o syna.

– Żółw żyje ponad stówę – westchnęłam sceptycznie. – Osierocisz go.

– Trudno. – Piotr zupełnie nie przejmował się losem swojej nowej zabawki. – Ja na nim tylko trenuję.

– Nie nauczysz się ojcostwa z podręcznika. I żółw też cię nie nauczy, jak być ojcem – stwierdziłam z rozgoryczeniem, którego nie potrafiłam ukryć.

– To kto mnie nauczy? – Spojrzał z nadzieją, gotów prosić o korepetycje.

– Nikt, Piotrze. – Westchnęłam. – Ojcem albo się jest, albo nie. Kochać trzeba po prostu umieć.

Wzruszył ramionami, które od pewnego czasu próbowały zrzucić z siebie ciężar młodzieńczych skrzydeł, na których dotąd błądził w przestworzach, z dala od naszych małych spraw.

Rysa na kamieniu

W każdą pierwszą sobotę miesiąca starałam się dotrzeć na cmentarz. Przynosiłam kwiatki i znicz. Nie miałam złudzeń. Kwiatki zostawały, a znicz trafiał do ponownej sprzedaży. Nawet lekko nadpalony. Cmentarni złodzieje budzili moją litość. Ze względu na brak satysfakcji, jaki towarzyszy kieszonkowcom, gdy pracują na żywym materiale.

Profesor Wiedermeier czekał na mnie pod rozłożystą topolą. Milczący, ale na swój fenomenalny sposób obecny. Przyniosłam mu kilka pięknych kasztanów. Każdy wypełniony podobną, ale inną historią. Jeden wpadł między mamine kwiaty i pięknie pachniał. Inny sturlał się z dachu szopki, w której rodzice przetrzymywali kurze jaja. Trafił w błoto i musiałam go polerować, by odzyskał swój brązowy garnitur.

Ludzie robią dziwne rzeczy, zanim umrą, pomyślałam. Moi rodzice brudzili jaja. Ja czyściłam kasztany. Przy profesorze odkrywanie paradoksów życia zawsze było doskonałą zabawą. Kiedy jednak odkrywałam bezużyteczność łańcucha drobnych czynów składających się na nasze ludzkie historie, zabawę zastępowała gorzka zaduma.

Przychodziłam do profesora zawsze niepewna, co teraz o mnie myśli, gdy już wie na mój temat więcej niż ja sama. Siedzi na jakiejś chmurze. Dyskutuje ze swoim Kościuszką i przygląda się z niezadowoleniem, jak półkę moich oczekiwań wygina zachłanność. Bałagan sprawia, że oczekiwania niczym się nie różnią od domowego lamusa rzeczy niepotrzebnych. Tę graciarnię pierwszy spostrzegł właśnie profesor, gdy mnie kiedyś zapytał, co naprawdę jest dla mnie ważne. Pamiętam ten dzień. Siedzieliśmy w Czterech Różach, a ja nie potrafiłam dać mu żadnej odpowiedzi. Z wprawą starego nauczyciela wlepił we mnie oczy.

– No tak, Pietkiewiczówna. – Pogroził mi palcem. – Znowu nieprzygotowana...

A potem opowiadał, jak dużo czasu sam poświęcił na znalezienie własnych oczekiwań. Takich, które były z nim w zgodzie.

I jak godził się z tym, że im mniej oczekuje, tym większa jest radość życia.

Westchnęłam z żalem, że już nigdy się nie dowiem, jakie miejsce zajmowały na tej profesorskiej półce kobiety.

Radość życia to określenie, które na cmentarzu powinno brzmieć jak ironia. Nie dotyczyło to jednak grobu Wiedermeiera. Ze swoją mądrością i spokojem pasował do każdego miejsca, jakie wymyślono dla ludzi. Wystarczyło przymknąć oczy, aby znowu zobaczyć, jak ze skupieniem odczytuje historię ludzkości niedostępną dla żyjących. Pewnie robi staranne notatki i pije swą ulubioną herbatę z cytryną. Bo inaczej nie byłby szczęśliwy. A wiem, że jest. Czuję, że ja też mogłabym być szczęśliwa. Wystarczy zbliżyć się do radości płynącej z faktu, że co roku kwitną kasztany. I co roku dojrzewają, aby spaść. Trzeba mieć tylko szeroko otwarte oczy. A w moim przypadku nawet nie! Ja je przecież wciąż czuję, choć już nie tak wyraźnie jak kiedyś, gdy byłam dzieckiem. Dzisiaj przechodzę obok nich szybko. W pośpiechu, który jest mafią rządzącą dużym miastem. W hałasie wieży Babel rozpadającej się na tłocznych ulicach w tysiące niepotrzebnych słów. Zaczynam rozumieć, że dzisiaj jest lekcja o ciszy i o kasztanach.

Ciszy uczy mnie profesor. A kasztany są w tym roku tak piękne i dorodne, że Adasiowi brakuje na nie miejsca w kieszeniach. I może właśnie to jest radość.

W cmentarnej studni zawsze stoi woda, jakby czekała na możliwość powtórzenia biblijnego potopu. Zagarniam ją brzegiem słoika. Będzie służyła astrom, które przyniosłam mamie Krzysia. Do jej grobu trzeba pójść zarośniętą chwastami ścieżką, prowadzącą na obrzeże cmentarza. Strzegą go wysokie krzewy, samosiejki, o które nikt tu nie dba. Z daleka widać tylko przekrzywiony pomnik. Nigdy nie zarasta omszałą zielonością, co zawsze mnie zdumiewa. Zaczynam rozumieć dlaczego. Przy grobie kręci się jakaś elegancka kobieta. Dopiero z odległości kilku metrów rozpoznaję w niej doktorową Sztolc. Jest zakłopotana.

– Dzień dobry – mówię z uśmiechem.

– Dzień dobry, Misiu. – Też się uśmiecha. Koronkowo. Przychodzi mi do głowy, że na pani Sztolc wszystko zawsze ładnie leży. Nawet zęby.

– Czasami tu wpadnę. Jak nie mam co robić – tłumaczy się niezręcznie. Szkoda, że się tłumaczy. Bez tego byłoby jakoś milej. – Trzeba jakoś zapełnić czas. – Ściąga gumowe rękawiczki. – A tu taki spokój. Zawsze odpocznę.

Ciekawe, od czego?, zastanawiam się. Od zakupów? Przyjęć? Dyrygowania gosposią?

– Tak – mówi i opuszcza oczy. – Tak. Tu jest całkiem inaczej niż tam.

Niepotrzebnie się jej czepiam. Przecież wiem, co chce wyrazić w tych kilku smętnych słowach. I co ona winna? Całe życie zdradzana. Milcząca za cenę ludzkich łapówek i nadziei. Córka, dla której pewnie szła na te wszystkie obrzydliwe kompromisy, dawno zerwała z nią kontakty. Mąż urzęduje z kochanką. A jej pozostało jeszcze raz posprzątać po brudach doktora. Zaprowadzić jakiś pozorny ład, który dyktuje proste serce.

– Masz ładnego synka – mówi zmęczonym głosem. – Uroczy chłopczyk.

– To wielki urwis – odpowiadam, jakbym zdradzała ważną tajemnicę.

– Wiem! – Śmieje się. – Widziałam kiedyś, jak narozrabiał w kiosku Parysiaków. Taki był jeszcze maleńki.

Stawiam astry z boku, a ona zachwyca się nimi szczerze.

– Lepiej tu – mówi. – Kamień też nie jest wieczny. Popękał. Zawsze stawiam kwiaty w tym rogu, żeby nie było tego widać.

– Zdecydowanie lepiej – przyznaję i zaczynam rozumieć, że muszę wybaczyć jej wszystkie różowe nocne koszule. A także garsonki i kapelusze. I nawet fikuśne sukienki, które nie zawsze mówią prawdę o swojej właścicielce. Kto by pomyślał, że to właśnie perłowa elegantka, doktorowa Sztolc, zna się najlepiej w naszym mieście na astrach i wie, gdzie powinny stać, aby świat był odrobinę lepiej urządzony.

Mroczna strona poduszki

Zima przesuwała się za oknem naszego pokoju jak ruchoma dekoracja w tanim teatrze. Karmiliśmy z Adasiem ptaki, które miały tyle godności, żeby nie odlatywać do lepszych krajów. Karmnik skombinował wuj Roman.

Na pewno ukradł go w nadleśnictwie albo kupił za niewielkie pieniądze od tartacznych robotników. Było nam miło, że pamiętał o ptasim domku. Teraz karmnik jest trochę jak gołębnik dla wróbli.

– Czy to są nasze ptaszki? – upewniał się Adaś, obserwując zza szyby łakomą chmarę.

– Nasze – mówię tonem szczęśliwej właścicielki.

– Skąd wiesz? – Adaś jest nieufny.

– Czuję, że są nasze – mówię pewnym głosem. Ta pewność jest jedynym atutem, który posiadam. Przychodzi mi do głowy, że może wuj Roman też miał takie silne poczucie własności, gdy przynosił do naszego domu obce rzeczy.

– Jakbyś posadziła drzewo – Adaś patrzy na smętny trawnik przykryty brudną powłoką śniegu – to też by było nasze.

– Drzewo mamy u babci i dziadka – studzę jego zapały.

– To nie to samo. – Marszczy nosek.

Pragnienia Adasia rosną razem z nim. Chce mieć prawdziwy dom. Dlatego wypełnia makietę dziecięcych mrzonek brakującymi elementami. Wiem, że za jakiś czas znowu upomni się o tatę. Na makiecie marzeń tata już zapewne jest i sadzi drzewo. W końcu od tego są ojcowie.

Mnie też nie brakuje zajęć, myślałam z uśmiechem, robiąc dwie rzeczy jednocześnie. Prasowałam i zerkałam kątem oka w telewizor. Gdy stawałam z rozgrzanym żelazkiem za stołem, czułam, że nie oddaliłam się nazbyt od rodzinnego domu. Podobnie jak moja mama, z włosami spiętymi w kitkę, pozwalałam buchać gorącu na rozgrzaną twarz. Pod moją dłonią prostowały się bolesne zgniecenia delikatnych tkanin, a na ekranie płynął świat po morzu małych i wielkich spraw. W pewien sposób płynęłam i ja, z żelazkiem w ręce, ciągnąc gorący metal po toni modrego obrusa.

Chwilę potem głos spikera wyrwał mnie z wodnych przestworzy. To była krótka migawka z wystawy. Krzyś pojawił się i znikł, zanim zamknęłam zdumione usta. Jego obrazy zamajaczyły w tle i ruszyły w niebyt za głosem spikera. Spod mojego żelazka buchnął dym i na oceanie modrego obrusa powstała wielka spalona wyspa.

– Mówili o nim w telewizji – powiedziałam Brydzi, rozlewając wino do dwóch różnych kieliszków.

– Kupię ci kieliszki. – Brydzia dostała mniejszy.

– Odnosi sukcesy. Znowu coś wygrał.

– Ależ spaliłaś ten obrus! – Ręka Brydzi powędrowała do dziury w modrej serwecie.

– Zagapiłam się przy prasowaniu. Bardzo wyprzystojniał. – Westchnęłam.

– No i jak to wino? Kupiłam najtańsze z najdroższych. Pamiętasz? Kiedyś piłyśmy tylko najdroższe z najtańszych...

– Zawsze zmieniasz temat. – Opuściłam głowę.

– Nie, dlaczego? – Udała zdziwioną. – Daj spokój – powiedziała mniej pewnie.

– Chciałam tylko pogadać. Nic takiego...

– Nieprawda. – Głośno odstawiła kieliszek. – Zawsze czekałaś. Żal było patrzeć, jak inni kręcą się wokół martwej dziewczynki z cudzego obrazka!

– Z obrazu – poprawiłam rzetelnie. Krzyś nie był od tandetnych portrecików i Brydzia powinna to wiedzieć.

– Niech ci będzie! – Machnęła ręką. – I co z tego? Masz wciąż zamknięte oczy i rozbabrane życie... Nie becz! – dokończyła gniewnie po dłuższej chwili. – Lepiej weź się za doktorat. Zrób cokolwiek do końca. Bo na razie to kręcisz się jak mechaniczny bąk rozsadzany sentymentami. Mała babka Bronia!

Adaś instynktownie próbował ratować sytuację. Przytulił się do mnie mocno.

– Babcia jest stara, a mama wcale nie – oburzył się szczerze.

O tym, że Brydzia miała dużo racji, myślałam ponuro przez następne puste noce. Postanowiłam skasować swe ulubione wyobrażenia, które uruchamiałam często przed zaśnięciem. Były jak senny most łączący Polskę z Francją. I po tym moście wybiegałam w sferę swych niewinnych imaginacji. Ja. Dojrzała kobieta. Oczywiście tylko wtedy, gdy znajdowałam w sobie siłę, aby marzyć.

Lubię zwłaszcza to marzenie o spacerze. Gdy idziemy polną drogą, trzymając się za ręce. Wstydzę się jego zdeptanych mokasynów, ale jednocześnie one mnie bardzo rozczulają, gdy pomyślę, że wrócił do mnie w tych samych butach, w których kiedyś odszedł. Zastanawiam się, co we mnie jest takiego, czego z kolei on się boi albo wstydzi. Pytam o to, ale milczy. Mam wrażenie, że chce mnie pocałować. Wybiera jednak nie najlepszy moment.

Bo jeśli zrobi to teraz, to o czym będę marzyła jutro? Pojutrze? Poczekajmy jeszcze, mówię oczami. Jak zawsze przystaje na tę niemą prośbę. I jak zawsze znika. Gotowy wrócić następnej nocy. W tych samych butach. Iść ze mną krok w krok, gdy tylko wywołam go z ciemności.

Gdy uznam, że już czas ruszyć wolno w stronę naszego ogrodu.

Marzenie ma tę wadę, że nie ulokowałam w nim Adasia. Ale moja wyobraźnia doskonale sobie radzi z nowym scenariuszem.

Mijają lata. W marzeniu mijają tak szybko jak w książce. I pewnego dnia, a jest to całkiem zwyczajny dzień, gdy kury chodzą po podwórku, a robotnicy tartaczni wracają z pracy, siadam pod kasztanem. Adaś zbiera zielone jeżyki i za każdym razem syczy z bólu, gdy zbyt mocno zaciśnie je w piąstce. W pewnym momencie jego okrzyk każe mi oderwać oczy od lektury. Ale Adaś patrzy na drogę. I nie jest to okrzyk bólu.

W tym marzeniu niby wszystko jest wystarczająco romantyczne, ale te kury... Jestem zła na ich hałaśliwe towarzystwo. No i czuję się trochę jak podstarzała Zosia Stolniczanka. Zwłaszcza że też mam na sobie prostą białą sukienkę.

Po północy dochodzę do wniosku, że jednak najlepiej by było, gdyby zobaczył mnie w telewizji. Jak odbieram nagrodę za udział w badaniach patologii społecznej. Otoczona życzliwą ciekawością mediów, opowiadam o swojej drodze do sukcesu. Jestem skromna, ale znam swą wartość. Nie kryguję się i nie szczerzę głupio zębów do kamery. Jest koło mnie Adaś. Koniecznie musi być, aby Krzyś go zobaczył, zanim mi kupi ten wielki bukiet kwiatów. Margerytek. I przyjedzie się oświadczyć.

Przewracam poduszkę na drugą stronę. Nie lubię spać na mokrej. Zgodnie z daną sobie obietnicą wyrzucam z pamięci tę zmiętą i mocno zużytą taśmę oczekiwań. Profesor Wiedermeier na pewno to widzi i uśmiecha się pod nosem. Dzielna mała, myśli. Moja szkoła. A ja cierpliwie wyrywam wyobraźni kawałek po kawałku pięknej opowieści o rozstaniu i powrocie. Im jej mniej, tym trudniej zasnąć. Leżę do rana, przewracając się z boku na bok. Niczego już nie oczekuję. Tylko snu. Do tego mam prawo.

Model do składania

Ożeniłbym się z tobą – mówi Piotr, składając z Adasiem model jaguara. Plamią klejem wykładzinę, ale przymykam na to oczy. Mój konspekt na ćwiczenia nie chce się złożyć w zgrabną całość. Podobnie jak ich jaguar. – Słyszysz? – pyta z podłogi.

Odwracam się w jego stronę, choć wcale nie chcę podejmować tego tematu.

– Prowadzę teraz własny zakład. Są jakieś pieniądze... Niezłe – dodaje szybko, abym ten fakt dopisała do dziwnych oświadczyn. – Trzeba poskładać jakoś to życie, no nie?

Życie to nie jaguar, myślę złośliwie, ale zajmuje mnie co innego.

– Słuchaj, po co ty właściwie studiowałeś pedagogikę?

– Jak to po co? Trzeba mieć jakieś studia.

– Ale dlaczego te? Lepiej było iść na jakąś mechanikę...

– Na politechnice jest mało kobiet. – Uśmiecha się cynicznie. – Kiedyś pewnie chciałem być trochę uczony – poważnieje – ale poza chceniem jest rozsądek. Mój ojciec ma dwa zakłady samochodowe i kantor, a jest architektem. Jakbyśmy wzięli ślub, mogłabyś dalej dłubać w tych swoich książkach. Nie mówię, że nie... To co? Wyszłabyś za mnie?

– Innym razem. – Kończę tę głupią dyskusję, ale dzisiaj jego propozycja wcale nie wydaje mi się śmieszna. Z przerażeniem odkrywam, że tęsknię za łatwiejszym życiem. Za triumfalnym wjazdem do naszego miasteczka oplem Piotra. Siedziałabym obok niego jak udzielna księżna i rozdawała na lewo i prawo uśmiechy znajomym. A oni zastygaliby w podziwie. „Udało się tej Miśce" – szeptaliby między sobą. „Taka Pietkiewiczówna, a wyszła na ludzi" – mówiliby w domach, przy niedzielnym obiedzie. Czasami z zazdrością, ale i z podziwem, bo w naszym miasteczku największy podziw wciąż budziły samochody.

Nie mogłam się skupić na konspekcie. Spod oka patrzyłam na uśmiechniętą buzię Adasia. Lubił Piotra. Miałam dwadzieścia siedem lat. Moja praca doktorska utknęła w martwym punkcie apatii i zniechęcenia. Na biurku coraz częściej leżały nieopłacone kwity za pokój w hotelu asystenta, a kwiaty kupowałam sobie od dawna sama. I to ciągłe grzebanie w skrzynce na listy, gdzie znajdowałam co najwyżej przypomnienie z bibliotek, że właśnie upłynął termin oddania jakiejś książki...

Na co właściwie czekałam, udając, że świetnie daję sobie radę? Nawet nie potrafiłam sprecyzować, co jeszcze miało się wydarzyć bez mojego udziału. I czy nie jest wystarczającym szczęściem, że przystojny, bez nałogów, ojciec mojego dziecka proponuje mi zamieszkanie na komfortowym osiedlu z widokiem na młody las. Tuż obok uniwersyteckiej filii. Co z tego, że nie płonę na jego widok. Kiedyś chyba płonęłam, skoro mamy udanego synka. A zresztą, czy nie nadszedł czas, abym pomyślała o potrzebach dziecka? Dotąd, poza życiem, wszystkiego mu konsekwentnie odmawiałam. Nie stać mnie było na przedszkole z angielskim. Z trudem zbierałam grosze na przedszkole z polskim i z wszami. I z ohydnym jedzeniem, po którym Adaś rzygał jak, nie przymierzając, Jurek Trapik w dniu komunii.

– Nie żałowałabyś, Miśka – wdarł się w środek tych spekulacji Piotr, znowu przypominający Piotrusia Pana, bo próbował przejąć kontrolę nad sklejonym autkiem i lekko wyrywał je Adasiowi. – Nie żałowałabyś takiej decyzji. Mówię ci. Znam się przecież na kobietach...

Czerstwe pączki

Ktoś puka. – Adaś uwielbiał otwierać drzwi. Pędem pobiegł na powitanie gościa, zostawiając mnie z żelazkiem, które znowu zmierzało w pracowity kurs po Adasiowych bawełnach.

– Cześć – odpowiedział Adaś znajomemu głosowi. Zamarłam.

– Mamo, przyszły ładne kwiatki z panem!

Stał w progu z uśmiechem, na który czekałam tyle nocy. Tym samym, ale już chyba nie moim, bo onieśmielał. Wbijał mnie w szarą wykładzinę i przypominał, że mam na głowie idiotyczną kitkę, a na sobie rozciągnięty dres. Sukienki ze snu nie zdążyłam jeszcze kupić. Nie sądziłam, że marzenia potrafią się tak szybko spełniać.

– Wejdź, proszę. – Z trudem wydobyłam głos, mocno splatając ręce. Żeby nie drżały.

Wyobrażałam sobie tę scenę tysiące razy, ale nigdy nie miałam wtedy na sobie dresu ani kitki.

Adaś patrzył na mnie z uwagą. Krzyś też. Wlepiłam wzrok w kwiaty.

– Piękne – szepnęłam.

Oderwał się od drzwi i wręczył mi bukiet.

– To jest... – Wyciągnął w stronę Adasia rękę.

– Mój syn – dokończyłam.

Męskie powitanie było zdecydowanie łatwiejsze. Dla obu.

– Przyniosę ci jaguara – zdecydował Adaś.

Oboje nie wiedzieliśmy, co zrobić z naszą nagłą obecnością.

– Przyjechałem na trzy dni. Nie mogłem cię odnaleźć...

– Będziesz trzy dni? – Radość, że wszystko jest takie proste, odebrała mi rozum. Na szczęście Adaś zachował zdrowy rozsądek.

– Siadaj – polecił Krzysiowi. – Pokażę ci, jak jeździ.

– Świetny model. – Krzyś ze znawstwem zajrzał samochodowi pod maskę. – Szczęściarz z ciebie.

– Dostałem od Piotra. – Prezentacja z rykiem silnika, który Adaś z całych sił dublował, wyręczyła mnie z kolejnego kłopotu. Siedziałam obok Krzysia jak na pokazie sportowych modeli samochodów i tępo wpatrywałam się w jaguara świetnie radzącego sobie na pełnej przeszkód dywanowej trasie.

– Tu mieszkacie? – Powiódł okiem po pokoju, który nagle mnie zawstydził.

– Tak.

Przez moment jego oczy wpadły na mój szeroki materac. Odpoczęły na nim zmęczone podróżą po wnętrzu i wróciły na tor samochodowy, delikatnie mnie omijając. Jak przeszkodę.

– Jak sobie radzisz? Z macierzyństwem...

– Ach, nieźle. Chyba nieźle. Właściwie, świetnie. Tak... można powiedzieć, że świetnie. Ale co tam ja...

Odważyłam się spojrzeć na Krzysia.

– Tak często się o tobie mówi. Jestem dumna. Chwalę się tobą. Nie wiem, czy mogę w ten sposób... Wiesz, o co mi chodzi?

– Jasne.

Nie zrozumiałam, dlaczego się zasępił.

– Wiem.

– Zamierzasz wrócić?

– Widzisz... To zależy...

Drzwi otworzyły się z łoskotem i stanął w nich Piotr.

– O! – rzucił ze swadą. – Nie ma to jak goście!

Adaś podbiegł zaaferowany wielkim latawcem, którego ogon został za drzwiami.

– Chwila, synu, wielki ptak nie mieści się w mieszkaniu. Wkładaj buty. Idziemy polatać.

Piotr czuł się z nas wszystkich najlepiej. Podszedł do Krzysia i uścisnął mu serdecznie dłoń.

Podekscytowany Adaś zapomniał o bożym świecie. Ubierał się tak szybko, jakby przepełniała go obawa, że Piotr się rozmyśli i piękny ptak na zawsze ugrzęźnie w naszym pokoju.

– Ja też już pójdę. – Krzyś zdawał się wdzięczny Piotrowi za nieme hasło do odwrotu.

– Zostań jeszcze, porozmawiamy – powiedziałam. Ale chyba zbyt cicho. Zbyt nieśmiało. Ostatecznie jak inaczej można wypowiadać marzenia.

– Nie, nie będę przeszkadzał. Miło było zobaczyć was... wszystkich.

– Może wpadniesz jutro? – Chwila zamieniała się w koszmar. Takiej sceny nie było w najczarniejszych snach.

– Jutro wyjeżdżam, ale następnym razem... Pewnie wpadnę. Odezwę się. Jeśli, oczywiście, przyjadę. To nigdy nic pewnego... Oj, mam coś jeszcze. Dla ciebie. Dla was – dodał, widząc wlepione w siebie oczy Piotra i Adasia. Postawił na stoliku szarą, niepozorną torebkę.

Gdy znikł, runął strop i ściany cienkich mrzonek. Podłoga i sufit moich wszystkich pragnień. Świat zstępował w otchłań, gdy Adaś, jakby nigdy nic, sięgnął do torebki.

– O, pączki! Z lukrem! – Wyciągnął jednego i wbił w niego małe ząbki. Lukier przykleił się do policzka.

Patrzyłam przez łzy, jak z apetytem zajada mój świat na niby, który znowu przestał być mój...

Zjazd koleżeński

O tym, że Parysiakowa ma raka i chyba nigdy nie wyjadą do tej swojej Ameryki, dowiedziałam się od Rytki Poronin. W piątkowy wieczór, który zgromadził w restauracji Maryneczka kilka osób z naszej dawnej klasy. Rozglądałam się po zdewastowanych ścianach. Wyglądały tak, jakby właśnie tu było nowe pole ćwiczebne naszego podmiejskiego garnizonu. Gdzie się podziały te metry parkietu wypełniające moją dziecięcą pożądliwość?, zastanawiałam się, błądząc oczami po smutnym, przesiąkniętym zapachem taniego piwa wnętrzu. Ileż godzin wystałyśmy kiedyś przed Maryneczką, obserwując przesuwające się w jej wielkich oknach taneczne pary. Nieudolnie sztywne, podrygujące w rytmicznych konwulsjach. Wtopione w mrok restauracyjnej sali. Trochę śmieszne, ale budzące tęsknotę do tego mrocznego dansingowego świata i uwijających się przy stolikach kelnerek.

Dzisiaj było nas niewielu. Wystarczyło zsunąć dwa stoliki i mieściliśmy się przy nich wszyscy. Tak jakby w naszej klasie stało tylko pięć ławek. Spotkanie jeszcze się na dobre nie rozkręciło, a już pijany Gawęcki robił wszystko, abym subtelnie zerkała na zegarek.

– Jutro możemy iść na cmentarz. – Rytka słusznie czuła się odpowiedzialna za ten mikroskopijny zjazd, ale niepotrzebnie rozpoczęła od listy nieobecnych.

– Profesor Wiedermeier, Lidka, Helenka Kowiel... – wyliczała monotonnie. – No i doszedł nam grób Heńka. Tego, co był z nami w klasie przez dwa pierwsze lata, a potem go zabrali. Pamiętacie? Prosto ze szkoły do wariatkowa...

– Kto by czuba nie pamiętał!

Spojrzałam na Gawęckiego z jeszcze większą niż kiedyś niechęcią. Gdybym wiedziała, że przyjdzie na spotkanie, żadna siła nie posadziłaby mnie przy restauracyjnym stoliku w klasowym towarzystwie.

– Co się stało?

Siedziałam obok Beatki. Zawsze cichej i poukładanej. Miała już dwie córki, co mnie do niej zbliżyło. Nieważne, że ona chciała mieć te swoje córki, a ja syna niekoniecznie.

– Powiesił się – odpowiedziała półgłosem. – W lesie. Na Smolarni. Tam, gdzie robiliśmy biwaki.

– Dlaczego?

– Nie wiem. – Zamyśliła się. – Lubiłam go. Był bardzo miły. Mieszkał z rodziną, a oni... no, różnie. Jak to z domowymi wariatami. Zamykali go, głodzili. Tak słyszałam.

– Ja też go lubiłam. – Westchnęłam cicho. Ze wstydem pomyślałam, że nie pamiętam nawet dokładnie jego twarzy. Zostały mi jakieś urywane wspomnienia z lekcji rysunków, gdy, ku klasowej radości, zaczął się bez powodu rozbierać. I wszyscy mu na to pozwalaliśmy, czekając, do jakiego się posunie momentu. Finisz przeszedł nasze oczekiwania. Siedział potem goluśki w ostatniej ławce, gdy dyrektor dzwonił po pogotowie.

Westchnęłam, przypominając sobie opowieść babki Broni o wisielcach oddających duszę drzewom. Śmierć Heńka, którego przecież nawet dobrze nie znałam, obudziła we mnie poczucie winy. Na razie małe, dające się zamknąć w dłoni trzymającej kieliszek czerwonego wina. Ale od tej pory będzie się ono we mnie rozrastało korzeniami drzewa, które wzięło na siebie ciężar ziemskich spraw mojego kolegi. I pewnie jego zbłąkaną duszę. Nie tak nagą jak ciało na lekcji rysunków.

Rozmowa przy stole powoli przeobrażała się w krzykliwy maraton dokonań. Z bloków wyskoczyli już Rytka z Wiktorem Gawęckim. Gnała za nimi Baśka, ta sama, co skończyła ogólniak za wieprzowinę. Sypała z rękawa sukcesami. Ku mojemu zdumieniu, również naukowymi. I nagle, gdy ciekawość zebranych skupiała się na mnie, wyszło na jaw, że towarzyszyło mi wyłącznie pasmo niepowodzeń. Piłam kolejną lampkę wina przerażona swym ubogim stanem zdobyczy. Jakbym dotąd przeżywała wyłącznie klęski.

– Janka już chyba ma doktorat. Wiesz coś o tym? – Pytanie Rytki Poronin tylko pozornie mnie nie dotyczyło.

– Nie, nie wiem. Nie widziałam jej od matury.

– Kto by pomyślał? – W głosie Rytki czaiła się złośliwa satysfakcja. – Wszyscy byli pewni, że będziesz pierwsza, a tu proszę!

– Doktorat nie wyścigi. – Spojrzałam lekko pijanym wzrokiem po twarzach, które oferowały mi tylko współczujące spojrzenia.

– Jaśka zawsze była świetna! – ożywił się Wiktor. – Zawsze! – Cmoknął z uznaniem, rzucając mi jak ochłap skrawek współczucia. Zrozumiałam, że nigdy nie zapomni, jak go kiedyś odstawiłam na boczny tor. Zdaje się, że na prywatce u Krzysia.

– Pokazała, co jest warta! – Gawęcki świdrował mnie świńskimi oczkami, coraz bardziej przypominającymi zero. Tak go zresztą nazywaliśmy. – Pisali o niej nawet w naszej gazecie!

– Też mi gazeta! – Beatka wydęła z pogardą wargi. – Poza tym pisali, że wygrała książkę za rozwiązanie krzyżówki. A do tego nie trzeba doktoratu. Moje dzieci je rozwiązują.

– A ty powinnaś chyba milczeć, co? Bezpieczniej by było. – Wiktor powoli przenosił swą niechęć na Beatkę. Zdaje się, że też nie chciała chodzić z Zerem na podmiejski cmentarz, żeby się całować w kłujących tujach. – Siedzisz upierdolona w pieluchach i jeszcze dostajesz za to po pysku. Współczuję, ale nie żałuję. Widziały gały, co brały.

Zapadła niezręczna cisza. Spojrzałam na Beatkę, ale na jej twarzy błąkał się tylko jakiś zawiedziony uśmiech. Złożony bardziej z rozżalenia niż satysfakcji.

– Też potrafię przyłożyć – powiedziała cicho – ale nie mam komu. Szkoda, że jesteś zerem. Po co mnie tu zaprosiłaś? – Spojrzała na Rytkę. – Istotnie dostaję po pysku! Żebyście wiedzieli, że dostaję. Ale i z tego można wyjść cało, jak się chce. A ze skurwysyństwa nigdy się nie wychodzi.

Wstałyśmy obie.

– Pani doktor mnie nie poleczy? – Gawęcki nadrabiał miną.

– Na świniach najlepiej zna się weterynarz. – Beatka szybko zapinała płaszcz.

– Ale nie każda ma szanse na ozdrowienie. – Ostatnim zdaniem podzieliłam się z Beatką. Jak kiedyś ona ze mną kanapką z wieprzową kiełbasą.

Wyszłyśmy w mrok. Ciepły i bardziej przyjazny niż poświata słabych żarówek tlących się w Maryneczce. Wracałyśmy wolno.

– Jest aż tak do dupy? – spytałam, gdy przystanęła, szukając w kieszeni paczki klubowych.

– Aż tak. A czasami nie aż tak. Różnie.

– Pije?

– A co ma tu innego do roboty? Tartak i wóda.

– Nie myślałaś, żeby odejść?

– Nie kładę się spać bez takiej myśli. Każdy ma jakieś marzenia. Ja co noc odchodzę. A potem muszę wstać i brać się do roboty. Pewnie ci trudno zrozumieć. – Podniosła na mnie oczy. – Jak się stąd wyjeżdża, to już się mówi innym językiem.

– Nie. Tym samym – zaprzeczyłam. – Nie zapomina się języka dzieciństwa.

– Niech ci będzie – zgodziła się bez przekonania.

– Nie wierzysz mi? – Spojrzałam ze smutkiem, jak gasi obcasem niemodnego buta papierosowy kikut.

– A co mam wierzyć albo nie. – Głos Beatki też gasł, jakby i on ocierał się o obcas. – Dla ciebie nasze miasto to skansen wspomnień. Wpadasz, patrzysz, jacy jesteśmy śmieszni, jak się starzejemy pod własnym dachem. Bo coś takiego tu jest, co ci się każe starzeć. Nie ma dla kogo żyć. Nie ma dla kogo włożyć sukienki, rozumiesz?

– To nie jest tak. – Patrzyłam jej prosto w oczy. – Tam też często nie ma dla kogo. I wtedy trzeba coś zrobić dla siebie...

– Ja mam córki. A dla siebie marzenia. W nocy, jak zamykam oczy, to tak wyglądam, tak wyglądam... No a dziewczynki tak pięknie będą wyglądały we dnie. Moja w tym głowa. One są inne. – Beatka podnosi roziskrzone oczy. – I ich marzenia też będą inne.

Nagle rozumiem, że jej oczy wcale nie są roziskrzone. Zgarnia łzy i poły płaszcza jedną ręką, a niemodne obcasy wygrywają po kocich łbach dobrze sobie znaną piosenkę o szybkim uciekaniu.

Jeszcze długo w noc siedziałam pod kasztanem, zastanawiając się, czy to nie on wysłał mnie ostatecznie do miejsc, gdzie czasami wkłada się sukienkę dla samej siebie. To stąd po raz pierwszy dałam nura w majaczące w oddali światła dużego miasta. Wystarczyło wdrapać się po omszałym pniu na konar, żeby świat rozwinął się przed oczami jak wielki zielony dywan. Tylko dlaczego odkrywam z przerażeniem, że właśnie wtedy byłam najszczęśliwsza? Zanim stanęłam na dywanie i zrobiłam krok w stronę dorosłości? Moje marzenia kosztowały mniej niż bilet w niebieskim autobusie. I nikt nie odmawiał mi do nich prawa.

Pępowina miłości

Mama, zapytana o Parysiakową, nadęła się gniewem.

– A to plotkarskie nasienie! – Machnęła gniewnie ręką. – Nie słuchaj tych bzdur, bo nieprawda. Parysiakowa miała zwykłe tłuszczaki.

– W dodatku już jej usunęli – włączył się tatuś. – Kto by pomyślał... Taka chuda i tłuszczaki...

– Poroninówna niech się lepiej swoją matką zajmie, zamiast innym śmierć wyrokować – dodała mama, znacząco patrząc na tatę.

– Niedługo Poronin nas wszystkich z dymem puści. – Uśmiechnął się pod nosem.

– Nas? – Spojrzałam na rodziców z niepokojem. – A co my takiego zrobiliśmy Poroninom?

– My jak my. – Tata naprawiał, a raczej psuł aparat słuchowy babki Broni. – Nic do wyrzucenia sobie nie mamy, ale twój wuj mógłby się już ustatkować, a nie za mężatkami gonić.

– Wuj Roman?

Oniemiałam. Wydawał mi się od pewnego czasu ustatkowanym starszym panem. W dodatku mocno zadowolonym ze swego kawalerskiego stanu.

– To jej wina! – prychnęła babka Bronia. – Jak baba chłopu daje...

– Niech mama lepiej nie kończy. – Tata westchnął. – I po co mamie ten aparat? Szeptem mówimy, a mama i tak wszystko słyszy.

– Naprawiaj i nie marudź! – Babka podłubała w uchu. – Lepiej słyszę z bateryjką. A czasy takie, że trzeba ucha co rusz nadstawiać.

– Dla nas zawsze dobre. Grunt to zdrowie – powiedział tata i manipulował dalej. Miał wyraz twarzy laryngologa, który śmiało sobie poczyna z babcinym narządem.

– Piotr proponuje mi ślub. – Nałożyłam na talerz nieśmiertelną rybę.

– No to weź! Pobawimy się, samogonki wypijemy. – Tata się ucieszył. – Ostatnio to już nie pamiętam, kiedy otwieraliśmy buteleczkę. Jednak starość gorsza od komornika. Wszystkie przyjemności odbiera...

– Mam nawet dość ładną sukienkę, wiesz, Zdzisiu, tę bordową. Na ślub w sam raz – rozmarzyła się mama. – Na co dzień jej nie wkładam, żeby ludzie nie gadali, że mi się w głowie przewróciło jak, nie porównując, tej nieszczęsnej Sztolcowej.

– A ja bym był w garniturze od Niemca. Turkus jak marzenie.

– Tylko dla mnie nic się w tych waszych poniemieckich szmatach nie znajdzie. – Babka Bronia wydawała się mocno zmartwiona.

– No, jak to nie? – zdziwiła się mamusia. – Oczywiście, że się znajdzie. A ta piaskowa z koronek?

– Nie wejdę, chyba że mi ją Banderkowa przerobi w pasie.

– Przerobi. Jak nic, przerobi. Jeszcze z mamą niejednego walca zatańczę – obiecał tatuś.

– Tylko gdzie byśmy ten ślub zrobili... Może w remizie? Salę ładnie by ubrał, a zespół z garnizonu...

– Gówno z garnizonu – sprzeciwił się tata. – Nie znoszę, jak grają w święto miasta. Nie będę na weselu córki marsza tańczył!

– Ale potrafią i takie ładne, sentymentalne grać. – Mama uwielbiała wojskową orkiestrę.

– A nasz Roman jak się ucieszy! – Babka klasnęła w dłonie. – On tak lubi tańczyć...

– No, no! Żeby tylko nie z Poroninową! Skandal będzie na całe miasto – odezwał się tatuś głosem moralisty. – Na takie skurwysyństwo w dniu ślubu własnej córki nigdy nie pozwolę!

– A ja musiałam się zgodzić. – Babka znacząco spojrzała na mamę.

– Czy coś mi się tu sugeruje? – Tata był opanowany, ale już zdążył odłamać kawałek sztucznego ucha babki. – Bo jeśli tak, to niech se mama sama w tym dłubie. – Zamachał różową małżowinką z akrylu.

– Nie kłóćcie się. Wystarczy, że od czasu jak Romek z tą Poroninową no, wiadomo co, to kury Matysiaków przestały się nieść. A inny dostawca jest droższy. – Mama wykazywała dużą orientację w rodzinnym biznesie.

– No właśnie! – przytaknął tatuś. – Trzeba mu będzie to kurewstwo ukrócić, bo przez taką wywłokę splajtować to wstyd.

– Zawsze wiedziałam, że ona jest lepsze ziółko – sapała babka Bronia. – Ale żeby uczciwych ludzi do ruiny doprowadzać? W interesy cudze napluć? I to teraz? Kiedy mamy mieć ślub?

Wycofałam się cicho do mieszkania babki. Adaś spał już z rozrzuconymi na poduszce rączkami. Nóżkami zsunął pierzynową górę i, zaróżowiony, cicho posapywał. Przytuliłam się do niego. Wszystkie dręczące sprawy z całego dnia zbladły i stały się nieważne. Uśmiechnęłam się na myśl o ślubie, do którego szykowano się beze mnie. Zawsze tak było, myślałam, wspominając familijne dysputy, którym nadawałam początek swoim istnieniem, a one, jak niesforny podwórkowy drób, zaczynały krążyć wokół coraz bardziej odległych spraw, usuwając mnie w końcu poza obszar tego rodzinnego gdakania. Jak mało wartościowe ziarno. Była to niespotykana umiejętność przeżywania przez najbliższych tego, czego w istocie nie ma, ale ja również po to do nich wracałam. Poczciwym niebieskim autobusem. Zdrożonym pielgrzymem z brudnymi reflektorami, znającym lepiej ode mnie drogę do domu. W dodatku teraz wracałam z kimś niezwykle ważnym, kto wkrótce też wdrapie się na kasztan. Zobaczy, jaki świat jest duży, a potem odejdzie po zielonym dywanie do własnych miejsc.

Wtedy też będziemy razem. W deszcz i pogodę. W czas kwitnienia i dojrzewania kasztanów. Ich umierania i picia soków z matczynego pnia. W czas zielonych kasztanowych kul i odzianych w brązową szatę owoców. Czyli zawsze. Bez konieczności wdawania się w dyskusję z kalendarzem i filozofią, mędrcami od sztuki liczenia czasu, od wyznaczania granic śmierci i życia. Zawsze to dobre słowo. Łączące nas niewidzialną pępowiną miłości, która rośnie razem z moim synem.

Ale dlaczego? – Czarek patrzył na mnie smutniej niż zwykle. – Musi być jakiś powód... Nie rzuca się takiej pracy dla byle kaprysu...

– Dotąd żyłam kaprysami. – Uśmiecham się gorzko.

– Chwilowy kryzys. – Szukał pocieszenia.

– Oboje wiemy, że nie. – Popatrzyłam na Czarka z imponującą dawką smutku. – Nigdy nie będę naukowcem. Za parę lat upodobnię się do tych z konferencyjnej listy płac. Z wizytówkami. Wydam książkę o nałogach, po którą sięgną jedynie studenci z mojej grupy, i będę wygłaszała surowym głosem referaty na kongresach. O ile wcześniej dziekan nie straci cierpliwości i nie pośle mnie do diabła...

Mój szybko skreślony życiorys jeszcze bardziej zmartwił Żyraka.

– Każdy ma chwile załamań. Pamiętam, jak któregoś dnia też się zastanawiałem, gdzie jest moje miejsce...

– Ty? – Podniosłam oczy z niedowierzaniem. – To niemożliwe. Urodziłeś się ze swoim czerwonym brulionem!

– Ależ skąd! Ojciec mi go wepchnął do ręki.

– Też psycholog?

– Nawet więcej. Psycholog alkoholik. Prowadził zajęcia z uzależnionymi, a potem wracał do domu i zaczynał inny kurs. Pokaz picia ze szczególnym okrucieństwem. Już nie żyje – Czarek uprzedził moje pytanie. Patrzył na Adasia, który budował dom z moich zeszytów i dobrotliwie się uśmiechał. – Dzieciństwo jest wielkim darem. Tyle że nie każdy go otrzymuje. Ja dopiero niedawno kupiłem sobie taką fajną elektryczną kolejkę. Nawet nie wiesz, ile muszę dokładać starań, aby nikt się o tym nie dowiedział...

Przytuliłam go. Nic innego nie przyszło mi do głowy. Ale też co można zaoferować dużemu, zmartwionemu chłopcu w szarym garniturze, który dzisiaj może kupić sobie wszystko. Poza dzieciństwem.

– U nas też było inaczej niż w domach moich koleżanek.

Adaś kończył budowę dachu, zwieńczając swe dzieło skoroszytem z bibliografią.

– Samogon lał się litrami i poza nami, dzieciakami, nikt nie wylewał go za kołnierz. Duma rodzinna na to nie pozwalała. – Wróciłam wspomnieniem do stołowego. – Ale dar dzieciństwa otrzymałam i chyba nawet w dobrym stanie. Właściwie to wtedy nie miałam wielkich marzeń. Tyle się naokoło działo, że na marzenia brakowało czasu. Poza jednym. Chciałam koniecznie dostać paczkę od Świętego Mikołaja, a nie z opieki społecznej.

– Dostałaś? – domyślił się.

– A jakże. – Wzruszyłam się po raz setny na wspomnienie tamtego wieczoru. – I w niczym tego święta nie umniejszyło odkrycie, że Mikołajem był wuj Roman, a paczki rozdawał na wielkiej bani. Pomieszał nawet jakieś prezenty i rodziny miały pretensje. Wuj im podał adres Pana Boga. Krzyczał: „Tam na skargi! Do szefa!”.

Adaś skończył dom. Postawił przed posesją jaguara i krytycznie przyglądał się swemu dziełu.

– Czegoś tu jeszcze brakuje. – Drapał się po płowej główce, szukając u nas pomocy.

– Może jakiegoś drzewa? – podsunęłam mu niecny pomysł. Wiedziałam, że zrobienie kasztana będzie wymagało następnej godziny wysiłku. Tyle właśnie czasu potrzebowaliśmy z Czarkiem na bezpieczny powrót z bezdroży dzieciństwa.

Adaś dziarsko przystąpił do dzieła.

– Ale jak skończę, to ze mną tu pomieszkacie?

– Zobaczysz, że będzie szantażystą – szepnął Czarek. – Każdy dar ma coś z puszki Pandory. Jakąś małą słodką plugawość. Inaczej bylibyśmy wszyscy jednakowi.

– Jacy, Czarku?

– Nudni. – Westchnął, a ja się ucieszyłam, że nam w żadnym wypadku to nie grozi.

Późnym wieczorem wpadła Brydzia. Gdy Adaś szczęśliwie wylądował w łóżku, usiadłyśmy przy stole przykrytym modrą serwetą z wypaloną żelazkiem dziurą.

– Obrus wspomnień. – Westchnęła, licząc plamy po czerwonym winie. – Nie wiem, jak ci to powiedzieć...

– Chodzi o obrus?

– Nie. O nas. To znaczy o Konrada. To znaczy o ślub... – Brydzia wyglądała na osobę wewnętrznie rozbitą i całkowicie pokonaną. Opuściła głowę, jakby zwieszała flagę na znak całkowitego poddaństwa.

– Świetnie! – Ruszyłam domowym zwyczajem po butelkę z resztką chianti.

– Gówno świetnie! – Wzruszyła ramionami. – Mówiłam, że po moim trupie. A ja jeszcze żyję.

– To się, na szczęście, zdarza. No, że przed śmiercią ludzie sobie lubią zaszaleć. – Rozlałam resztki wina do kieliszków. – Konrad jest bardzo miły i... i pasujecie do siebie. – Trochę skłamałam.

Brydzia z Konradem wyglądali razem jak zestaw budowlany. Ona duża ruska koparka, on operator maszyn ciężkich, uzależniony od kaprysów swego sprzętu.

– To małżeństwo z rozsądku. – Brydzia broniła się przed miłością jak przed zarazą. – Chcemy założyć fundację dla kobiet i biuro prawnicze. We dwoje jakoś łatwiej.

Byłam z Brydzi dumna. Najlepszy dyplom na roku, propozycja pracy w ministerstwie, a ona wciąż ta sama. Nawet idee pozostały rodem ze stancji Hrabiny Czartoryskiej.

– Patrząc na ciebie, cieszę się, że jestem kobietą. – Wzniosłam toast za jej zdrowie.

– A ja, patrząc na ciebie, żałuję, że nie jestem porządnym facetem. – Podniosła żwawo kieliszek. – Zasługujesz na takiego – zapewniła solennie, wychylając chianti do dna.

Przepustka do raju

Musisz oddać książki. – Adaś się cieszył, widząc w naszej skrzynce listowej białą kopertę. – Za-pła-ci-my ka-rę! – skandował radośnie.

List otworzyłam dopiero w pokoju. Najpierw z uwagą grafologa przyglądałam się zawijasom, jakie zdobiły nazwisko pana Sybiduszki. Skreślił je w górnym rogu koperty. Bez adresu.

A potem długo siedziałam nad rozłożoną kartką w kratkę, która przyniosła mi zapach sadu i wolności. Początkowo nie sądziłam, że to wolność. Myślałam raczej, że tak pachnie gorzka starość albo samotność. Choroba, która gnębiła pana Sybiduszkę bardziej niż astma i reumatyzm.

– Czy on pisze, że da mi lornetę? Na własność? – pytał Adaś udający niedźwiedzia polarnego po zimowym śnie.

– Tak. Chce nam dać znacznie więcej – wyszeptałam, wracając do listu.

– A co on jeszcze ma?

– Dom i ogród.

– Dlaczego chce nam dać dom i ogród?

– Bo wyjeżdża do innego domu.

– Jakiego?

– Takiego dla starszych osób.

– A po co?

– Ma tam kolegę.

– Ja też chcę mieć kolegę. Po co nam dom bez kolegi? – Adaś był bardziej wymagający, niż mógł się tego spodziewać nasz ofiarodawca. – Dlaczego płaczesz? Nie chcesz tego domu?

– Płaczę, bo po raz pierwszy dostałam prezent. Taki... duży. Za duży, żeby go przyjąć.

– To weź tylko trochę.

– Pomyślę o tym – przyrzekłam.

Niebieski autobus wolno wiózł mnie do pana Sybiduszki. Nie ominął żadnej kałuży i wyrwy w starym asfalcie. Podrygiwałam w rytm mechanicznego wycia silnika. Skowyt maszyny próbował bezskutecznie zagłuszyć chrypliwy głośnik udający Cliffa Richarda. Zapatrzyłam się bezmyślnie w brudne szyby, za którymi zachodziło rdzawe słońce. Resztki światła pochłaniały ciemne lasy powoli zlewające się w brunatną ścianę igliwia i gałęzi. W mieście zimę już dawno rozdeptały pośpieszne kroki przechodniów, a tu wciąż była. Leżała leniwie na gałęziach białym cieniem szarzejącym wraz ze zmierzchem, ale uparcie przyklejonym do sennego krajobrazu. Gdyby nie ciepłe podmuchy powietrza kładące się mgłą na szybach, pomyślałabym, że wiosna nigdy nie odnajdzie drogi do naszych łąk i pól.

Naszych... jak to zaborczo brzmi, pomyślałam. Zostawiłam kiedyś wszystko, ale zaimek zabrałam z sobą. I wciąż określałam nim każde z miejsc, do których wiózł mnie stary autobus.

Pan Sybiduszka czekał. Nawet usiadł na łóżku i pozwolił Antośce wymościć zbite od leżenia poduszki.

– Wszystko już opłacone – rozpoczął od omówienia interesu. Jakby mu się bardzo śpieszyło do nowego miejsca.

– Nie mogę tego przyjąć – tłumaczyłam cierpliwie.

– Musisz – kończył każdy sprzeciw atakiem duszącego kaszlu.

Antośka patrzyła na mnie jak na zawodowego mordercę z zeszytu Żyraka.

– To proszę zostać tu z nami – nalegałam. – Ogród za chwilę zmieni się w zielone sanatorium. Mam dość siły, żeby zająć się i panem, i domem. Adaś już taki samodzielny...

– Powinnaś pracować – przerwał. – Tam, dokąd się wybieram, potrzebują psychologa czy lekarza... Kogoś takiego. – Pan Sybiduszka był już zmęczony. – Dojedziesz stąd na moim rowerze. – Zaśmiał się chrapliwie.

Rower pana Sybiduszki był wart śmiechu w każdej sytuacji. Nadawał się tylko do jazdy w jedną stronę. Najlepiej prosto do nieba. Podchwyciłam tę jego wesołość i po chwili śmialiśmy się już oboje. Coraz głośniej. Przygłucha Antośka też musiała usłyszeć ten śmiech, bo zajrzała zaniepokojona do sypialnej izby.

Siedziałam na koślawym krześle, tak by nie wygnieść munduru pana Sybiduszki przewieszonego przez poręcz, i zaśmiewałam się do łez. A on patrzył na mnie z jakąś radością, której nigdy nie widziałam na surowej twarzy, zoranej pożogami pracowitych lat. No, może kiedyś, gdy opowiadał o swojej żonie, lekkiej jak płatek margerytki.

A potem odpoczywaliśmy. Pan Sybiduszka wycierał ręką oczy, które łzawiły przy nadmiernym wysiłku, a ja się zastanawiałam, czy przypadkowo nie siedzę naprzeciwko pierwszego prawdziwego Świętego Mikołaja. Takiego bez plastikowej maski i przyczepionej białej brody. Staruszka, który zbłądził w swej ziemskiej podróży. Pogubił drogi. Zwiodły go leśne knieje i pory roku. I tylko z tego powodu nie zdążył uciec przed wiosną.

Wiosna, jak to wiosna, wpadła przez małe okno i przyłapała go na czynieniu dobra. A on, święty bezwstydnik, wcale tego nie żałuje. Szykuje się do podróży. Kazał już nawet przygotować sobie mundur. A teraz odmierza wolnymi oddechami czas szczęścia, który ofiarował całkiem obcej dziewczynce. Takiej, co zna się tylko na kasztanach. I wcale nie zasłużyła sobie na raj. No bo niby czym?

Dziekan nie krył zadowolenia z mojej decyzji.

– Rozumiem, rozumiem – powtarzał miarowo jak student, któremu wyjawiam tajemnicę działania zmienionej dehydrogenazy, biorącej udział w jednym z etapów metabolizowania alkoholu. – Rozumiem. – Odetchnął, gdy dobrnęłam do ostatniego etapu moich argumentów. – I w pełni popieram pani decyzję.

Za drzwiami gabinetu dziekana przebierała nogami moja następczyni. Ula-Dracula. Wykładnia IQ z lekką nadwagą i najwyższą uczelnianą średnią od kilku lat. Obejmie po mnie asystenturę i pokój w hotelu asystenta. Weźmie to, co nigdy do końca nie było moje.

Obiad z Czarkiem w restauracji przerobionej na bar mleczny przypomina stypę.

– Będziesz do nas przyjeżdżał na wakacje – mówię, walcząc z kotletem, który tu chyba na mnie czekał od ostatniej wizyty. – Zobaczysz, jak tam, w Sybiduszkowie, pięknie.

Czarek milczy. Udaje, że przygląda się anatomicznym resztkom okonia.

– Może we wrześniu? – odzywa się wreszcie. – Będę już po wszystkim.

– No, no! – Klepię go serdecznie po ręce. – W nasze skromne progi zawita sam pan profesor!

– A co z twoim doktoratem? Tyle badań i analiz... Szkoda...

– Jeszcze nie wiem – odpowiadam szczerze. – Może kiedyś do niego wrócę. Teraz nie dawał mi szczęścia. Pomyliłam półki. To się zdarza.

– Jakie półki?

– No, z oczekiwaniami. Doktorat, widocznie, nie leżał na mojej. Cieszę się, że dostałam tę pracę. Dom stoi dwa kilometry za miastem. W całkiem innym świecie. W szkole średniej często tam chodziłam, chociaż jeszcze wtedy wolontariat nie był w modzie. To dobry ośrodek. Są dwa oddziały. Psychiatryczny i paliatywny. Będę miała co robić.

– Możesz zmienić temat! Praktyka daje nowe możliwości. Gdybyś, na przykład, zechciała się zająć...

– Nie, Czarku. – Złożyłam sztućce niczym broń. – Nie zechcę zająć się niczym, co teraz nie jest dla mnie ważne.

– A co jest dla ciebie ważne?

– Życie.

Pakowałam skromny dobytek w wielkie kartony, które zorganizował Konrad. Był bardzo pomocny. Cierpliwie owijał naczynia i szkło w gazety. Wykazał się szczególną rozwagą przy kieliszkach do wina, które od nich dostałam na urodziny.

– Tam ci się też przydadzą – mamrotał, pakując je do tekturowego pudełka wymoszczonego watą i serwetkami.

– Roooozwalamy domek! – darł się Adaś, ściągając z niższych półek swoje zabawki. Najchętniej część z nich zostawiłby tutaj. Dla innego małego chłopczyka. Sam był dużym chłopcem i w nowym domu czekała na niego prawdziwa lorneta.

W momencie największego bałaganu wpadł Piotr.

– Więc jednak? – Zmarkotniał. Rozejrzał się po ogołacanym pokoju, szukając dobrych wspomnień. – Mogę ci to wszystko zawieźć – zaofiarował pomoc.

– Nie trzeba. Już to załatwiłam. – Uśmiechnęłam się, kryjąc kłamstwo. Rzeczy miały zapewniony transport, ale nam, z Adasiem, pozostawał niebieski autobus. – Wyjeżdżam i tak będzie lepiej. – Zamiast ponownych tłumaczeń, przytuliłam się do Piotra przyjaźnie. – Musimy oboje wydorośleć, zanim popełnimy następne głupstwo.

– Żółw mi uciekł. – Piotr spojrzał na mnie z ogromnym poczuciem winy. – Tydzień temu. Nie wiem, cholera, gdzie go poniosło. Ale od paru dni sąsiedzi mają żółwia. Całkiem podobny do mojego. Co o tym myślisz?

– Mhm. – Spoważniałam, jak wymagała tego sytuacja. – Uważam, że pierwszy test ojcostwa wypadł... prawie... pozytywnie. Jednak musisz jeszcze nad tym popracować.

– Wiem – przytaknął rozżalony. – Jakoś tak do niego tęsknię. Czy to normalne?

– Bardziej niż myślisz – pocieszyłam go.

– Teraz kupię ozdobnego. Czerwonolicego *Chrisemys scripta elegans*, to go zawsze poznam po czerwonych licach.

– Wystarczy, że nie zostawisz go samego.

– Jasne, jasne. Ale też walnę mu pieczątkę.

– Pieczątkę?

– No, na brzuchu. Magister Piotr Pelczyński. Pedagog. Co ty na to?

– Narcyz – szepnęłam.

– A, zapomniałbym. Skoro mowa o kwiatach...

Piotr sięgnął do torby i wyciągnął z niej bukiecik frezji.

– To tylko tak. Bo wiosna. – Uśmiechnął się szeroko. Odwzajemniłam uśmiech, a kwiaty wstawiłam do wody. Aby i one miały czas przygotować się do podróży.

Jechaliśmy nocą. Adaś, frezje i ja. Autobus znowu nami potrząsał, wpędzając w przerywaną hamowaniem drzemkę. Wieźliśmy z sobą spokój. I klucz od nowego domu. Ten od furtki miał Adaś w kieszonce dresu. Chciał też poczuć się gospodarzem i świetnie to rozumiałam.

– Zabraliśmy wszystko? – pytał mnie przez opary lekkiego snu.

– Wszystko – uspokajałam go.

– Misia też?

– Też.

– I palmę w nocniku?

– I palmę.

– A kasztany?

– Kasztany będą jesienią. Na podwórku babci. Zbierzemy je i zaniesiemy do domu.

– Wszystkie? – upewniał się.

– Co do jednego.

Zamykał oczy w takt silnika. Uspokojony i szczęśliwy.

Właściwie miałam wszystko. A nawet więcej, niż pragnęłam. Profesor Wiedermeier spojrzałby z aprobatą na te wiosenne porządki, na półkę oczekiwań wymiecioną ze złudzeń. Ale gdzieś w zakamarku pamięci wałęsała się zgubiona przed laty młodzieńcza miłość. Już dawno wyposażona w paszport do lepszego świata.

Niech się wałęsa, pomyślałam, nie mając ochoty na dalsze sprzątanie. Niech sobie tam będzie. W domu pana Sybiduszki wystarczy miejsca na stare sentymenty.

Następnego dnia powiesiłam na ścianie w jadalni wszystkie szkice Krzysia. Prezentowały się pięknie. Pomyślałam, że będzie tu jeszcze ładniej, gdy przy przeciwległej ścianie postawię kredens. Mama tak się ucieszyła, że go wezmę. Dziwiła się trochę, ale tatuś wytłumaczył jej tę moją prośbę najlepiej.

– Nasza Miśka zawsze była trochę dziwna, ale zuch dziewczyna. Wie, że w takim starym kredensie zmieści się więcej butelek niż na półkach monopolowego. Niemiec potrafił użyteczny mebel wykonać.

Mama machnęła tylko ściereczką i zabrała się do polerowania mebla.

Potem

Nie pamiętam tak pięknego lata – mówiła babka Bronia. Jej kroczki robiły się drobniejsze, a usta jeszcze wyraźniej drżały przy każdym słowie. – U nas, na Wileńszczyźnie, lato było jak lato, a zima to prawdziwa zima. – Nie umiała się powstrzymać od coraz częstszych podróży na wschód.

– U nas, u was. Tyle lat mama jest tutaj, a jeszcze wraca na ruskie podwórka. – Tatuś się skrzywił. Naprawiał telewizor. Po raz pierwszy. Na szczęście to był stary aladyn, ten z gałką, który przytargali z mamą z piwnicy.

– Jakie ruskie podwórka? – Babka Bronia miała nad tatą przewagę, bo czekała na listonosza z rentą.

– Tak tylko powiedziałem. – Tatuś dyplomatycznie schował głowę w telewizorze. – Cacko! – krzyknął ze środka. – Nie to co teraźniejsza chała! Jak go naprawię, dam mamie – podlizywał się babce, kręcąc śrubokrętami w bebechach pełnych kurzu i lamp.

– Gdybym dostała odszkodowanie za mój majątek, sama bym sobie kupiła. – Babka spojrzała na tatę, jakby od niego zależała procedura prawna i jej pieniądze.

Uśmiechnęłam się, bo tatuś wiedział, co zrobić z pieniędzmi, aby się ich pozbyć. Miał natomiast problem, gdy trzeba było je zdobyć.

– Mieliście o tym Miśce jeszcze nie mówić – przypomniała mama. Wróciła do cerowania, bo jajczarski biznes padł z powodu jakiejś zarazy w kurniku Matysiaków.

– O czym? – zapytałam, kończąc kapuśniak.

– No, o spadku – szepnęła mama.

– Nie o spadku, a o ojcowiźnie. – Tata na moment opuścił wnętrze telewizora. – To nasza ojcowizna i będziemy się domagać zwrotu pieniędzy. Nie zostawimy rodzinnego majątku Sowietom – rozpoczął gniewnie.

– A co ty masz do mojej ojcowizny! – Babka za gwałtownie zerwała się z krzesła i równie szybko na nie opadła. – Znalazł się... sukcesor jeden... dziedzic wielki! Jaśniepan zawszony!

– Niech tak mama nie przeklina, bo coś ten telewizor nie chce dla mamy zagrać – zagroził ojciec.

– Będziemy, córuś, znowu bogaci. – Mama nie zważała na wojnę w łonie rodziny. – Wuj Roman już pojechał się procesować. Sprawdzić, co nasze i za ile! A majątek piękny... – Podniosła szczęśliwe oczy na tatę. Tak mu się spodobała z tym szczęściem na twarzy, że nic nie powiedział. – Ja tobym wolała tam pojechać, niż żeby nam płacili – szepnęła i oblała się rumieńcem. – Ale tatuś mówi, że co to za patriotyzm ojczyznę rzucać w potrzebie i na dobrobyt się pchać.

– Ojczyzna jakoś sobie radzi – powiedziałam ostrożnie, a mama dolała mi kapuśniaku.

– Bo wiesz, mi chodzi o to, że Parysiaki jadą od lat w nieznane, a my nigdy. Trochę do tych Niemiec, do pracy. A poza tym tak tu siedzimy, jakby nam kto tyłki do foteli przymurował.

– Twoja matka myśli, że Parysiaki by nam pozazdrościli tej ekskursji – ciągnął ojciec. – A na mój rozum lepiej nie jechać do Ameryki, niż jechać do Ruskich... A ty jak uważasz? –Tatuś od pewnego czasu zaczął poważać mój dyplom.

– Ja myślę, że w domu najlepiej – powiedziałam, patrząc na ich zmęczone wiecznym udręczeniem twarze.

– O, i powiedziała prawdę! – Babka klasnęła w dłonie. – Że też trzeba tyle lat po obcych się szwendać, żeby taką prostą rzecz zrozumieć. – Pokiwała głową ze zdumieniem.

Ucałowałam ją w czerstwy policzek.

– A ja tak sobie kalkuluję, że gdybyśmy naprawdę mieli być bogaci, to i tak byśmy nie byli. – Tatuś przybrał rzadką u niego minę filozofa.

Z kolei mama przytakiwała mu głową, jakby wiedziała, co to za nowa teoria dręczy tatę.

– Nie? – zapytałam na wszelki wypadek. – A dlaczego nie?

– A czy to można by było patrzyć na tę biedę innych? I nic? Zaraz by się coś komuś kupiło, coś ofiarowało.

– Coś dało. Nawet Parysiakom! – Mama ochoczo przystąpiła do filantropii. – Dolarów dla nich nigdy dosyć.

– A zamiast tej szopki na koguty można by pomniczek Najświętszej Panience zrobić – zamarzyła babka. – Bo to też nie tylko dla nas. Każdy mógłby się pomodlić. Dobrą myśl zostawić, kwiatki wokół posadzić. Nawet swołocz niechby sobie przystanęła. A co tam! – Babka Bronia rozpędziła się w marzeniach i okazała wielkie serce.

– Zgadza się – pokiwał głową ojciec. – Jednak za bardzo to ty nie licz, drogie dziecko, na ten spadek. A nam i bez niego ciężko się żyje – powiedział tonem krezusa.

– Wpadnę lada dzień – obiecałam, odprowadzana do progu ich tęsknymi spojrzeniami.

W ogrodzie pana Sybiduszki szalały pszczoły. Pod starą gruszą Adaś zbudował szałas.

– To dla gości – powiedział.

Pomyślałam, że nie tak prędko doczeka się mieszkańca. Mieliśmy pełne ręce roboty. Gruszki dojrzewały i co chwila spadały z impetem w wysoką trawę. Robiłam słodkie kompoty. Malowaliśmy razem altanę, a potem upiekłam jabłecznik i przyjechał do nas z wizytą pan Sybiduszka.

Jedliśmy ciasto na powietrzu. Pan Sybiduszka co jakiś czas pytał o listy.

– Nie, nie było – odpowiadałam i markotniałam mimo pięknego dnia i ciepła wypełniającego każdy kawałek ogrodu.

Pan Sybiduszka też markotniał. Ale już nie był tak przygnębiony jak po mojej relacji z wizyty Krzysia.

Opowiedziałam mu wszystko gniewnie i przez łzy. Że wyszło inaczej. Że wyglądaliśmy jak wzorzec młodej rodziny: mama, tata, dziecko. Szczęśliwy dom. Historia rodem z taniego romansu. Tylko nie moja.

– Ludzie po to błądzą, żeby się odnaleźć. Gorzej, jak myślą, że się odnaleźli, a to nieprawda. – Pan Sybiduszka próbował mnie pocieszać, ale są domy nie do ugaszenia i stary strażak doskonale o tym wiedział.

Gdy kończyłam pracę na swoim oddziale, wpadałam do niego z nowinami. Mówiłam o każdej zmianie w ogrodzie. Słuchał z uwagą, doradzał i wydawało mi się, że mieszkamy razem.

Lubiłam też zajrzeć do Kobyłki, której przywróciłam

imię. Miała tak słaby wzrok, że nie analizowała już tablicy Mendelejewa. Z dawnych przyzwyczajeń zachowała tylko lalkę, którą zawsze sadzała sobie na kolanach. Czesała jej sztuczne włosy i przytulała do obfitych piersi. Lalka nie miała oczu i pani Maria, pokazując mi ten defekt, robiła smutną minę. Kupiłam jej nową. Z wielkimi niebieskimi oczami, podobną, ale jej nie przyjęła. Pokręciła przecząco siwymi pasmami resztek dawnego ogona. Wzięła do ręki mały grzebyczek i cierpliwie zanurzyła go w jasnych lokach swej plastikowej ulubienicy.

Otaczało mnie zewsząd przyjazne ciepłe powietrze. Przenikało przez samotność nawet w czasie zimnych dni. Zastanawiałam się wówczas, czy to nie sprawka słońca, które zawiesza się zawsze gdzieś nieopodal. Kiedyś bywało częstym gościem na kasztanie. Teraz chętnie stacjonowało przy wierzchołku starej gruszy. Tylko noce były chłodne. Zawiewało od starych okien jakąś tęsknotą i pustką. Przykrywałam się kołdrą w biedronki, a zmęczenie zagrzewało do snu.

To był całkiem zwyczajny dzień. Czwartek albo piątek. Już nie pamiętam. Pracowity jak każdy tego lata. Gorący i niosący zapach siana z okolicznych pól. Adaś bawił się przy płocie, na który od dawna już nie sikał. Teraz próbował naprawiać wszystkie psoty deszczów i susz pozostawione między grubo ciosanymi żerdziami próchniejącego ogrodzenia. Udawał stolarza i to jego udawanie trochę mnie przerażało. Robił się dziwnie podobny do swego dziadka. Co chwila wyłamywał całkiem dobry kawałek płotu.

– Mamo! – zawołał głośno. Wyjrzałam kuchennym oknem.

– Ktoś do nas idzie!

Wolno wyszłam przed próg. Starałam się nie przyśpieszać. Bo po co? Czasami próbujemy być szybsi od własnego losu. Można wtedy wiele zgubić. I cierpieć. Tu żyłam tak, aby nie przeoczyć żadnej rozkwitającej roślinki własnych potrzeb. Niezwykle nieśmiałych, od których miałam zielono w głowie.

Adaś zanurzył wzrok w lornetę i bacznie przyglądał się przybyszowi. Patrzyłam i ja, instynktownie uwalniając włosy z nieśmiertelnej kitki.

– Widzę! To jakieś kwiaty z biednym panem!

– Biednym? – Starałam się ukryć rozgoryczenie.

– Bardzo biednym – ocenił Adaś. – Ma zniszczone buty. – Oderwał wzrok od lornety.

– To... chyba ktoś nasz – zapewniłam synka i przytuliłam do siebie.

– Skąd wiesz, że nasz?

– Nikt nie zna drogi do raju – szepnęłam niebezpiecznie rozedrganym głosem. – Nawet niebieski autobus.

– Płaczesz z radości czy ze smutku?

– Z radości. – Próbowałam opanować wzruszenie.

– To płacz.

Podróżny poruszał się bez pośpiechu. Jakby zmierzał do miejsca, z którego już nie trzeba będzie pędzić dalej. Szukać wiatru na innych polach ani ciszy w innych lasach. Stawać przed obcym krajobrazem. Zasypiać w cudzym łóżku. Wyłaniał się z przydrożnych tumanów kurzu i wystarczyło przyłożyć rękę do oczu, aby dostrzec jego uśmiech.

– Ten sam. – Odetchnęłam, mocniej przygarniając Adasia. – Uśmiech z mojego snu. I z każdego wspomnienia, po którym trudniej się żyło. Bardziej tęskniło. I jeszcze dłużej czekało...